U0850565

中华人民共和国法律释义丛书
全国人民代表大会常务委员会法制工作委员会编

中华人民共和国
工会法释义

主　编　张春生(全国人大常委会法制工作委员会副主任)
副主编　李　援(全国人大常委会法制工作委员会国家法行政法室主任)
　　　　张世诚(全国人大常委会法制工作委员会国家法行政法室副主任)
撰稿人　张世诚　黄　薇　刘海涛　郑全红

法律出版社

图书在版编目(CIP)数据

中华人民共和国工会法释义 / 张春生主编. -- 北京:法律出版社, 2002.1(2018.11 重印)
(中华人民共和国法律释义丛书)
ISBN 978-7-5036-3648-6

Ⅰ. ①中… Ⅱ. ①张… Ⅲ. ①工会法-注释-中国 Ⅳ. ①D922.565

中国版本图书馆 CIP 数据核字(2001)第 098006 号

中华人民共和国工会法释义
ZHONGHUA RENMIN GONGHEGUO GONGHUIFA SHIYI

张春生 主编

责任编辑 麦 锐
装帧设计 李 瞻

编辑统筹 法规出版分社
出版 法律出版社
开本 850 毫米×1168 毫米 1/32
总发行 中国法律图书有限公司
印张 9
经销 新华书店
字数 217 千
印刷 北京玺诚印务有限公司
版本 2002 年 1 月第 1 版
责任印制 吕亚莉
印次 2018 年 11 月第 2 次印刷

法律出版社/北京市丰台区莲花池西里 7 号(100073)
网址/www.lawpress.com.cn
投稿邮箱/info@lawpress.com.cn
销售热线/010-83938336
举报维权邮箱/jbwq@lawpress.com.cn
咨询电话/010-63939796

中国法律图书有限公司/北京市丰台区莲花池西里 7 号(100073)
全国各地中法图分、子公司销售电话:
统一销售客服/400-660-6393
第一法律书店/010-83938334/8335 西安分公司/029-85330678 重庆分公司/023-67453036
上海分公司/021-62071639/1636 深圳分公司/0755-83072995

书号:ISBN 978-7-5036-3648-6 **定价**:46.00 元
(如有缺页或倒装,中国法律图书有限公司负责退换)

总　　序

人类文明的历史上，还没有哪一个时代像中国的改革开放40年一样，在历史长河中掀起如此巨大的浪花——它不仅深刻改变了一个国家的面貌与精神气质、使数亿人摆脱贫困，还极大地改变了世界格局。

1978，在那一年的年底，中共中央一次全体会议——十一届三中全会扭转了中国的前进方向，开辟了一个时代。回首过去，我们发现，一些观念从那时开始在中国出现，一些声音从那时开始逐渐响起，一些人物开始登上历史舞台。从这一年开始，随着"加强社会主义民主，健全社会主义法制"历史性任务的提出，"法制"两个字进入了人们的视野；政法机关开始恢复重建；法律院系开始蓬勃发展。一部部法律从庙堂走进了人们的生活，一次次裁决推动着国家前进的脚步。从"有法可依、有法必依、执法必严、违法必究"到"科学立法、严格执法、公正司法、全民守法"；从"法制"到"法治"；从法治观念的形成到"依法治国，建设社会主义法治国家"写进宪法，再到"法治国家、法治政府、法治社会一体建设"，人们对法治的认识步步深入，中国的改革不断向前推进，结出丰硕的果实。在中国共产党的带领下，这个励精图治的古老国度，再一次创造了改革的奇迹。

40年发生了无数故事,40年产生了许多事物。为了纪念这难忘的40年,本社组织编辑出版了一批"纪念改革开放40周年"主题图书。这些图书,将40年来颁布的重要法律及其释义甄选汇集,将法学领域有代表性的学术论文萃取精编,把有关政法机关的重建、法律院系的重生与发展进行展现,将一批被时代改变命运的人物再次唤起。我们希望从法律与法律人的视角,重新审视过去的40年,认真体会这不平凡的40年。

如江河东下,逝者如斯。岁月总会过去,人事总有代谢,但一个不平凡的时代留下的深刻痕迹,永远不会磨灭。"不忘初心,牢记使命",习近平总书记在党的十九大报告中向全党发出的号召,使我们有理由期待,下一个40年,中国将更加惊艳!

法律出版社编辑委员会

2018年10月

出 版 前 言

《中华人民共和国法律释义丛书》是由全国人大常委会法制工作委员会主持组织编辑的一套系列丛书。

该套丛书由一系列法律释义组成。邀请有关专家、学者和部分参与立法的同志编著。该丛书坚持以准确地反映立法宗旨和法律条款内容为最基本要求,在每部法律释义中努力做到观点的权威性和内容解释的准确性。

我们相信,该套丛书的陆续出版,将会给广大读者进一步学好法律提供有益的帮助。

重 印 说 明

本次重印,是为改革开放40周年制作的特别纪念版,为了保持内容原貌,未对正文和附录作实质修改。个别法条内容有修订或修正的,以脚注形式作了标注。特此说明。

2018年10月

目　录

第一部分　释　义

第一章　总　则…………………………　1
第二章　工会组织…………………………　44
第三章　工会的权利和义务………………　62
第四章　基层工会组织……………………　98
第五章　工会的经费和财产………………　106
第六章　法律责任…………………………　115
第七章　附　则…………………………　157

第二部分　附　录

中华人民共和国主席令……………………　160
全国人民代表大会常务委员会关于修改
　《中华人民共和国工会法》的决定　…………　161
中华人民共和国工会法……………………　170
全国人民代表大会常务委员会委员长会议
　关于提请审议《中华人民共和国工会法修正案
　(草案)》的议案　……………………………　181
关于《中华人民共和国工会法修正案(草案)》的
　说明…………………………………………　182
全国人大法律委员会关于《中华人民共和国
　工会法修正案(草案)》审议结果的报告　……　189

全国人大法律委员会关于修改著作权
法的决定等五个法律草案修改意见的报告
（节选）…………………………………………… 194
九届全国人大常委会第二十三次会议
分组审议工会法修正案（草案）的意见 …… 197
九届全国人大常委会第二十四次会议
分组审议工会法修正草案的意见…………… 205
中央有关部门和地方人大对工会法
修正案（草案）的修改意见 ………………… 210
中央有关部门、企业及专家对
《工会法修正案（草案）》的意见 …………… 219
修改《工会法》广东省调研报告 …………… 224
修改《工会法》江苏省调研报告 …………… 233
修改《工会法》湖北省调研报告 …………… 241
修改《工会法》四川省调研报告 …………… 252
修改《工会法》浙江省调研报告 …………… 259
大连市外商投资企业工会建设情况…………… 264
中央有关部门对工会法修正案
（征求意见稿修改稿）的意见 ……………… 267
部分地方和中央有关部门对
工会法修正案（征求意见稿）的意见 ……… 272

第一部分 释 义

第一章 总 则

第一条 为保障工会在国家政治、经济和社会生活中的地位，确定工会的权利与义务，发挥工会在社会主义现代化建设事业中的作用，根据宪法，制定本法。

【释义】 本条是关于工会法的立法宗旨和立法依据的规定。

为了更好地理解工会法的立法宗旨和立法依据，应对工会的产生和发展有一定的了解。

工会最早产生于18世纪末的西方资本主义国家，是社会经济矛盾的产物。社会经济矛盾是同社会生产发展的一定历史阶段相联系的，不同阶级、不同阶层、不同利益群体之间的物质利益矛盾，在不同的社会生产发展阶段，其实质及表现形式也不相同。在资本主义社会时期，存在两个根本对立的阶级，即工人阶级与资产阶级，他们在经济利益上的矛盾，是当时社会经济矛盾的集中表现，其根本原因在于生产资料的私人占有。

资本主义生产方式发展经历了简单协作、工场手工业和机器大工业三个阶段。从严格意义上讲，无产阶级是由于产业革命而产生的。而在此之前的简单协作阶段和工场手工业阶段，也存在帮工、学徒和手工业工人等一些雇佣劳动者，他们都是雇佣工人的先辈，并未形成严格意义上的工人阶级，而只是工人阶级的前身。

现代工人阶级是在机器大工业阶段产生的。这是因为,由于产业革命而兴起的机器大生产,创造了手工业小生产无法比拟的劳动生产率,从而彻底排挤了个体手工业和手工工场等前资本主义的生产关系,而使工人成了机器的单纯附属物。因此,机器大生产完全割断了工人与小生产、小私有者的联系,从而造就了一个全新的,同机器大生产紧密相连的,没有自己的生产资料而不得不靠出卖劳动力来维持生活的产业工人阶级,即工人阶级。同时,也形成了以占有社会生产资料,使用雇佣劳动为特征的大工业资本家阶级,即资产阶级。因此,工人阶级与资产阶级是随着资本主义生产方式的产生和发展而相伴形成的。

产业革命使社会的阶级对立简单化了,这种对立主要表现为工人阶级和资产阶级的对立。在资本主义社会中,劳动和资本根本对立,工资和利润直接对抗。由于资本主义生产的目的就是榨取剩余价值,资本家为了获取剩余价值就要千方百计地通过增加工时、减少福利、增加劳动强度等方法降低工资,提高利润。这就决定了工人阶级必然要向资产阶级开展阶级间的各种形式的经济斗争。工人在没有组织时,工资有不断下降的趋势。工人阶级维护自己利益的第一斗争就是进行要求增加工资、缩短工时和改善劳动条件的经济斗争。在资本主义条件下,工资规律并不是固定不变的,而是在一定的范围内由讨价还价决定的。在这个斗争中谁坚持的长久和有效,谁就会多得。产业工人的人数虽然远远超过大工业资本家,但是,在与资本家斗争的过程中还是处于弱势地位,单个的工人不可能同资本家抗衡,分散的工人当然也不行,早期工人运动中工人捣毁机器的“卢德运动”,以及自发的小规模的罢工常常以失败告终,原因即在于工人没有组织起来。因此,工人运动的实践证明,只有工人群众联合并组织起来,结合成一个强有力的组织,使他们在必要的时候能够同他们的雇主对抗,并能够作为一种力量去同这些雇主进行谈判,才可能战胜资本家,最终维护自己的物质利益。在经济斗争的这一客观前提下，形成了以职工为主体，以维护和改善劳动条件，提高经济地位为主要目的而自主组织起来的团体或者其联合团体，即工会。工会最早出现于18世纪90年代末的英国，并于1824年在英国取得了合法地位。因此，工会是工人阶级与资产阶级进行经济斗争的产物，是以经济斗争为直接动因而产生的。

工会在资本主义社会产生之初，只是为维护工人阶级的经济利益而形成的经济组织，各个工会彼此之间是孤立的，还没有形成整个产业和整个社会的联合，这也是工人阶级在自己的发展历程中最初的和最原始的组织。但是，工会并不是只停留在维护经济利益这个性质上，而是由在经济斗争中维护个别的和一部分工人的经济利益，逐步发展到进行维护整个工人阶级的利益的政治斗争。这样，以19世纪中期欧洲的三大工人运动为标志，工会开始逐步发展成为工人阶级的政治组织。19世纪下半叶，随着工会运动和阶级斗争的发展，各主要资本主义国家纷纷建立了工人政党，工会运动开始进入与工人阶级政党运动相互依存、相互影响的历史时期。

中国工会的诞生要比资本主义国家晚100多年，它产生于我国半封建半殖民地社会时期，当时的社会经济矛盾主要表现在无产阶级同封建主义、帝国主义和官僚资本主义之间的经济利益上的根本对立。中国最早的一批产业工会，诞生在外国殖民主义者在中国开办的一些资本主义企业中。中国工人阶级处于帝国主义、封建主义和官僚资本主义三座大山的压迫之下，地位极其低下，其劳动条件极差，劳动强度极大，经济收入极低，所以中国工人阶级所受的剥削更为惨烈。在这种情形下，中国工人为争取自己最基本的经济利益而成立了工会组织。随着民族资本主义的产生和发展，中国工人运动也不断发展，工会也在反对帝国主义、封建主义和官僚资本主义的过程中发展为政治组织。中国工会从产生之后,很早就和无产阶级政党发生了密切的联系,很快地发展壮大起来,并成为中国共产党联系工人阶级,组织革命运动乃至武装斗争的重要依靠力量;直到社会主义时期,中国工会发展成为中国共产党领导的工人阶级最广泛的群众组织,是国家政治体制中重要的社会政治团体。可以说,中国的工会从产生之日起就有浓厚的政治色彩,这一点不同于西方国家的工会。

在社会主义制度下,工人阶级掌握了国家领导权之后,工会仍然是社会经济矛盾的产物,其根本原因在于社会生产力的发展还没有达到完全消灭工农之间差别,消灭城乡之间、体力劳动和脑力劳动之间以及其他重大社会差别的高度。但社会主义时期的社会经济矛盾的性质、表现形式以及解决矛盾的方式是同资本主义社会有根本区别的。社会主义社会的社会经济矛盾主要是指人民内部各个阶级、阶层、不同的利益群体之间在根本利益一致基础上的经济利益上的差别和矛盾。形成我国工会必须长期存在和发展的社会经济矛盾主要表现在以下几方面:一是全国人民总体利益与职工群众具体利益之间既统一又相互矛盾的情况;二是国家、企业(集体)、职工三者利益之间也存在着既统一又相互矛盾的情况;三是工人、农民以及其他社会阶层,如个体户、私营企业主等社会各利益群体之间的矛盾;四是在企业事业单位内部,职工作为生产者和被管理者与经营者和管理者之间的矛盾;五是随着外商投资企业、中外合资经营企业、中外合作经营企业和私营经济等多种经济形式的出现和发展,在我国重新产生了劳资关系和劳资矛盾。显然,在上述经济矛盾的冲撞和协调中,职工群众作为具有自身具体利益的社会利益群体,必然要组织工会表达和维护自身的应有权益。

工会是社会经济矛盾的产物,更具体地讲,也是劳动关系矛盾的产物。因社会经济矛盾,具体地和直接地是在劳动关系中体现出来的,或者说,这种社会经济矛盾主要是表现为劳动关系的矛盾。在资本主义社会,工人阶级和资产阶级的矛盾,最直观的表现是工人和雇主之间的矛盾,这种矛盾是在劳动过程的实现中展开。工会就是在劳动关系矛盾斗争和发展中,工人为了维护自己的劳动权益而自愿结合成的与雇主对抗的组织。工会最基本的活动即是围绕着劳动问题,诸如提高劳动工资、减少劳动工时、改善劳动待遇等展开的。在市场经济中,工会是作为劳动关系的有机组成部分而存在的。脱离劳动关系,工会便失去了存在的基础,而没有工会便构不成一个完整的劳动关系。

社会主义时期的社会经济矛盾也同样集中表现在劳动关系问题上,劳动关系矛盾的存在是工会继续存在和发展的社会基础。劳动关系原意是指劳动者同劳动力使用单位在劳动过程中所发生的关系。但在计划经济时代,劳动关系并非原来意义上的劳动关系,而表现为一种劳动行政关系,劳动者同国家发生关系,用国家行政机关来调整劳动关系;正是由于计划经济下劳动关系的异化,工会存在与否,不能引起人们的关注。随着我国社会主义市场经济体制的建立和完善,劳动关系原本性质开始复归,劳动关系由计划经济下的国家与职工的关系逐步转变为用人单位与职工的关系,并向市场化、契约化方向发展,从而劳动关系主体双方的利益之间也将会发生摩擦和冲突。同时,随着对外开放和私营经济的发展,我国社会重新出现了劳资矛盾,这使得我国的劳动关系显得更加复杂。在这种情况下,一方面,国家制订有关法律来规范劳动关系主体双方的行为;另一方面,工会以劳动者代表的身份同劳动力使用单位进行协商谈判,协调劳动关系,保护劳动者的合法权益。

在了解了工会的产生和发展之后,我们再来探讨工会法的立法宗旨,工会法的立法宗旨主要体现在以下三个方面:

一、保障工会在国家政治、经济和社会生活中的地位

工会在国家经济、政治和社会生活中所处的位置共同构建了

工会的地位,这种地位是由法律所规定的工会的权利和义务所确定的,是通过工会在社会经济、政治关系和广泛的社会生活中所发挥的作用而实现的。

工会在社会经济关系中的地位,是指工会在社会经济关系中所处的具体地位。在社会主义市场经济条件下,工会的地位主要是通过工会对于劳动关系所产生的影响而体现出来的。工会产生并作用于社会经济关系和社会经济矛盾,作为社会经济构成一个基本要素直接参与这种经济关系运行。在市场经济中,如果缺少工会这一要素,或这一要素的作用不能正常发挥,社会经济关系便不能正常运行,社会经济矛盾也不能有效地得到调节。我国工会在经济关系中地位集中体现在是劳动关系中的劳动者合法权益的代表。在社会经济关系和劳动关系中,劳动者是一个不可或缺的基本要素。工会作为集体劳权的代表,成为劳动关系当中不可缺少的一方,是推进改革、促进经济发展、维护社会稳定的重要力量。在市场经济的条件下,工会是社会经济关系和社会劳动关系中的不可缺少的基本要素。可以这样认为,没有工会的存在和发挥作用,便不可能有一个规范的和稳定的劳动关系,这样也就没有市场经济的运作。工会的地位表现在劳动关系的构成和运行中,没有工会的参与和介入,劳动关系将是不平衡的或是残缺的。工会的地位还表现在劳动争议的处理上,作为一方代表的工会,在劳动争议的处理过程中,不仅是劳动者一方的代表,而且是协调矛盾的组织和力量。随着我国劳动关系市场化的程度越来越高,工会在其中的作用也越来越突出,其地位也会越来越高,需要从法律上保障其地位,这也是保障广大职工群众的合法权益,保持和谐稳定的劳动关系的必然要求。

工会在政治关系中的地位主要是指工会在国家政治体制中的重要作用。我国工会在政治关系中的地位特点主要体现在工会是国家政治体制中的重要组成部分。在计划经济下,被看重和突出的是工会在政治关系中的地位即政治地位,工会主要是作为一个社会政治团体发挥作用的。在市场经济下,工人阶级仍然是党的阶级基础,是社会主义国家的领导阶级,只要工人阶级的主人翁地位不变,工会在国家政治体制中的重要社会政治团体的地位也不会变,党仍然坚持全心全意依靠工人阶级的根本指导方针,就必然要充分发挥工会在社会政治生活中的作用。作为社会主义国家民主政治的特点,最基本和最突出的就是广大的劳动者群众享有最广泛的民主权利。劳动人民当家做主是我国政治生活中始终坚持的原则和追求的目标,社会主义民主政治的一个最基本的要求,就是不断扩大劳动者群众的经济权利和政治权利。在这个过程当中,作为劳动者代表的工会,从法律上对其地位予以保障也是一个必然的要求。

工会在社会生活中的地位,主要是指工会在现实的广泛的社会生活中的影响力和声望。工会应该关心并参与广泛的社会生活,在社会生活中扮演重要的角色,为推动社会的全面发展发挥重要的作用。

新时期,加快改革开放,发展社会主义市场经济,工会必须承担更艰巨的任务,发挥更重要的作用。这是党的重托,职工群众的期望,也是社会主义市场经济的内在要求。由于多种经济成分和多种分配方式并存,许多改革政策和措施都涉及职工利益,在保障广大职工的劳动权利、经济利益、政治地位、民主权利等方面,遇到了一系列新情况、新问题。党需要工会组织更好地关心职工疾苦,重视职工利益,反映职工要求,更加密切与职工群众的联系,充分发挥党联系职工群众的桥梁纽带作用。职工群众需要工会敢于和善于为自己说话办事,更好地代表维护自己的合法利益,充分发挥民主渠道和社会调节作用。工人阶级和工会与党之间的这种亲密无间的血肉联系,在新形势下显得更加重要。社会主义市场经济对工会提出了新的更高的要求:依靠职工群众搞好国有企业特别是大中型企业经营机制的转换,是巩固社会主义制度和发挥社会主义优越性的关键所在,工会在这方面的工作非常艰巨;深化改革和扩大开放,使劳动关系由国家与职工的关系逐步变为企业与职工的关系,并向市场化、契约化的方向发展,国家、企业、职工三者利益关系日益清晰,工会作为职工利益代表者的身份更加明确,工会代表职工调节劳动关系、维护职工合法权益的任务突出出来;发展市场经济要依法规范政府、企业、职工等各方面的行为,强化监督和制约机制,要求工会加大参与立法、制定政策和执法监督的力度;乡镇企业、外商投资企业和私营企业的迅速发展,工人阶级队伍不断壮大,使得工会的组织建设任务异常繁重;经济发展走上依靠科技进步和提高劳动者素质的轨道,改革开放既要吸收和利用世界各国包括发达资本主义国家所创造的一切先进文明成果,又要防范资本主义腐朽思想对职工队伍腐蚀的进一步加重。因此,新形势下工会的地位和作用更加重要了,工会工作只能加强不能削弱。另外,在社会主义市场经济体制的建立和完善的过程中,随着社会劳动关系的变化,工会与劳动者逐渐形成一种利益上的更紧密联系。在这种情况下,劳动者自然要以工会作为自己的利益组织而拥护和支持工会,而工会也必须要以劳动者为基础和依托来形成自己的组织力量和社会影响,工会与劳动者切实地联系和结合起来,工会的地位和权利具有了坚实的社会基础和群众基础。这些都需要从法律上保障工会的地位。

二、确定工会的权利与义务

权利与义务是相对而言的,是相互联系、辩证统一的整体。没有不讲权利的义务,更没有不履行义务的权利。

我国正在推行依法治国方略,这一方面要求进一步完善社会主义法制,另一方面要求包括国家机关、企业事业单位、社会团体和公民个人在内的所有的主体都应该依法行事,即在法律的范围内进行活动。工会作为工人阶级自愿结合的群众组织也不例外,也必须在法律规定的范围内活动,享受法律所赋予的权利,履行法律所规定的义务。工会法是调整工会活动关系法,为保障工会在国家政治、经济和社会生活中的地位,充分发挥工会在我国社会主义现代化建设事业中的重要作用,明确了工会的地位和作用,为工会代表和维护职工合法权益,赋予了更加广泛、具体的权利,同时也相应规定了工会的职责和义务。工会法确立的工会的权利和义务主要有:

1. 工会代表和维护职工合法权益的权利和义务

工会代表和维护职工的合法权益既是工会的权利,又是工会的义务。一方面,随着社会主义市场经济体制的建立和完善,国家、企业、职工三方利益格局(即劳动关系三方格局)开始形成,工会的实际地位是,在国家和企业面前是职工利益的社会代表,工会法、劳动法等相关法律都赋予工会在国家和企业面前以代表和维护职工合法权益的资格,即工会享有代表和维护职工合法权益的权利,工会以外的其他社会团体则没有这一权利。另一方面,相对于广大职工群众而言,这同时又是法律所规定的工会应当履行的义务,工会在任何时候都必须代表和维护职工的合法权益,特别是当职工的利益受到企业或者国家的不当政策或者行为侵害时,工会有义务出面代表职工据理力争,维护职工的合法利益。工会代表和维护职工合法权益的权利和义务主要表现在以下几方面:

(1)维护职工的民主权利。企业、事业单位违反职工代表大会制度和其他民主管理制度,工会有权要求其予以纠正,有权保障职工依法行使民主管理的权利。职工的民主权利不仅需要党和国家在制定和执行政策、法律、法规时加以维护,而且还需要工会组织通过参与立法、参政议政,代表和组织职工参加民主管理和民主监督等途径,依法加以维护。

(2)帮助、指导职工与企业以及实行企业化管理的事业单位签订劳动合同,代表职工与企业以及实行企业化管理的事业单位进行平等协商,签订集体合同并监督集体合同的履行。劳动合同是劳动者与用人单位之间确立劳动关系、明确双方权利和义务的协议。集体合同是企业以及实行企业化管理的事业单位的劳动者一方与企业以及实行企业化管理的事业单位就劳动报酬、工作时间、休息休假、劳动安全卫生、保险福利等事项签订的合同。工会帮助指导职工与用人单位签订劳动合同,代表职工与用人单位进行平等协商,签订集体合同,可以促进劳动合同的依法签订和依法履行,避免合同纠纷的产生,可以将全体职工的各项劳动权利利用合同的形式规定,使劳动者明确自身的合法权益和应尽的义务,从而有利于维护职工的劳动权利和其他合法权益。企业违反集体合同,侵犯职工劳动权益的,工会可以依法要求企业承担责任;因履行集体合同发生争议的,经协商解决不成的,工会可以向劳动争议仲裁机构提请仲裁,仲裁机构不予受理或者对仲裁裁决不服的,可以向人民法院提起诉讼。

(3)对企业、事业单位处分职工,工会认为不适当的,有权提出意见。企业单方面解除职工劳动合同,工会认为其违反法律、法规和有关合同,可以要求企业重新研究处理。企业应当研究工会的意见,并将处理结果书面通知工会。

(4)对企业、事业单位违反劳动法律、法规规定,严重侵犯职工合法权益的,工会应当代表职工与企业、事业单位交涉。企业、事业单位违反国家有关职工工资、劳动安全卫生条件、劳动(工作)时间的规定,以及违反保护女职工和未成年工特殊权益的法律、法规或者存在其他严重侵犯职工劳动权益的情形的,工会应当代表职工与企业、事业单位交涉,要求企业、事业单位采取措施予以改正;企业、事业单位应当予以研究处理,并向工会作出答复;企业、事业单位拒不改正的,工会可以请求当地人民政府依法作出处理。

(5)工会有权对危及职工生命安全的情况提出解决的建议。

当发现企业违章指挥、强令工人冒险作业时，或者生产过程中发现明显重大事故隐患和职业危害时，工会有权提出解决的建议；当发现危及职工生命安全的情况时，工会有权向企业建议组织职工撤离危险现场；工会有权参加职工因工伤亡事故和其他严重危害职工健康问题的调查处理，应当向有关部门提出处理意见，并有权要求追究直接负责的主管人员和有关责任人员的责任。此外，依照国家的有关规定对企业“三同时”项目的使用进行监督。

（6）企业、事业单位发生停工、怠工事件，工会应当代表职工同企业、事业单位或者有关方面协商，反映职工的意见和要求并提出解决意见。在我国，停工、怠工事件还不同程度地时有发生，造成这种状况的原因是多方面的，其中有相当一部分是由于职工的正当愿望或要求未能得到及时解决或者答复，职工不得已所采取的消极做法。我国的停工、怠工不同于资本主义国家的罢工，但如果未能得到及时、正确的处理，也会影响企业、事业单位的生产经营，增加社会的不稳定因素。这种时候，工会首当其冲应当代表职工与企业、事业单位或者政府有关方面进行交涉，反映职工的意见和要求并提出解决意见。由于工会组织与职工联系较多，比较熟悉和了解职工的意见和要求，也容易做好职工的思想工作。职工与企业行政之间的矛盾通过工会组织参与协调，有利于问题得到更快更有效的解决。

（7）工会有权参加劳动争议的调解和仲裁工作，有权为其所属的工会和职工提供法律服务。工会参加企业的劳动争议调解工作，地方劳动争议仲裁组织应当有同级工会代表参加，职工认为企业侵犯其劳动权益而申请劳动争议仲裁或者向人民法院提起诉讼的，工会应当给予支持和帮助，县级以上各级地方总工会可以为所属的工会和职工提供法律服务。

2. 工会的法人权利和义务

此外，工会法还规定了工会的一些法人权利义务，主要有：

(1)依法取得社会团体法人资格的权利。本法第十四条直接赋予中华全国总工会、地方总工会、产业工会以社会团体法人资格,这些工会自成立之时起就具有法人资格,法律同时规定,基层工会组织依照民法通则规定的法人条件,取得法人资格。

(2)依法获取工会经费的权利以及依法获取工会办公或者开展活动所必要的设施和活动场所等物质条件的权利。工会法明确规定,建立工会组织的企业、事业单位、机关每月按职工工资总额的百分之二向工会拨缴工会经费,企业、事业单位无正当理由拖延或者拒不拨缴工会经费,基层工会或者上级工会可以向人民法院申请支付令,拒不执行支付令的,工会可以依法申请人民法院强制执行;各级人民政府和企业、事业单位、机关应当为工会办公和开展活动提供必要的设施和活动场所等物质条件。

(3)工会财产、经费独立的权利。工会法规定,工会的财产、经费和国家拨给工会使用的不动产,任何组织和个人不得侵占、挪用和任意调拨;工会所属的为职工服务的企业、事业单位,其隶属关系不得随意改变。

(4)工会法人义务。工会应当根据经费独立原则,建立预算、决算和经费审查监督制度。工会经费的使用应当依法接受国家的监督。

3. 工会其他的权利和义务

工会其他的权利和义务主要表现在以下几方面:

一是必须关心职工生活,帮助职工解决困难,全心全意为职工服务。

二是吸引和组织职工群众积极参加改革,努力完成国家经济建设和社会发展的任务。

三是代表和组织职工参与国家和社会事务的管理,参与关系职工切身利益的相关立法和政策制定,组织职工参与企业、事业单位的管理,实行民主管理,民主监督。

四是教育职工提高思想道德素质、科学文化素质和技术业务素质,使职工成为有理想、有道德、有文化、有纪律的劳动者。

五是根据政府委托,与有关部门共同做好劳动模范和先进生产(工作)者的评选、表彰、培养和管理工作。

三、发挥工会在社会主义现代化建设事业中的作用

工人阶级向来都是社会主义现代化建设事业的中坚力量,因此,进行社会主义现代化建设,必须全心全意依靠工人阶级,人力发扬工人阶级的主人翁精神,充分发挥工人阶级的主力军作用。离开了工人阶级和广大劳动群众的积极性、智慧和创造力,一切都无从谈起。工会作为工人阶级最基本和最直接的组织形式,团结了工人阶级中大部分的职工群众(包括产业工人、知识分子和管理者阶层),这就要求工会组织应当在社会主义现代化建设事业中发挥重要作用,应当成为社会主义事业名副其实的建设者。

工会要充分发挥其在社会主义现代化建设事业中的重要作用,主要应当着眼于调动、保护和发挥好职工群众的积极性,以自己特有的手段和方式,解放生产力,保护生产力,推动生产力的发展;要组织、支持职工参与管理国家事务和社会事务,进一步健全职工代表大会制度,加强企业、事业单位的民主管理和民主监督,保障职工的主人翁地位和民主权利,维护职工的物质利益和精神利益,并使他们的劳动成果真正同经济利益和政治荣誉紧密结合起来。这是调动、保护、发挥好职工主人翁积极性的关键所在,也是推动改革开放、建立现代企业制度、实现社会主义现代化建设宏伟目标的最有力保证。工会围绕社会主义现代化建设这一目标,开展社会主义劳动竞赛、群众性的合理化建议、技术革新和技术协作活动,是发掘职工群众的智慧,促进技术进步,提高产品质量,提高经济效益的有效形式,从而充分发挥广大职工群众在社会主义现代化建设事业中的主力军作用。所以,工会法立法宗旨之一也是为了进一步发挥工会在社会主义现代化

建设事业中的重要作用。

工会法的立法依据是《中华人民共和国宪法》。宪法是国家的根本法,规定国家的根本制度和原则,具有最高的法律效力,是一切立法的依据和准则。我国现行宪法是 1982 年 12 月五届全国人大第五次会议通过的。这部宪法规定了国家的根本任务和基本制度,体现了党在社会主义初级阶段的基本路线,是新中国成立以来最好的一部宪法。根据宪法的规定,我国是工人阶级领导的、以工农联盟为基础的人民民主专政的社会主义国家,人民依照法律规定,通过各种途径和形式,管理国家事务,管理经济和文化事务,管理社会事务;中华人民共和国公民有结社的自由;社会主义的建设事业必须依靠工人、农民和知识分子,团结一切可以团结的力量;各人民团体是我国爱国统一战线的重要组成部分,是中国共产党领导的多党合作和政治协商制度的组成部分;全国各族人民、一切国家机关和武装力量、各政党和各社会团体、各企业事业组织,都必须以宪法为根本的活动准则,并且负有维护宪法尊严、保证宪法实施的职责。工会法的任务就是以宪法为依据,总结实践经验,将工会的地位、性质、权利义务、职能等纳入法治轨道,以最大限度地保护广大职工的合法权益,最大限度地保障社会主义现代化建设事业的顺利进行,最大限度地保障我们的无产阶级专政的政权性质。

第二条　工会是职工自愿结合的工人阶级的群众组织。

中华全国总工会及其各工会组织代表职工的利益,依法维护职工的合法权益。

【释义】　本条规定了工会的性质和基本职责。

一、工会的性质

所谓工会的性质,是指工会的本质属性或本质特征,是工会组织区别于其他社会组织的根本标志。我国工会的性质,即如本条第一款所规定的,工会是职工自愿结合的工人阶级的群众组织。这一规定表明了中国工会具有阶级性和群众性相统一的本质特征。

1. 工会的阶级性

工会的阶级性,是指工会是真正的工人阶级组织,并以工人阶级作为自己的阶级基础。工会的阶级性主要体现在以下几个方面:

第一,工会会员必须是工人阶级成员。《中国工会章程》第一条规定:"凡在中国境内的企业、事业、机关单位中,以工资收入为主要生活来源的体力劳动者和脑力劳动者,不分民族、种族、性别、职业、宗教信仰、教育程度,承认工会章程,都可以加入工会为会员。"工会法也明确规定了这一点。这里,确定是否可以成为工会会员的标准只有一个,即以工资收入为主要生活来源的劳动者。这就把工会成员的构成仅仅限于工人阶级范围之内,把工人阶级作为工会的阶级基础,充分说明工会具有鲜明的阶级性。

第二,工会必须维护工人阶级利益。我国是以工人阶级为领导的社会主义国家,维护国家利益,巩固人民民主专政是工人阶级义不容辞的责任。工会作为工人阶级群众组织,虽然它维护的重点是工人阶级群众的具体利益,但必须把维护总体利益和维护具体利益结合起来,这是一项工会的基本职责。

2. 工会的群众性

工会的群众性,是指工会是工人阶级在本阶级范围内最广泛的组织。工会的群众性主要体现在以下几个方面:

首先,工会的群众性体现在工会的会员构成具有工人阶级范围内的广泛性。工会并不是个别行业或者个别部门内职工的组织,它最大限度地团结、联合了广大职工群众。工会始终是工人阶级实现阶级联合的最广泛的组织。确定工会组织是否具有广泛性,主要着手于以下两个方面:一方面,要看工会的组织程度,即工会的会员在整个工人阶级成员中所占的比重;另一方面,要看工会组织同本阶级群众之间的联系，即工会组织与职工群众的密切程度，这是真正反映工会组织广泛性的实质内容。所谓实质内容，是指在一般情况下，工会与职工群众之间如果存在着密切的内在联系，则会极大地有利于工会组织程度的提高。因此工会密切同本阶级群众的联系，是工会实现广泛性的客观要求，如果工会脱离广大职工群众，则不可能真正达到组织的广泛性。

其次，工会的群众性体现在工会代表广大会员和职工群众的正当利益，维护他们的合法权益方面。工会代表广大会员和职工群众的正当利益，维护他们的合法权益是工会群众性的核心问题。职工群众是工会组织的主体，是工会赖以存在和发展的基础，广大会员和职工群众对工会的信赖和支持是工会最基本的力量源泉。如果一旦失去工会的代表性，就会失去本阶级群众，那也就无工会群众性之谈。

再次，工会的群众性还体现在工会组织内部的民主性方面。工会内部生活的民主性是工会群众性的必然要求和具体体现。工会内部生活的民主性，一般包括以下几个方面：一是工会组织内部成员之间的地位和权利是平等的，工会内部的事务应当由会员群众当家做主，实行会员群众办工会。二是工会内部应该具有更充分、更广泛的民主生活。工会工作要依靠广大的积极分子和会员群众，工会的活动要从会员群众的意愿和要求出发。工会的一切问题都要经过民主程序，工会的一切工作和活动都要置于会员群众的参与和监督之中。三是工会在工作方法上必须采取和国家机关、行政部门不同的工作方法，即采用吸引的方法、说服的方法和群众自我教育的方法。

最后，工会的群众性还体现在工会组织的自愿性方面。工会不是按照某种指令组织起来的，而是职工群众为了谋求共同利益，实现共同愿望自觉自愿地组织起来的群众团体。工会组织的自愿性包括两个方面：一是坚持职工自愿入会的原则；二是工会组织或者开展的一切活动,必须适合大多数群众的觉悟,建立在群众自觉自愿的基础上。

3. 工会的阶级性和群众性的关系

工会的阶级性和群众性是不可分割的。阶级性离不开群众性,以群众性为基础;群众性也离不开阶级性,受阶级性的制约。这两个方面如果失去任何一方,工会就不成其为工会了。

在计划经济体制下,工会的群众性往往被弱化,而更大程度上,特别是在实际工作中,则是突出了工会的阶级性,其原因主要有以下几方面:一是在计划经济体制下,是由国家作为社会总体利益的代表,劳动关系主体一方的劳动者也都由国家来代表了,因而,工会无法作为会员和职工利益的代表,其群众性自然也无法突出。二是在高度集权的政治体制下,强调党的一元化领导,党、政府和社会组织的职能不分,把工会看作是一个单纯的阶级组织,发挥其阶级组织的作用,即发挥在政治关系中的作用,在经济关系和劳动关系中就显得无能为力。三是由于高度集中的政治体制,人民内部的政治民主生活不够健全,工会内部也很少进行民主建设,职工群众把工会看成是党委的一个工作部门或者政府的一个附属机构,甚至企业行政的一个科室。这些都使得工会带有“官办”气息和行政化倾向,使得工会不同程度地脱离了广大工人群众,从而使得工会不能充分体现群众组织的特点,没有按它应有的社会职能发挥作用。

在社会主义市场经济体制的建立和完善的过程中,工会在阶级性和群众性相统一的基础上,必须突出工会的群众性。其原因有以下几方面:

首先,由于经济关系和劳动关系的变化,政府、用人单位、职工三方利益格局正在形成,用人单位更多关注的是经济和利润,存在着忽视安全生产,片面追求利润的现象,致使当前安全生产的情况十分严峻,一些企业,特别是一些乡镇、外商投资、私营企业职工的劳动安全健康得不到有效的保障,侵害劳动者合法权益的事件时有发生。客观上要求工会真正成为劳动者利益的代表者,维护广大劳动者的合法权益,协调劳动关系。这正是工会群众性的核心内容,也是工会安身立命之本。只有突出工会的群众性,才能使工会工作适应劳动关系变化的新要求。

其次,深化改革对外开放,企业的经济成分发生了很大变化,从单一的公有制企业发展成以公有制为主体的多种所有制共同发展的格局,加强工会组织建设,把非公有制企业的职工组织到工会中来,实现工会组织的广泛性,这就强调突出群众性。

再次,为使工会工作适应市场经济的要求,工会必须进行自身改革和建设,而工会改革的中心环节是增强基层工会活力,增强基层工会活力的源泉是会员群众的积极性和创造性,这就必须突出工会的群众性,增强工会内部的民主生活。

二、工会的基本职责

依照本条第二款规定,工会的基本职责是代表和维护职工的合法权益。

工会产生和存在的客观性,决定了工会必须代表和维护职工的合法权益。最初,工人群众为了保护和争取自身的利益,自愿联合起来成立工会组织,其主要目的,就是为了通过工会这个组织武器,形成整体和集中的强大力量,让工会更有力地代表自己直接地抗衡于处于优势地位的雇主,更好地维护自身的权益。这也是工会产生和存在的最本质的动因。

在资本主义条件下,工会维护工人阶级利益的侧重点就是组织职工同资本家作斗争,利用罢工、怠工等形式,迫使资本家妥协,争取增加工资、减少劳动时间、改善劳动条件,以及争取与此有关的劳动立法,保证工人集会、结社、罢工等政治权利,这是历史发展中的阶段性阶级对立的产物。

在我国的社会主义条件下,工人阶级上升成为国家的领导阶级，党和政府都代表和维护工人阶级的利益，从整体上说，全国人民的总体利益同职工的具体利益，在根本上是一致的，但是，工会仍然必须以代表和维护职工的合法利益为基本职责，这是因为：

第一，工会以代表和维护职工的合法权益为基本职责，是社会主义市场经济的客观要求。各国市场经济的经验证明，协调稳定的劳动关系是市场经济得以顺利运转和不断增强企业活力的必备条件，它也是最难协调的一种关系。其中，劳动力这个要素本身是社会的人，他们有人格尊严、有特殊的经济利益、有思想感情的要求，在中国，劳动者还有主人翁的地位的权利。按照劳动价值论，劳动力是创造价值的唯一源泉，也是在生产过程中唯一会自动作出反应的生产要素。当他们的主人翁地位以至人格尊严得不到尊重，他们的合法权益受到不应有的损害时，甚至他们作为社会人的思想感情上的要求得不到一定程度的理解和满足，他们就会作出对经济发展和企业发展不利的反应。反之，他们的积极性和创造性就会得到充分的发挥。因此，市场经济体制和现代企业制度本身，就要求有一个代表职工利益的组织来参与劳动关系的协调，这个组织就是工会。工会代表了劳动者的利益，领导工人为实现正当利益而斗争，促进资方满足劳动者的合理要求，劳动关系就会趋向稳定，生产就会发展。工会以代表者的身份通过对劳动关系的调节，一方面可以保护劳动者的合法权益，另一方面可以帮助企业建立起一个稳定良好的劳动关系，调动起劳动者的生产积极性，保证企业经济的发展。没有代表和维护职工利益的工会参与劳动关系的协调，就不可能建立和保持协调稳定的劳动关系。

社会主义市场经济的不断发展，所有制的多元化，经营形式的多样化，产权关系的明晰化，利益分配的差别化，以及企业行为的自主化，劳动关系的市场化和契约化，使工会面临的情况更加复杂，代表和维护职工合法权益的责任更加重大。在这种形势下，党更需要工会时刻关心职工群众的疾苦，重视职工群众的利益，进一步密切与职工群众的联系，更好地发挥党联系职工群众的桥梁作用。各级政府和企业行政更加需要工会及时转达职工群众的意见和要求，更好地协调劳动关系，调解劳动争议，团结广大职工完成各项任务，促进企业发展。职工群众更加需要工会从他们的利益出发，敢于和善于为他们说话办事，更好地代表和维护他们的合法权益，保护和调动他们的积极性。特别是在现阶段劳动关系尚不规范，劳动者对于经营者来说，处于一种权利义务不对等的弱者地位。民主权利和劳动权利常常受到漠视和侵犯的情况下，职工群众组织工会、加入工会，就是希望工会为他们撑腰，解决实际困难。近年来在一些外商投资企业中发生的侵犯工人合法权益的例子说明，如果我们工会组织不能代表职工群众的利益，不能为职工群众服务，不能受到职工群众的拥护，工会组织的生命力就要受到影响。

第二，我国正处于社会主义初级阶段，虽然消灭了剥削制度，实行了生产资料公有制，但存在着不同的经济形式和劳动分工，这在工人阶级内部形成了具有不同权利和利益特征的利益主体。特别是在社会主义市场经济条件下，多种经济成分、多种经营方式和多种分配方式并存，职工群众在就业、工资、工时、社会保险、生活福利、住房分配等方面的具体利益与其他各部分人民的利益之间存在着差别和矛盾，必然要求工会来表达和维护自己的利益和权利。

第三，社会主义制度确立的时间还不长，国家政治、经济生活中的许多具体制度，要在探索实践中逐步建立和完善。我国社会经济利益关系的调整，主要是通过国家制定各项政策来实现，如工农业产品价格政策、不同经济成分的税收政策、各类企业中劳动关系的处理等方面的政策等等。由于对下情了解不够，制定政策中的估计不足和协调照顾不周，决策的民主化、科学化不够等等工作上的缺点和失误，也可能产生忽视甚至损害职工群众某些合法权益的偏差。

第四,我国是在推翻半殖民地、半封建统治的基础上建立的社会主义国家,由于几千年的封建专制统治的影响,以及资本主义腐朽思想和小生产习惯势力在社会中还存在着一定的市场,党内和政权机关中,官僚主义、家长制、腐败现象明显存在;社会主义民主和法制尚不健全,人们的民主意识和法制观念还比较淡薄。职工群众的合法权益和民主权利受到漠视和侵犯的问题相当严重,这不仅需要国家的法律保护,也需要工会即职工自己组织起来维护自身的合法权益,要求工会必须忠实地履行自己的维护职能,否则就会脱离群众,为群众所摒弃。

第五,我们国家仍然具有一般国家的一切政治职能和政治权威,这些政治职能和权威在社会生活中带有强制性。这些强制性的国家意志,可能存在着局部的失误或者错误现象,从而损害广大职工群众的利益。

这些问题的存在,决定了工会即中华全国总工会及其各工会,应当以代表和维护职工的合法权益为基本职责。

新中国成立以来,工会在履行代表和维护职工合法权益的职责上,很长时期内强调得不够。引起这个问题的直接原因是在旧体制制约下,工会长期作为党政的附属机构,工会代表和维护职工合法权益的基本职责长期被忽视,这就使得工会在相当程度上脱离了职工群众。建立社会主义市场经济体制以来,工会的这一基本职责一直在不断地得到加强,但相对于目前广大职工群众合法权益不断遭到严重侵犯的情形时有发生的局面,还需要在立法中进一步予以强调。因此,工会法修正案在总则中明确规定了工会的基本职责是代表和维护职工的合法权益,并且本法的其他具体规定从各个方面对这一职责予以保障和体现。此次修改工会法的一个基本原则就是要突出工会的维权职能,突出维护职工的合法权益职责。

本条突出工会代表和维护职工合法权益的职责，是工会自身性质的客观要求，是建立和完善社会主义市场经济体制的客观需要，也是坚持我党“全心全意为人民服务”宗旨的重要体现。我们党的根本宗旨是“全心全意为人民服务”。党在任何时候都把群众利益放在第一位，任何情况下都必须全心全意依靠工人阶级，维护工人阶级的政治权利和经济利益。在发展社会主义市场经济的过程中，由于经济关系和劳动关系的变化，特别是在外商投资企业和私营企业中，仍然严重存在着侵犯职工合法权益的现象。因此，强化工会的维护职工合法权益的基本职责，是我们党的根本宗旨的突出体现，也是党对工会的基本要求。只有从代表和维护职工的切身利益出发，才能从根本上调动广大职工的积极性和创造性，才能确保国家的总体利益更快更好地得以实现。

强调工会代表职工合法权益的身份，并不否认党组织代表职工，也不否定政府及企事业行政代表职工，因为我们是社会主义国家。我们所说的工会是职工利益的代表者，是指在劳动关系调整面前，工会代表劳动者一方，这只有工会能代表职工，别的组织是不可能代替的。例如，企业行政本身是企业劳动关系主体一方的代表，而政府有关劳动部门又不属于企业劳动关系的主体范围，更不能充当职工代表者的角色。所以职工利益代表者的角色只能是工会。

在社会主义市场经济条件下履行工会的维护职工合法权益的基本职责，还需要在工会维护的内容上作出相应的调整。这就是工会的维护是以维护劳动者在劳动关系中的基本权益为中心内容。在计划经济条件下，工会的维护，更注重从政治的角度对职工群众的主人翁地位进行维护。但在市场经济条件下，工会的维护应该从更基础和更切实的层次和内容出发。具体表现为：在维护的利益主体上，应该明确为主要应是劳动关系中的劳动者或直接生产者。在经营管理者也是工会会员的情况下，工会对于他们的个人利益也需要维护，但工会不可能代表因而也不可能来维护他们作为经营管理者阶层所相对于劳动者而言的权益。工会作为劳动者利益的维护者，其维护的具体内容是以劳动者在劳动过程中所享有的权益即“劳权”为基础的经济权益而展开的。劳权是工会维护的最基本的内容，具体包括劳动者的劳动就业权、劳动和社会保险权、职工教育与培训权等，我国的工会立法关于工会的权利主要也是围绕着以上的内容规定的。但工会对于职工利益的维护，不仅限于劳动的经济的方面，还应该扩展和涉及社会和政治的权益方面，这主要包括企业、事业单位的民主管理的权利、国家和社会管理的参与权利、民主监督的权利以及其他有关的社会权利和政治权利。

另外，在社会主义市场经济条件下，工会履行维护职工合法权益的职责时，应当处理好维护广大职工群众的具体利益与维护全国人民的总体利益的关系。坚持维护广大职工群众的具体利益与维护全国人民的总体利益相统一，是中国工会履行维护职责时必须坚持的政治原则和法律原则。长期以来，我国工会并不是对于全国人民的总体利益维护不够，而恰恰是在维护职工具体的合法权益上存在着差距。这种情况在计划经济条件下是难以避免的。在向市场经济过渡中，利益的多元化和多元的利益冲突越来越突出，在这当中，工会是职工群众利益的代表，而不是全国人民总体利益的代表，总体利益是也以各个具体利益的合理调处为基础实现的。所以，各个具体利益的代表者，只能是以所代表的具体利益为出发点。如果每个具体利益的代表者都以总体利益的维护作为自己维护的首先的和重点的内容，那它就失去了这种具体利益代表者的资格。同时，也就无法再进行具体利益的调处，进而无法实现总体利益。所以，在社会主义市场经济条件下，工会要以维护劳动者或职工群众的合法权益为重点和出发点，但这一维护以不损害全国人民的总体利益为前提。

第三条　在中国境内的企业、事业单位、机关中以工资收入为主要生活来源的体力劳动者和脑力劳动者，不分民族、种族、性别、职业、宗教信仰、教育程度，都有依法参加和组织工会的权利。任何组织和个人不得阻挠和限制。

【释义】　这一条是对劳动者的工会结社权的规定。

对于这一条应当从以下几方面进行理解：

一、工会结社权

我国宪法第三十五条明确规定，中华人民共和国公民有言论、出版、集会、结社、游行、示威的自由。依据我国宪法的规定，结社权是我国公民所享有的一项基本政治权利和自由。所谓结社权是指公民享有为了一定的宗旨而依照法律规定的程序参加或者组建某种社会团体（或者组织）的权利，并享有以该社会团体（或者组织）的或者其成员的名义依法开展活动的权利和自由。只要是依法行使结社权，任何组织或者个人就不得加以阻挠和限制，否则也就谈不上公民结社自由了，也是违反宪法规定的。

本条在宪法有关结社权规定的基础上，对劳动者参加和组建工会组织的结社权进一步作具体规定，即中国境内的企业、事业单位、机关中以工资收入为主要生活来源的劳动者（以下简称劳动者），都有依法参加和组织工会的权利，任何组织和个人不得阻挠和限制。所谓参加工会，是指劳动者可以依法申请加入已经成立于各企业、事业单位、机关之内的基层工会委员会或者这些单位之外的基层工会联合会。所谓组织工会，是指劳动者可以依法在各企业、事业单位、机关中组建基层工会委员会或者可以在这些单位之外联合组建基层工会委员会。

对于中国境内企业、事业单位、机关中的劳动者的工会结社权不得存在歧视性待遇，不得因为他们来自不同的民族、种族，从事不同的职业，信仰不同的宗教或者受教育水平高低不平等，在依法行使工会结社权时有所不同。香港、澳门特别行政区包括台湾省的公民在我国境内的企业、事业单位、机关任职并以工资收入为主要生活来源的，依法申请加入基层工会委员会，笔者认为，应当受本法的保护。另外，随着我国对外交往的增多，也有一些外国人、无国籍人在中国境内长期居住并在一些企业、事业单位、机关中长期任职且以工资收入为主要生活来源，如果这部分人申请加入中国工会，根据国民待遇原则，笔者以为，中国工会也应接受这些人作为其会员，并要代表和维护他们的合法权益。

目前，在工会组建工作方面存在的问题较大，新建企业的工会组建工作难度较大，工会组建率和职工入会率都比较低，特别是在全国240余万家外商投资企业、私营企业以及乡镇企业中，大多数都还没能建立工会组织。造成上述情形的一个重要原因就是，一些用人单位，特别是某些外商投资企业和私营企业的投资者对工会工作存在误解，把工会看作是企业的对手，限制、阻挠甚至禁止职工依法参加和组织工会，如有的公开扬言谁参加工会就开除谁，有的则是对工会会员、工会干部进行打击报复或者人身伤害，致使大批职工难以实现自己组织和参加工会的权利，职工的合法权益难以得到保障，违法侵权现象严重。从我国近几年发生的一些严重侵害劳动者合法权益事件的情况看，问题大多出现在没有建立工会组织的企业，由此引起的劳动争议和劳动纠纷也呈上升趋势。因此，这次工会法修改对工会结社权增加规定，任何组织和个人不得阻挠和限制，并在法律责任一章中规定了法律责任。

所谓任何组织和个人不得阻挠和限制，不得理解为对非法组建第二工会的行为不能干预。

二、什么样的单位中的劳动者享有工会结社权

主要是中国境内的企业、事业单位、机关。这里所说的企业，主要包括各类实行公司制的企业（包括有限责任公司和股份有限公司）、未实行公司制的企业法人、合伙企业等；从另一个角度也可以说大致包括国有独资公司、国有控股公司、集体所有制企业、

私营企业、中外合资企业、中外合作经营企业、外商投资企业等。这里所说的机关,不包括国家军事机关。

这里所谓的在中国境内的“境内”的“境”,是指“关境”,即我国海关所管辖的“境”,不包括台湾省、香港特别行政区和澳门特别行政区。中国境内的企业、事业单位、机关的职工因公派驻境外,仍然可以依照本法的规定申请加入中国工会,享有工会会员的一切权利,同时也应履行会员义务。根据香港特别行政区基本法和澳门特别行政区基本法的规定,全国性法律除列于各特别行政区基本法附件者外,不在香港或者澳门特别行政区实施。工会法没有列入两个特别行政区基本法附件之中,所以也不在香港或者澳门特别行政区实施。

三、以工资收入为主要生活来源的体力劳动者和脑力劳动者

这一点的规定,确定了工会会员的大致组成。其实,本法第二条已经规定,工会是职工自愿结合的工人阶级的群众组织,这一规定在阐明工会的阶级性和群众性,并使这二者有机结合的同时,也指明了工会会员的组成和范围,只能是工人阶级的成员。本条又进一步明确了只有以工资收入为主要生活来源的脑力劳动者和体力劳动者才可以参加和组织工会,成为工会会员,其他阶层成员特别是作为工会对立面的资产所有者不能成为工会的会员,否则也就背离了工会组建的本意。

所谓以工资收入为主要生活来源,是指生活费用支出的大部分是依赖于个人的工资、津贴、奖金或者其他工资性收入。这部分劳动者与所在用人单位的关系往往十分紧密,相对于处于强势地位的用人单位,比较容易产生加入工会组织的需求,且也需要工会来维护他们的合法权益。此次工会法修改过程中,有些同志提出,现在有一些职工股票收益或者其他投资收益远远超过其工资性收入,而且还存在许多职工持股企业,针对这些现象,是否可以考虑删去本条中“以工资收入为主要生活来源”的规定。这里的“工资

收入”应当是一个较为宽泛的概念，对在企业、事业、机关中工作的职工只要要求加入工会组织的，工会都应当吸收他们加入工会，并维护他们的合法权益。

所谓体力劳动者，是指直接从事体力劳动的工人和有些不直接创造物质财富，但通过体力消耗提供服务的人员。在社会主义条件下，工人阶级是国家的领导阶级，体力劳动者是国家财富的直接创造者。同样，这部分劳动者在工人阶级队伍中占大多数，且结构复杂，是本阶级的基本成员，在本阶级政党领导下担负着社会主义现代化建设事业的重任。工会组织应尽可能地把这部分劳动者吸引到工会中来，在不损害全国人民总体利益的情况下，应大张旗鼓地、行之有效地维护他们的具体利益。所谓脑力劳动者，是指掌握一定的科学文化知识并从事以消耗脑力为主的活动的劳动者。例如：企业的管理者、工程师、经济师、教师、医生以及文学艺术工作者等。脑力劳动者最早产生于原始社会向奴隶社会过渡时期，它本身不是一个独立的阶级，而是分属并依附于不同的阶级。在私有制社会中，剥削阶级掌握国家“机器”并垄断科学文化和技术知识，脑力劳动者大都为剥削阶级服务，因而处于与体力劳动者根本对立的地位。在社会主义社会中，生产资料公有制的建立使得全体劳动者，包括脑力劳动者，成为国家和社会的主人。脑力劳动者和体力劳动者之间不再体现为阶级对立关系，而是共同成为无产阶级劳动者的成员，因而脑力劳动者也是工会会员的重要组成部分。在我国社会主义现代化建设中，脑力劳动者发挥着巨大作用，是进行社会主义现代化建设绝对必需的因素，对此，工会要尊重知识，珍惜他们的劳动，维护好脑力劳动者的合法权益，调动其工作积极性，从而，促进社会主义物质文明和精神文明建设的发展。

第四条　工会必须遵守和维护宪法，以宪法为根本的活动准则，以经济建设为中心，坚持社会主义道路、坚持人民民主专政、坚持中国共产党的领导、坚持马克思列宁主义毛泽东思想邓小平理论，坚持改革开放，依照工会章程独立自主地开展工作。

工会会员全国代表大会制定或者修改《中国工会章程》，章程不得与宪法和法律相抵触。

国家保护工会的合法权益不受侵犯。

【释义】　本条规定了工会的根本活动准则和国家保护工会的合法权益的原则。

我国的宪法是国家的根本大法，具有最高的法律效力。中国境内的一切个人和组织都必须在宪法的范围内进行活动，也就是说，宪法是一切个人和组织的根本活动准则。工会作为一个社会团体，必须以宪法为根本的活动准则，必须在宪法规定的范围内开展活动。本条条文中规定的工会“以宪法为根本的活动准则”，指的是工会活动要遵循宪法规定的基本原则，而其中规定的党在新时期的基本路线，即以经济建设为中心，坚持四项基本原则，坚持改革开放，是工会必须遵守的最重要的根本活动准则。也正是基于这一点，修正草案进一步具体规定，工会必须以经济建设为中心，坚持社会主义道路、坚持人民民主专政、坚持中国共产党的领导、坚持马克思列宁主义毛泽东思想邓小平理论，坚持改革开放。关于工会的根本活动准则，主要应当把握好以下几方面的问题：

第一，工会活动应当以经济建设为中心。

党的“一个中心，两个基本点”的基本路线，是党和国家的生命线，以经济建设为中心，是党的基本路线的核心内容。坚持党的基本路线不动摇，关键是坚持以经济建设为中心不动摇。劳动者或者职工群众的利益，无论是工资福利、劳动条件或精神生活上的满足，归根到底是受生产力发展制约的，是受经济发展制约的。我国正处于社会主义初级阶段，根本任务就是发展生产力，摆脱落后，使国家的力量增强起来，人民的生活逐步得到改善。只有以经济建设为中心，发展生产力，才能使人民的物质文化生活真正得以改善。因此，发展是硬道理，是中心任务，无论是深化改革还是保持稳定，都是为了促进我国经济持续、快速、健康地发展，进而不断提高人民的物质文化生活水平。从维护职工利益的角度来说，以经济建设为中心，发展社会生产力，就是对工人阶级根本利益和长远利益的代表和维护。因此，工会的全部工作必须站在全局的高度，立足全局，服从、服务于经济建设这个中心，围绕这个中心来开展。这是全国人民的总体利益，也是工人阶级的总体利益，是职工群众实现其根本利益和具体利益的根本保证。经济不发展，职工的一切福利都难以增长，因此，不能离开经济建设这个中心讲工会工作，不能离开发展讲保障，不能离开改革讲维护。工会应当通过维护职工合法权益，保护和调动广大职工的积极性和创造性，以充分发挥广大职工群众在经济建设中的重要作用，应当把维护广大职工的合法权益作为工会服务于经济建设这一中心任务的主要手段。

工人阶级作为国家的领导阶级，是经济建设和改革的主力军。工会作为国家领导阶级的群众组织，是社会主义民主政治体制的重要组成部分。坚持党的基本路线，以经济建设为中心，把四项基本原则和改革开放统一起来，是工会在整个社会主义时期的活动准则，在任何情况下都不能动摇。

但是，工会以经济建设为中心，指的是工会工作的出发点和立足点要以经济建设为中心，而不是一项具体工作。工会不是党组织，不能对改革和建设实施政治领导；工会也不是政府，不能对国家的经济建设实行宏观调控和总体规划。工会是一个工人阶级的群众组织，围绕经济建设这一中心开展工作的着力点应当放在做好人的工作上，即履行好代表和维护职工的合法权益这个基本职责上，通过维护职工的合法权益，保护好、引导好、发挥好职工投身改革和经济建设的积极性,从而积极完成各项生产和建设任务,推动生产力发展和促进社会全面进步。因而,工会主动加大协调经济关系、劳动关系的力度,维护职工合法权益,理顺职工情绪,调动职工积极性、智慧和创造力,使职工能够在经济建设中更好地发挥主力军作用,这实际上就是为经济建设这一中心服务。从根本目的上看,工会突出了对职工合法权益的维护就是以经济建设为中心。

第二,工会应当坚持党的领导。

工会与中国共产党关系的实质,是广大的工人阶级群众组织和工人阶级先锋队组织的关系。这种关系主要是一种政治性质的关系,其关系处理原则应该是:坚持工会接受党的领导和工会独立自主地开展工作相统一。

工会必须接受党的领导,是由我国工会运动的性质决定的。马克思主义的工会运动,是一种争取工人阶级彻底解放的工会运动,这一运动不仅要争取和维护工人的现实和具体的利益,而且还要争取工人阶级的社会解放。为实现这一目标,工会组织必须接受党的领导。这是因为,从两个组织的性质上看,工会和党都是工人阶级的阶级组织,但工会是工人阶级的群众组织,群众性是工会的基本特点;党是工人阶级的先锋队,是工人阶级的先进组织,先进性是党的基本特点。工会运动作为一个阶级的行动,仅靠一种自发的和散漫的群众运动是无法实现的,只有接受具有明确的纲领和严格纪律的党的领导,工会运动才能作为一个阶级的自觉的运动。从我国工会运动历史看,中国工会运动是在中国共产党的领导下发展壮大起来的。接受党的领导是中国工会的一种历史的选择。

在社会主义国家中,工会的存在是必然的、长期的,作为工人阶级先锋队的共产党就必须加强和改善对工会工作的领导,发挥工会的作用,通过工会这个工人阶级的群众组织,把广大群众团结在党的周围。在社会主义市场经济条件下,坚持党的领导,必须具备两个相互联系的必要条件:一是通过加强和改善党对工会工作的领导,建立起工人阶级先锋队与工人阶级群众组织之间的正确关系,以保证工会坚持正确的政治方向,工会只有自觉地接受党的领导,才能保证自己坚定的政治方向,工会必须在思想上、政治上、行动上与党中央保持高度的一致,坚决贯彻党的路线、方针、政策,重大的问题要请示同级党委讨论决定;二是通过工会自身的改革和建设,建立党领导的工会与职工群众之间的正确关系,实现工会组织群众化和民主化,真正得到广大职工的支持、拥护和信赖。这两个条件中,有一个条件受到破坏,都不可能有党对工人运动的领导,都将对整个社会主义事业造成灾难性的后果。党作为工人阶级的先锋队,最严重的问题之一就是脱离群众,就是没有能够同绝大多数群众保持牢固的联系。工会作为党联系广大职工群众的桥梁与纽带,应当密切地与职工群众生活在一起,熟悉职工群众的生活,了解他们的要求和意见,关心并满足群众的要求,这才能真正发挥其桥梁与纽带的作用。

工会必须独立自主开展工作,这是马克思主义工会运动的本质要求。马克思主义的工会运动是一种劳动群众自我解放的运动,这一运动所注重的是劳动群众的自主性和能动性,注重劳动者的首创精神。在人民民主专政的社会主义国家,以劳动者为主体的工会运动的目的,是要在代表维护劳动者利益的基础上,使劳动者发挥社会主义事业的创造者作用,在更大程度上参与国家和社会事务,真正成为国家和社会的主人。党对于工会的领导的意义也在于要通过工会支持劳动者群众实现当家做主的目标。因而,在工会和党的关系上,不仅要坚持党对于工会的领导,而且也要坚持工会在党的领导下,依照法律和工会章程独立自主地、创造性地开展工作。如果工会没有自主的独立的工作,便失去了存在的社会意义。

工会独立自主开展工作,主要包括三个方面的内容,即组织独立、活动独立和财务独立。其中组织独立是指工会在组织上是一个独立的系统,而不是其他组织的附属物。工会有自己的组织机构、组织领导和组织系统,工会是一个独立的组织。活动独立是指工会的活动内容、活动方式和活动要求,要由工会自主决定。而这种活动的决定必须要通过工会的组织程序,以广大会员群众的意愿和要求为出发点。财务独立是指工会在经费的收缴、使用、管理等方面。由工会组织通过内部的规定和程序来自行处理,其他组织和个人不得非法干预。这个方面,组织独立是基础,活动独立是中心,财务独立是保证。这些都是我国的法律所认定了的,本法对此有着明确的规定。

因此,工会在处理与党的关系的时候,必须坚持接受党的领导与独立自主开展工作相统一的原则。不能强调一方而忽视了另一方。所谓统一起来,就是统一在工会工作的全部过程和一切方面。也就是说,工会的一切工作都是按照党的路线、方针、政策来做的;而一切工作都是由工会以自己的方式独立自主地开展工作的,这两方面实际上都是在同一过程中实现的。

第三,工会独立自主地开展活动所依据的章程不得与宪法和法律相抵触。

中国工会章程是中国工会及其会员的行为规范,是中国工会与其会员的权利义务的载体。职工参加或者组建工会组织,首先必须完全接受中国工会章程。

中国工会章程制定权和修改权均在工会会员全国代表大会,任何其他各级工会组织,包括中华全国总工会都无权制定或者修改中国工会章程。中国工会章程的依据是宪法和法律,其内容不得与宪法和有关法律相抵触。

工会作为合法的群众组织,其合法权益受国家保护,任何个人或者组织不得侵犯工会的合法权益。

第五条　工会组织和教育职工依照宪法和法律的规定行使民主权利,发挥国家主人翁的作用,通过各种途径和形式,参与管理国家事务、管理经济和文化事业、管理社会事务;协助人民政府开展工作,维护工人阶级领导的、以工农联盟为基础的人民民主专政的社会主义国家政权。

【释义】　本条规定了工会在国家政治、经济和社会生活中的参与和协助职能。

一、工人阶级的主人翁地位

随着企业改制和各项改革措施的出台,涉及职工群众切身利益的问题和矛盾越来越多。企业改制后,由于所有制结构的变化和国有企业实行各种形式的改革、改组、改造,尤其是随着下岗问题的突出,使一部分职工对自己是否是国家的主人翁产生了困惑。工人阶级是否还是国家的主人翁?对这一问题,党中央第三代领导集体特别强调,改革开放和社会主义现代化建设的全部活动与整个过程,都必须全心全意依靠工人阶级,工人阶级在国家和社会的领导地位和主人翁地位永远不能变,离开工人阶级的积极性、创造性和主人翁责任感,一切都无从谈起。

二、工会的职能转变

工会的职能是由工会自身的性质决定的,由于工会是工人阶级的群众组织,必然与工人阶级在不同历史时期面临的社会矛盾和历史任务有密切联系。

工人阶级在夺取政权以前,社会的主要矛盾是无产阶级与资产阶级的矛盾。工人阶级的历史使命,就是通过组织全体工人阶级与资产阶级进行经济斗争和政治斗争,最后建立工人阶级的政权。工会在这个历史条件下的社会职能是为阶级斗争服务。

在社会主义条件下,社会的主要矛盾发生了根本性的变化,即人民日益增长的物质文化需要同落后的生产力之间的矛盾。工会的地位也发生根本变化,成了执政的工人阶级的重要政治团体和社会主义政治体制中的有机组成部分,工会在这个历史条件下的社会职能也随之发生变化。中国工会章程中,将工会的职能概括为四个方面:第一,维护职工群众的合法利益和民主权利;第二,动员和组织职工积极参加建设和改革,努力完成经济与社会发展任务;第三,代表和组织职工参与国家和社会事务的管理,参与企业、事业单位和机关的民主管理;第四,引导和教育职工不断提高自身的思想素质和文化技术素质,建设有理想、有道德、有文化、有纪律的职工队伍。这四项职能可以归纳为:维护职能,建设职能,参与职能,教育职能。

三、工会的参与职能

工会作为工人阶级的群众组织,作为社会主义政治体制中重要社会政治团体,在代表和组织职工参与社会各层次的管理,实行社会监督方面,有着不可替代和不可推卸的责任。首先,宪法规定,我国是工人阶级领导的、以工农联盟为基础的人民民主专政的社会主义国家,这就决定了工人阶级的国家主人翁地位,工人阶级有权参与各项管理;其次,工会作为职工利益的代表者,本身就是广大职工参与管理国家、管理经济和社会事务的重要组织形式;再次,在我国社会主义初级阶段,随着社会主义市场经济的发展,我国社会呈现利益多元化趋向。党和政府代表和表达最广大人民群众的共同利益和长远利益,认真考虑和兼顾不同阶层、不同方面群众的利益。工会作为代表职工利益的社会团体,应当以自己的方式组织职工群众广泛地多层次地参政议政、管理社会事务。

工会组织和教育职工依照宪法和法律,参与管理国家事务、管理经济和文化事业、管理社会事务的途径与方式主要包括以下几个方面:第一,通过各级人民代表大会。我国宪法规定:“中华人民共和国的一切权力属于人民”,“人民行使权力的机关是全国人民代表大会和地方各级人民代表大会”,“国家行政机关、审判机关、检察机关都由人民代表大会产生”;第二,通过居民委员会和村民委员会,管理基层社会事务;第三,通过工会组织。本法规定:“中华全国总工会及其各工会组织代表职工的利益,依法维护职工的合法权益”;第四,通过职工代表大会或者其他形式,组织职工参与本单位的民主决策、民主管理和民主监督;第五,通过宪法规定的公民各项政治权利的行使,参与国家政治生活。我国宪法规定的公民享有的政治权利包括:选举权和被选举权;言论、出版、集会、结社、游行、示威自由。

四、工会的协助职能

我国的行政系统由两部分组成:国务院和地方各级人民政府。政府是国家权力机关的执行机关,承担着管理社会事务的职能。首先,有相当多的社会事务是与职工的切身利益紧密相连的。如目前的国有企业改革、下岗再就业、社会保障制度等等;其次,政府管理社会事务具有不完全性,政府在管理过程中并不总是“唱独角戏”,只有多种社会力量形成合力才有可能达到充分有效的社会管理。所以,工会有协助人民政府开展工作的必要,以实现维护工人阶级领导的、以工农联盟为基础的人民民主专政的社会主义国家政权。

第六条　维护职工合法权益是工会的基本职责。工会在维护全国人民总体利益的同时,代表和维护职工的合法权益。

工会通过平等协商和集体合同制度,协调劳动关系,维护企业职工劳动权益。

工会依照法律规定通过职工代表大会或者其他形式,组织职工参与本单位的民主决策、民主管理和民主监督。

工会必须密切联系职工,听取和反映职工的意见和要求,关心职工的生活,帮助职工解决困难,全心全意为职工服务。

【释义】　本条规定了工会的维护职能。

目前多数国家实行的是市场经济。市场经济是一种提高经济效益、推动经济发展有效的机制。但是,不可否认,离开社会主义国家宏观调控的市场经济也有其消极的一面:它导致社会的不公正、财富的两极分化及工人的大量失业。劳资双方处于不平等的地位。当前,随着全球经济一体化的发展,全球资方力量进一步团结和集中,形成了许多跨国经营的大企业集团和国际贸易的垄断巨头,资本的力量越来越强大;亚洲金融危机后,有的国家为了增强国际竞争力,为了维护国家利益而牺牲劳动者的利益。劳动者相对于资本家处于弱势地位,在这种情况下,必须在强化和维护职工权益这个问题上不能动摇,尤其在我国,维权是现阶段工会工作的核心内容,对于平衡劳资关系有着重要的意义。本法第二条对此作了原则性规定:"中华全国总工会及其各工会组织代表职工的利益,依法维护职工的合法权益。"本条具体规定了维权的四种方式。

一、关于平等协商

平等协商应遵循以下原则:第一,遵循法律、法规的有关规定。协商必须符合《劳动法》和其他有关法律、法规的规定;第二,平等合作。这一原则主要体现在以下三个方面:1. 双方出于自愿;2. 协商在平等的基础上进行。任何一方尤其是企业一方不得采取威胁、命令等不正当手段;3. 坚持协商双方互相合作;第三,协商一致。如果双方未就协商事项达成一致,协商终止;第四,兼顾国家、企业和职工利益;第五,维护正常的生产、工作秩序。

平等协商的内容包括:第一,集体合同和劳动合同的订立、变更、续订、解除,已订立的集体合同和劳动合同的履行监督检查;第二,企业涉及职工利益的规章制度的制定和修改;第三,企业职工的劳动报酬、工作时间和休息休假、保险、福利、劳动安全卫生、女职工和未成年工的特殊保护、职业培训及职工文化体育生活;第四,劳动争议的预防和处理;第五,职工民主管理;第六,双方认为需要协商的其他事项。

工会与企业进行平等协商的程序是：第一，建立定期协商机制的企业，双方首席代表（参加平等协商的工会一方首席代表为工会主席；工会主席可以书面委托工会其他负责人为首席代表）应当在协商前一周，将拟订协商的事项通知对方，属不定期协商的事项，提议方应当与对方共同商定平等协商的内容、时间和地点；第二，协商开始时，由提议方将协商事项按双方议定的程序，逐一提交协商会议讨论；第三，一般问题，经双方代表协商一致，协议即可成立，重大问题的协议草案，应当提交职工代表大会或全体职工审议通过；第四，协商中如有临时提议，应当在各项议程讨论完毕后始得提出，取得对方同意后可列入协商程序；第五，经协商形成一致意见，由双方代表分别在有关人员及职工中传达或共同召集会议传达；第六，平等协商未达成一致或出现事先未预料到的问题时，经双方同意，可以暂时中止协商，协商中止期限最长不得超过60天，具体中止期限及下次协商的具体时间、地点、内容由双方共同商定。

二、关于集体合同制度

集体合同，又称团体协约、集体协议等。关于集体合同，我国劳动法第三十三条规定，企业职工一方与企业可以就劳动报酬、工作时间、休息休假、劳动安全卫生、保险福利等事项，签订集体合同；劳动部的《集体合同规定》指出，集体合同是集体协商双方代表根据法律、法规的规定就劳动报酬、工作时间、休息休假、劳动安全卫生、保险福利等事项在平等协商一致基础上签订的书面协议。

集体合同有以下特征：第一，集体合同有特定的当事人。集体合同的劳动者一方必须是团体，一般是企业工会，未组建工会的，由职工选举的职工代表充当。这是区别于民事合同的重要特点之一；第二，集体合同是最低标准合同。集体合同是就劳动报酬、工作时间、休息休假、劳动安全卫生、保险福利等事项的最低标准和企业达成的协议,企业和职工个人签订的劳动协议所规定的各种待遇不得低于集体合同的标准;第三,当事人双方的义务性质不同。集体合同规定企业承担的义务都具有法律性质,企业不履行义务,就要承担相应的法律责任。而工会一般不承担法律责任,仅负道义上的责任;第四,集体合同是要式合同。集体合同要以书面形式签订,并经主管机关登记备案,才具有法律效力。

集体合同的签订程序是:第一,签订集体合同之前工会应当收集职工和企业有关部门的意见,单独或与企业共同拟定集体合同草案;第二,工会根据拟定的集体合同草案与企业进行平等协商;第三,经协商达成一致的集体合同草案文本应当提交职工代表大会或全体职工审议,工会代表应当就草案的产生过程、主要劳动标准条件的确定依据及各自承担的主要义务作出说明;第四,集体合同草案经职工代表大会或全体职工审议通过后,由企业法定代表人与企业工会主席签字。集体合同草案经审议未获通过的,由双方重新协商,进行修改;第五,集体合同签字后,在报送劳动行政部门的同时,企业工会应当将集体合同文本、附件及说明报送上一级工会;第六,集体合同生效后,应向全体职工公布。

三、关于职工民主管理的形式

职工民主管理,是职工依照宪法和法律的有关规定,通过一定的组织形式,参加企(事)业管理,行使民主权利的活动。是否尊重劳动者,注重发挥劳动者的创造性和智慧,并为其参与管理创造条件,是社会文明程度的一个标志。在现代一些西方工业发达国家,企业管理已由“胡萝卜加大棒”的管理阶段,转向以人为中心的“人本管理”阶段。把劳动者作为社会人来看待,重视劳动者的参与意识和自我价值实现的要求,并建立了多种多样的工人民主管理制度。德国实行的“共决制”,西欧其他国家实行的“董事会和监事会中的职工代表制”,日本实行的“工人自主管理小组制”,都具有突出的代表性。我国是社会主义国家,有着不同于资本主义国家的特点。职工民主管理作为一种民主形式，是社会主义民主的组成部分。邓小平同志多次强调，充分发扬人民民主，保证全体人民真正享有通过各种有效形式管理国家，特别是管理基层地方政权和各项企事业的权力，是充分发挥社会主义制度优越性的一个重要环节。我国职工实现民主管理的形式包括：职工代表大会和职工代表大会以外的其他形式。

我国宪法规定："国有企业依照法律规定，通过职工代表大会和其他形式，实行民主管理。"本法第三十五条、第三十六条、第三十七条分别规定，国有企业职工代表大会是企业实行民主管理的基本形式，是职工行使民主管理权力的机构，依照法律规定行使职权。国有企业的工会委员会是职工代表大会的工作机构，负责职工代表大会的日常工作，检查、督促职工代表大会决议的执行，选举和罢免管理人员、决定经营管理的重大问题。集体企业的工会委员会，应当支持和组织职工参加民主管理和民主监督，维护职工选举和罢免管理人员、决定经营管理的重大问题的权力。国有企业、集体企业以外的其他企业、事业单位的工会委员会，依照法律规定组织职工采取与企业、事业单位相适应的形式，参与企业、事业单位民主管理。公司法规定："国有独资公司和两个以上的国有企业或者其他两个以上的国有投资主体投资设立的有限责任公司，依照宪法和有关法律的规定，通过职工代表大会和其他形式，实行民主管理。"

四、关于全心全意为职工服务

工会应关心职工的切身利益，为职工办好事、办实事，使广大职工都感到工会确实是自己的组织，是职工信得过的、能替职工说话和排忧解难的组织。如：深入实施送温暖工程，协助政府推进再就业工程；兴办经济实体、职业介绍与培训机构、解困市场、职工互助补充保险业和职工消费合作社等；建立特困职工档案、送温暖活动基金。

第七条　工会动员和组织职工积极参加经济建设，努力完成生产任务和工作任务。教育职工不断提高思想道德、技术业务和科学文化素质，建设有理想、有道德、有文化、有纪律的职工队伍。

【释义】 本条规定了工会的建设和教育职能。

一、建设职能

工人阶级是物质文明的创造者。建设职能是社会主义条件下我国工会具有的一项重要职能。党的十一届三中全会以来，指导方针由“以阶级斗争为纲”转变到以经济建设为中心，我国实行社会主义市场经济，社会主义的根本任务是发展生产力，增强社会主义国家的综合国力，使人民的生活日益改善，不断体现社会主义优于资本主义的特点。人是生产力中最具有决定性的力量，工人阶级是推动我国先进生产力发展的基本力量，发展生产力是工人阶级所承担的历史任务。

工会具有建设职能的意义在于：第一，这是完成工人阶级历史任务的要求。工会做好吸引和团结职工积极参加经济建设，充分发挥工人阶级在改革和建设中的主动性、积极性、创造性和主力军作用，正是直接地促进生产力的发展；第二，工会吸引职工参加改革和建设，以自己的活动领域和活动方式，去解放生产力，发展生产力；第三，发展生产力，是全国人民整体利益、根本利益所在，又是职工具体利益、现实利益所在。

二、教育职能

工人阶级不仅是社会物质文明的建设者，也是精神文明的建设者，它在改造客观世界的同时，也在不断地改造着自己的主观世界。工会履行教育职能，就是要把远大理想和现实目标结合起来，通过日常的工作和各种群众活动，教育和团结广大职工，不断地把他们吸引到实现工人阶级各个阶段面临的任务的实践中来，真正做到教育人、引导人、培育人，促进职工思想道德、技术业务和科学文化素质的不断提高,为我国经济发展和社会进步提供精神动力和智力支持。

工会的文化教育是一个长期性的任务,目前又有其阶段性的特点。由于我国处在社会主义的初级阶段,总体说,生产力落后,科学教育欠发达,这些都不同程度地制约着工人阶级作用的发挥,同时也影响着职工思想觉悟程度和文化程度。其主要表现,一是职工主人翁作用在国家和社会生活中没有得到充分地发挥;二是职工群众的科学、文化、技术水平,总的来说,与发达国家的工人相比还比较低,特别是缺少现代化的科技文化知识。这个问题,在世界新技术革命的挑战和我国现代化建设发展的迫切要求面前,显得更加突出。

教育职工从两个方面入手。一是提高职工思想道德素质。加强思想道德建设,是发展先进文化的重要内容和中心环节。思想道德建设是道德教育和法制教育的有机集合。要提倡爱国主义、集体主义、社会主义思想,反对和抵制拜金主义、享乐主义、极端个人主义等腐朽思想,凝聚人心,统一意志,增强职工的民族自尊心、自信心、自豪感,这样才能充分发挥职工的积极性、主动性和创造性;二是提高职工技术业务和科学文化素质。提倡科学知识、科学方法、科学思想、科学精神,提高职工的职业水准,增强职工的自立意识、竞争意识、效率意识和开拓创新精神。科学技术是第一生产力,而且是先进生产力的集中体现和主要标志。有了科学的精神,才能真正具有竞争力。

教育职能的目标是,建设有理想、有道德、有文化、有纪律的“四有”职工队伍。

第八条　中华全国总工会根据独立、平等、互相尊重、互不干涉内部事务的原则,加强同各国工会组织的友好合作关系。

【释义】　本条规定了中华全国总工会和各国工会组织的合

作原则。

加强同各国工会组织的友好合作关系是工会间国际联合的重要途径。不同所有制、不同种族、不同宗教信仰的国家的工会虽然有着不同的目标和组织方式，但在代表和维护职工的合法权益这一点上是一致的。随着全球资方力量进一步团结和集中，工人阶级国际工会运动也因此出现了由多元化的分散状态走向联合行动的趋势。只有团结起来，工会才能成为强有力的社会力量。劳动者的国际性组织有国际劳工组织（ILO），它是联合国下属负责劳工事务的专门机构。但国际劳工组织主要职能是制定国际劳动标准，调整的主要是会员国内部的劳动关系，具有国内性，它并不调整会员国的外部劳动关系。因此，国际工会间的交往与合作就愈显重要。

中华全国总工会和各国工会组织的合作原则有四项：第一，独立原则。指每个国家或地区的工会都有权根据本国国情和广大工会会员及职工的愿望，选择自身的发展模式，确定自己的对外政策，采取自己的方式方法，从事自己的工会业务，任何别国工会或者国际工会组织不应进行干预；第二，平等原则。指每个国家或地区的工会，不论大小强弱，都具有平等地位和权利，有平等参与协商解决国际工运事务，不能由少数工会或者某个国际工会组织垄断；第三，互相尊重原则。指每个国家或地区的工会不得歧视任何别国工会，对别国工会的发展模式和内部政策给予充分的理解；第四，互不干涉内政原则。指每个国家或地区的工会都有权根据本国国情和广大工人的愿望，选择自己的发展模式和确定自己的政策，别国工会和国际工会组织不得以任何借口干涉他国工会的内部事务。

我国工会国际工作的主要内容是：第一，努力推动国际工运新秩序的建立；第二，积极参与国际劳工领域的多边活动；第三，吸收和借鉴世界各国工会对我国有益的经验；第四，密切与周边国家和发展中国家工会的联系;第五,发展国际交流与合作。

我国工会国际工作的目标是:同全世界工人和工会一起,为世界的和平、发展、工人权益和社会进步而共同努力。

第二章 工会组织

第九条 工会各级组织按照民主集中制原则建立。

各级工会委员会由会员大会或者会员代表大会民主选举产生。企业主要负责人的近亲属不得作为本企业基层工会委员会成员的人选。

各级工会委员会向同级会员大会或者会员代表大会负责并报告工作,接受其监督。

工会会员大会或者会员代表大会有权撤换或者罢免其所选举的代表或者工会委员会组成人员。

上级工会组织领导下级工会组织。

【释义】 本条是关于工会组织原则的规定。

工会的组织原则是民主集中制。这一原则体现了中国工会作为工人阶级的群众组织的性质,体现了中国共产党领导下的中国工会的根本特征。民主集中制是在民主的基础上实行集中。工会的一切组织和会员都必须按照这个根本原则进行活动。具体讲,民主集中制有两方面的内容,即民主集中制的组织原则和民主集中制的活动原则。

工会法对民主集中制的组织原则作了明确规定:

一、各级工会委员会由会员大会或者会员代表大会民主选举产生

会员大会是由同级工会的全体会员组成;会员代表大会由全体会员通过民主选举的代表组成。工会的地方各级代表大会和工会委员会是地方各级工会的领导机关,它们的产生,要充分体现选

举人的意志。候选人的名单,要反复酝酿,充分讨论。选举采用无记名投票方式,可以直接采用候选人数多于应选人数的差额选举办法进行正式选举;也可以采用差额选举办法进行预选,产生候选人名单,然后进行正式选举。任何组织和个人,不得以任何方式强迫选举人选举或者不选举某个人。大城市总工会下设的办事处,各省总工会设立的地区工会办事处以及有些产业工会的工作委员会等,都不是一级工会组织,不是采取选举的办法,而是由各级工会任命其负责的工作人员。工会的各级领导机关,都由选举产生,这是工会的一项重要的组织原则。这是因为,第一,工会的各级领导机关由选举产生,是实现民主集中制的重要保证。只有选举产生的领导机关,才能充分体现会员的意志,才能建立起领导与被领导的正确关系。第二,工会各级领导机关由选举产生,是建立一个有一定威信、强有力领导班子的关键。真正经过民主选举,就会把真正为职工群众服务,敢于为职工说话,深受群众拥护的人选进工会的领导机构。当选的人,由于切身感受到群众的信任,也会更加努力工作,为职工服务。第三,工会各级领导机关由选举产生,是调动广大会员积极性的重要措施。由会员民主选举工会干部并对工会干部实行监督,体现了会员在工会内的民主权利,必然增强会员的责任感,发挥他们的积极性、主动性和创造性。民主选举工会干部,可以让广大职工群众或工会各级组织的代表充分发表意见,选择工人阶级的先进分子进入工会各级领导班子,并对其实行监督,防止各种腐败的行为。

目前在一些非公有制企业中,经理、厂长等主要负责人的配偶或兄弟姐妹等近亲属担任着基层工会主席,为使工会更有效地代表和维护职工的合法权益,法律应当针对这些现象,对担任基层工会委员会成员的人选作出限制性规定。因此,这次工会法的修改中增加规定,企业主要负责人的近亲属不得作为本企业基层工会委员会成员的人选。

二、各级工会委员会向同级会员大会或者代表大会负责并报告工作,接受其监督

这里规定了工会委员会与同级会员大会或者会员代表大会的关系。工会的全国代表大会是工会的最高领导机关,它代表全体工会会员的意志,在工会组织内拥有最大的权力,享有最高的决策权、选举权和监督权。工会的地方各级代表大会则代表该地区工会会员的意志,也享有相应的决策权、选举权和监督权,在本行政区划的工会组织内权力最大;产业工会代表大会则代表该产业工会会员的意志,亦享有相应的决策权、选举权和监督权。各级工会委员会委员是由会员大会或者会员代表大会选举产生的,说明会员大会和会员代表大会高于工会的各级委员会,不是各级委员会领导代表大会,而是代表大会决定工会委员会的组成和工作任务。各级工会委员会在大会闭会期间主持工会的日常工作,就必须向大会负责,并向大会报告大会所决定的工作任务的完成情况、经费的使用情况以及其他大会认为有必要报告的情况,接受全体会员的监督。

三、会员大会或者会员代表大会有权撤换或者罢免其所选举的代表或者工会委员组成人员

罢免权是监督权的重要内容,撤换和罢免是工会会员对会员代表和工会委员会委员、会员代表对工会委员会委员实施监督的有效形式之一。工会会员认为会员代表或者工会委员有违法、违反章程或者失职、不称职以及其他违背工会会员意志的行为,可以要求撤换或者罢免其选举的代表或者委员;工会代表认为工会委员有违法、违反章程或者失职、不称职以及其他违背工会会员或者会员代表意志的行为,也可以要求撤换或者罢免工会委员。不论是要求撤换还是要求罢免代表或者工会委员,都要严格依照民主集中制的活动原则办事,坚持少数服从多数的原则,按照严格的程序办事,做到监督规范化。

四、上级工会组织领导下级工会组织

中华全国总工会领导全国的工会组织。工会的最高领导机关，是工会的全国代表大会和它产生的中华全国总工会执行委员会。工会的地方各级领导机关，是工会的地方各级代表大会和它们产生的总工会委员会。“上级工会组织领导下级工会组织”，这里的“领导”，主要是指由工会的全国代表大会讨论决定的全国工会的工作方针和　定时期的全国工会的任务，在代表大会闭会期间由全国总工会执行委员会负责其贯彻执行，领导全国各级工会按代表大会的决议开展工作。地方各级工会的工作方针和一定时期的工作任务，也要在上级工会的领导下，按这个原则确定和实施。另外，工会的各级领导机关要经常听取下级组织和会员的意见。下级组织要向上级组织请示报告工作，这也是民主集中制规定的上下级之间关系的体现，以保证建立正常的工作制度，其目的是保证上级能在充分了解下级组织和会员群众的愿望和要求的基础上作出正确的决定；同时，又能使上级工会组织集中起来的正确意见，能够得到所有下级组织的正确贯彻执行，这样才能加强工会的系统领导。

第十条　企业、事业单位、机关有会员二十五人以上的，应当建立基层工会委员会；不足二十五人的，可以单独建立基层工会委员会，也可以由两个以上单位的会员联合建立基层工会委员会，也可以选举组织员一人，组织会员开展活动。女职工人数较多的，可以建立工会女职工委员会，在同级工会领导下开展工作；女职工人数较少的，可以在工会委员会中设女职工委员。

企业职工较多的乡镇、城市街道，可以建立基层工会的联合会。

县级以上地方建立地方各级总工会。

同一行业或者性质相近的几个行业，可以根据需要建立全国

的或者地方的产业工会。

全国建立统一的中华全国总工会。

【释义】 本条是对工会组织系统的规定。

（一）本条第一款规定了基层工会委员会设立的条件。这次工会法的修改为了解决工会组建困难的问题，在组织机构设置的条件上作了较大的调整，放宽了基层工会委员会设立的条件，将原来必须有工会会员二十五人以上（含二十五人）才能设立基层工会委员会的条件放宽到不足二十五人的也可以设立基层工会委员会，也可以由两个以上的单位联合组建基层工会委员会。不足二十五人的还可以依然维持原工会法的做法，选举组织员一人，组织开展活动，即工会会员不足二十五人的基层单位，在建立工会组织时可以有多种选择，既可以单独建立基层工会委员会，也可以由几个单位联合组建基层工会委员会，还可以选举组织员一人，开展活动。法律这样规定主要是方便基层工会的建立，解决工会组建难的问题。

工会要按照工会法的要求，建立基层工会委员会，基层工会委员会由基层工会组织的会员大会或会员代表大会依照工会法和工会章程定期选举产生。为了加强基层工会委员会与群众的直接联系，基层工会委员会一般不设常委会，大型企事业单位的基层工会委员会如因工作需要，经上级工会批准，可以设常务委员会。基层工会委员会要承担起自己的职责和完成基本任务，要把两个方面的组织系统建立健全起来。一是经过选举把工会小组建设好。这样才能使基层工会的工作通过组织系统有效地落实到群众中去，并且使会员群众的意见和要求，通过组织系统很快地集中起来。二是根据工作需要聘请工会积极分子，建立一些工作委员会，如生活工作委员会、劳动安全卫生工作委员会等等，这样才能使基层工会把各种工作任务承担起来，并且通过这些工作委员会中的广大工会积极分子，加强同群众的联系，使整个基层工会的工作真正扎根于群众之中。加强基层工会组织建设的基础,是要加强工会小组的建设。基层工会的许多活动,都要在工会小组里落实。工会小组犹如工会的细胞,细胞有了活力,基层工会的工作才能朝气蓬勃。

这次工会法修改,增加了工会组织中女职工委员会或者女职工委员的规定,主要是体现加强对女职工特殊权益的保护,同时也解决了与妇女组织的关系。

(二)本次工会法修改,在工会的组织结构上,增加了乡镇和城市街道建立工会联合会的规定。这一规定必将对工会组织的发展产生重大影响。

按照现行工会法的规定,企业、事业、机关建立基层工会委员会,县、市、省三级建立地方各级总工会,全国建立统一的中华全国总工会。没有规定在乡镇、街道、村建立地方工会组织。改革开放以来,城乡集体企业、外商投资企业、私营企业有了较大发展,为加强基层工会的组织建设,全总提出将地方工会组织加以延伸,在乡镇、街道、村建立工会组织。而有的同志提出,目前国家机关、群团组织都在进行机构精简,乡镇、街道普遍建立地方工会不符合机构精简的原则,建议对此不作规定。

为了最大限度地把职工组织到工会中来,应当扩展和强化工会的组建工作,至于乡镇是否要普遍建立工会,应当根据不同情况,区别对待。在一些经济比较发达、职工比较多的乡镇、街道,根据情况可以设立工会,全国不搞"一刀切"。因此,工会法规定:"企业职工较多的乡镇、街道,可以建立基层工会的联合会。"关于建立村工会,考虑到村办企业的情况比较复杂,许多企业生产季节性强,生产人员亦工亦农,现实多是参加村委会的活动,因此,对村工会问题没有规定。由于城市街道不是一级政权组织,同时又涉及到机构改革,所以乡镇、街道工会的性质不是一级地方工会,也不应当办成机关工会,应当是一个尽可能不设常设机构,由乡镇、街道中的基层工会联合起来的联合会比较合适。

（三）本条第三款、第四款规定了地方各级总工会及产业工会设置的原则和条件，即按照国家行政区划在县级行政区域以上成立地方各级总工会，同时按照国民经济的行业特点在同一行业或者性质相近的几个行业，根据需要建立全国或者地方的产业工会。产业与地方相结合的原则，从组织上来说包括三个意思：一是按照产业原则，把同一企业、事业、机关中的会员，组织在一个工会基层组织中，而不是在一个单位中按工种、按职业组成若干个职业工会；二是同一行业或性质相近的几个行业的职工可以根据需要建立全国的和地方的产业工会组织，开展适合产业特点的活动，反映和解决本产业职工需要解决的共同性问题。三是按行政区划，在省、自治区、直辖市、自治州、市、县（旗）建立各级地方总工会，作为当地地方工会和产业工会地方组织的领导机关。实行产业与地方相结合的原则，符合职工群众意愿。在《中国工会章程》中提出了产业与地区相结合的原则，集中了产业原则的长处，发挥了地区的优势，使得工会系统在组织领导关系上更加完善，更加切合我国的实际。有的产业工会由于生产、管理高度集中，工会组织的领导关系实行产业工会与地方工会双重领导，以产业工会为主，如中华全国铁路总工会和民航工会等产业工会；有的产业工会是对下实行工作指导，主要由地方工会领导，如教育工会等，这样从实际情况出发确定产业工会的组织形式和领导关系，是完全符合我国国情的。

（四）本条第五款规定了全国建立统一的中华全国总工会，这就是说，工会是一个统一的组织。工人阶级的根本利益是一致的，没有根本的利益冲突，没有任何理由分裂为互相对立的两派或几派组织。建立统一的工会组织，有利于维护工人阶级队伍的团结，实现自己的历史使命，也有利于维护职工群众的合法权益。

第十一条 基层工会、地方各级总工会、全国或者地方产业工会组织的建立，必须报上一级工会批准。

上级工会可以派员帮助和指导企业职工组建工会，任何单位和个人不得阻挠。

【释义】 本条是对工会建立程序的规定。

（一）本条第一款规定了基层工会、地方总工会、全国产业工会和地方各级产业工会建立需要报上一级工会批准的程序。这样规定，体现了工会的领导体制，保证了我国工会组织的统一性和唯一性。工会是从全国到基层的有组织的群众团体，这种独立的群众团体，一方面要在政治上同党中央保持一致，坚持正确的政治方向；另一方面它又应当按照自己的特点和广大会员职工的愿望、要求独立自主地开展工作，这就要有组织上的保证，加强工会的统一领导。工会法规定工会成立需要上一级工会的批准，保证了我国工会组织的统一性和唯一性。这是因为，在全国建立统一的工会，是根据中国的历史、现实和工人群众的意愿作出的规定，目的是使工人群众的力量团结、统一，是符合工人群众根本利益的，也是工人群众当家做主的集中体现。我国工人阶级内部没有根本利害冲突，没有必要分别组织相互独立的甚至对立的群众组织或者社会团体，中国工人阶级的力量就在于它的团结和统一，我国工会组织的统一是建立在广泛民主基础上的统一。因此，为了保持国家和社会的稳定，使广大职工和全国人民一起集中精力进行社会主义现代化建设，必须同分裂工人阶级队伍的行为作斗争，防止出现政治上反对派性质的工会组织。工会组织的建立要经上一级工会批准，对于防止出现非法的工会团体，有着重要作用。按照法律规定，省、自治区、直辖市地方总工会的建立要报全国总工会批准；自治州、市、县总工会的建立要报省、自治区、直辖市总工会批准；自治州所辖市、县总工会的建立要报自治州总工会批准。全国产业工会的建立要报全国总工会批准，地方产业工会的建立，应根据其特点报地方同级总工会或者上级产业工会批准。

（二）本条第二款规定了工会组建过程中上级工会的作用。随着外商投资企业、私营企业等非公有制经济成分的发展，在这些经济组织中工会的组建有较多困难，非公有制企业“建会难”已成为全国工会工作中的突出问题。一些基层工会的同志反映，工会组建困难的原因主要有：

第一，工会法对外商投资企业、私营企业中组建工会的规定的力度不够。由于工会法规定工会是自愿结合的群众组织，对一些外商投资企业、私营企业不组建工会难于处理。有的企业钻自愿组建工会的空子，或拖或推，工会也没有办法。

第二，一些外商投资企业、私营企业对工会的性质和作用存在疑虑和抵触。他们有的认为“工会就是与老板唱对台戏”，组织工人闹罢工，对组建工会存有戒心；有的怕工会经常组织活动占用生产时间，影响生产。

第三，一些外商企业、私营企业对缴纳2%的工会经费难以认同，致使工会组建困难。有些外商企业、私营企业宁可拿出一些钱为企业职工搞福利，但不愿将经费上缴。有些企业往往因不愿缴纳工会经费而拒绝建立工会，而不建工会就可以不缴纳。

第四，职工缺乏组织工会的内在要求和自我保护的意识；个别地方党政领导片面强调投资环境，对工会的组建工作不够支持，也是影响工会组建工作的重要原因。

为解决工会组建难的问题，有些地方性法规规定，外资企业在成立一年内必须成立工会。这样的规定也存在一些问题。工会法第二条规定：“工会是职工自愿结合的工人阶级的群众组织。”工人组建工会是法律保障的公民的基本权利，任何人不得阻挠和干涉。但是，以法规规定外资企业在一年内必须成立工会与工会是“自愿结合”的性质似不一致，有以国家强制力推动结社之嫌。而有些地方规定，上级工会可以到外资企业宣传和帮助工人组建工会,任何人不得阻挠,这样规定较为适宜。

经反复研究,工会法修改中增加规定:“上级工会可以派员帮助和指导企业职工组建工会,任何单位和个人不得阻挠。”同时规定,对拒不组建工会的,要予以追究法律责任。

需要指出的是,工会法对组建工会的问题作了一系列规定,体现了我国社会主义的性质,但是,工会组建工作是一项艰巨的、需要做大量的细致工作。地方工会的同志应当以新中国成立前我们党的一些老领导同志为榜样,深入基层,深入群众,发动群众,才能够解决工会组建中的一些问题。不要指望依靠国家的法律、文件解决一切问题,要改变靠发文件解决问题的工作作风,并要防止工会行政化、官僚化的倾向。

第十二条　任何组织和个人不得随意撤销、合并工会组织。

基层工会所在的企业终止或者所在的事业单位、机关被撤销,该工会组织相应撤销,并报告上一级工会。

依前款规定被撤销的工会,其会员的会籍可以继续保留,具体管理办法由中华全国总工会制定。

【释义】　本条是关于工会撤销程序和工会会员会籍处理办法的规定。

(一)任何社会团体一经依法成立后,国家就保护其合法的权益。同样,工会是依法建立的社会组织,国家的法律也保护其合法权益。所以工会法明确规定任何组织和个人不得随意撤销、合并工会组织。这里也应当指出,目前国家机构正处在改革过程中,作为中国共产党领导的工会组织,也应当服从国家的大局,依照党中央和地方党委的要求精简机构。但是在精简机构的改革中,工会组织不能随意撤销、合并。

(二)本条第二款规定了工会撤销的程序。由于企业的关闭、合并或者破产及其他形式的企业终止,以及机关、事业单位被撤销，使基层工会组织失去了存在的基础，所以基层工会组织也就撤销。基层工会组织撤销时，应当报告上一级工会。

（三）在常委会审议中，一些常委会组成人员提出，被撤销的工会会员如何处理，工会法应有所规定，并建议会员的会籍应当继续保留，工会组织也应当关心他们，帮助他们解决困难。根据常委会组成人员的意见，工会法增加了这一规定。中华全国总工会应当根据工会法的规定，制定出相应的办法。

第十三条 职工二百人以上的企业、事业单位的工会，可以设专职工会主席。工会专职工作人员的人数由工会与企业、事业单位协商确定。

【释义】 本条是关于工会专职工作人员的规定。

1992 年工会法没有规定工会专职干部的编制问题。一些工会工作的同志认为，随着经济体制改革的深化，在国有、集体企业工会工作中，较为普遍的问题是工会专职干部的配备不够。在现代企业制度建立的过程中，有的企业将工会机构撤销，更多的企业将工会与其他部门合并，工会专职干部有的取消，有的兼职，这样就不能保证有充足的时间和精力做好工会工作，工会方面认为这削弱了工会工作，工会法的修改应当对工会专职干部的配备作出规定。

一些企业认为，企业是以经济效益为中心的，配备专职工会干部势必增大成本，非公有制企业尤其难以做到。工会干部兼职也未必不好，首先，企业少一个职工，可以少发一份工资，对企业行政方面有利；其次，非公有制企业的工会主席一般是人事或者行政主管，他们的意见企业行政容易接受，对职工有利；再次，兼职工会干部可以有本职工作，能够掌握相应的技能、知识，对工会干部本人也有利。从工会角度看，工会主席从事生产劳动，便于与职工沟通，能更好地开展工会工作。能否搞好工会工作不在于工会干部是否是专职,而在于工会干部的主动性、积极性。

针对上述问题,一些同志提出增加规定:"职工二百人以上的企业、事业单位、机关的工会组织应设专职主席。工会基层组织专职干部的编制不低于职工总数的千分之三。"

经反复研究,认为随着现代企业制度的建立和完善,精简脱产人员,特别是各种非公有制经济迅速发展,情况发生了很大的变化。要求各种不同所有制企业一律设置专职的工会干部很不现实,这应由企业的自主决定。另一方面,企业、事业单位中又需要保持一定数量的工会骨干分子,使他们有充分的时间和精力从事工会工作。为此,工会法对此的修改作了较为灵活的规定:"职工二百人以上的企业、事业单位的工会,可以设专职工会主席。工会专职工作人员的人数由工会与企业、事业单位协商确定。"这样规定,企业、事业单位中的工会干部,根据需要,可以是专职,也可以兼职,比较适应各种不同情况。

第十四条　中华全国总工会、地方总工会、产业工会具有社会团体法人资格。

基层工会组织具备民法通则规定的法人条件的,依法取得社会团体法人资格。

【释义】　本条是对工会法人资格的规定。

法人是具有民事权利能力和民事行为能力,依法独立享有民事权利和承担民事义务的组织。按照我国民法通则的规定,我国的法人分为企业法人、机关法人、事业单位法人和社会团体法人。民法通则规定,法人必须具备四个条件:第一,依法成立;第二,有必要的财产或经费;第三,有自己的名称、组织机构和场所;第四,能够独立承担民事责任。工会属于社会团体法人,由于各级工会的具体情况差别较大,工会法对工会的法人资格问题分两种情况作了规定。

（一）中华全国总工会、地方总工会、产业工会，具有社会团体法人资格。规定中华全国总工会、地方总工会、产业工会具有社会团体法人资格，是由于它们具备了社会团体法人的条件。按照我国民法通则的规定，我国社会团体法人成立的方式有两种，一种是依法不需要办理法人登记的，从成立之日起，具有法人资格。另一种是依法需要办理法人登记的，经核准登记，取得法人资格。工会法规定中华全国总工会、地方总工会、产业工会具有社会团体法人资格，意思是这些法人的成立，不需办理法人登记手续。这里称的产业工会，是指同一行业或者性质相近的几个行业，根据需要建立的全国的或者地方的产业工会。我国现有的产业工会包括：教育、农林、水电、机械冶金、煤矿地质、石油化学、海员、国防、财贸、建设建材、纺织、轻工业、邮电、民航、金融工会、铁路总工会等和中直机关、国家机关两个工会联合会。

（二）基层工会组织具备民法通则规定的法人条件的，依法取得法人资格。目前，我国基层工会共有九十多万个，包括国有企业工会，集体企业工会，中外合资，中外合作、外资企业工会，机关工会等，这些基层工会情况千差万别，并不是全部具备民法通则规定的法人条件，以企业来说，大中型国有企业和小型企业就有很大差别，故规定基层工会组织要依法取得法人资格。这就是说，一个基层工会组织是否能够取得法人资格，要依据民法通则规定的法人条件予以确定。

基层工会的法人资格问题，在 1992 年制定工会法时，就有不同的认识。有的同志认为，工会法应明确规定基层工会也应具有法人资格，即从基层工会成立之日起就自然具有法人资格。有的同志认为，基层工会情况差异很大，简单地规定所有基层工会都具有法人资格，可能在实际工作中产生问题。所以当时工会法规定了是否具有法人资格，要依照民法通则规定的条件依法予以确认。在工会法通过以后，全国各省、自治区、直辖市和一些较大市人大常委会相继制定了这个法律的实施办法。对基层工会法人资格问题,一些地方性法规作出了具体的规定。这些规定大体有两种:一种是自然取得法人资格,即基层工会组织自批准成立之日起就具有法人资格;一种是由上级工会认定基层工会的法人资格,即经上级工会批准,基层工会组织具有社会团体法人资格。规定基层工会自然取得法人资格,是与工会法的立法本意不一致的;由上级工会认定基层工会具有法人资格与有关法律规定不一致。依照民法通则的规定,一个社会团体是否具有法人资格或是由法律确定,或是经有关主管机关依法登记确定。依照工会法的规定,工会的性质是社会团体。因此,规定由地方工会确认基层工会的法人资格与民法通则和工会法的规定是不一致的。由于基层工会的具体情况比较复杂,不一定都具备法人条件,可否考虑,凡具备法人条件的基层工会,由县级工会提请同级民政部门统一审核,确认其法人资格,同时民政部门应当在程序上予以简化。

第十五条　基层工会委员会每届任期三年或者五年。各级地方总工会委员会和产业工会委员会每届任期五年。

【释义】 本条是关于工会任期的规定。

这一条是这次修改工会法根据常委委员的意见新增加的规定。一些常委委员提出,既然本法规定了对工会基层委员会的干部劳动合同保护的规定,法律也应当相应规定工会干部的任期,因此,工会法增加这一规定。

工会基层委员会的任期根据不同情况任期是三年或者五年。有的企业规模较小,工会会员也比较少,其工会基层委员会的任期应当相应短些,可以是三年;有的企业很大,工会会员也很多,经常开会从人力、财力上也会付出很多,工会的任期可以长一些,任期可以是五年。当然,如果需要,经工会基层委员会或者三分之一以上的工会会员提议,也可以召开会员大会或者会员代表大会,讨论决定工会的任期问题。

各级地方总工会委员会和产业工会委员会每届任期五年。各级地方工会,包括县、市、省、自治区、直辖市的总工会。这些地方总工会及产业工会的任期是五年。

第十六条　基层工会委员会定期召开会员大会或者会员代表大会,讨论决定工会工作的重大问题。经基层工会委员会或者三分之一以上的工会会员提议,可以临时召开会员大会或者会员代表大会。

【释义】　本条是对基层工会委员会召开会议的规定。

基层工会委员会应当有一定的工作制度,其中重要的内容之一就是关于工会应当定期召开会员大会或者会员代表大会,讨论决定工会工作中的重大问题。除定期召开会议外,遇到一些临时出现的重要问题,应当经工会会员大会或者会员代表大会决定的事项,基层工会委员会可以决定临时召开会议,讨论决定,不能由少数人决定。为防止少数人决定工会的重大问题,工会法规定,经工会三分之一会员的提议,也可以召开会员大会或者会员代表大会,以全体会员或者会员代表的过半数的票数决定工会工作的重大问题。应当指出,一旦三分之一以上的工会会员要求召开会员大会或者会员代表大会,基层工会委员会必须组织召开,不得以任何理由否决三分之一以上会员的提议。工会应当根据工会法的这一规定再制定有关的办法,将法律的这一规定具体落实,使之更具有可操作性。这里所说的一些数字都包括本数。

第十七条　工会主席、副主席任期未满时,不得随意调动其工作。因工作需要调动时,应当征得本级工会委员会和上一级工会的同意。

罢免工会主席、副主席必须召开会员大会或者会员代表大会

讨论，非经会员大会全体会员或者会员代表大会全体代表过半数通过，不得罢免。

【释义】　本条是对工会主席、副主席在任职期间有关调整以及罢免的规定。

（一）《中国工会章程》规定，工会的各级领导机关即各级工会委员会由主席、副主席、常务委员等组成，除它们的派出机关外，都由选举产生，实行任期制；工会各级委员会，应向同级会员大会或会员代表大会负责并报告工作和经费收支情况，接受会员监督；各级工会委员会的主席、副主席和常务委员等选举结果，要报上一级工会组织批准。因此，根据上述规定，工会主席、副主席的调动，只能由民主选举产生他们的工会委员会和批准该委员会成立的上级工会决定。任期未满不能随意调动工作。工会法规定各级工会主席、副主席在任期内不得随意调动其工作，是保障体现选举人的意志。尊重选举人的民主权利，是法律赋予的会员大会或会员代表大会权力的需要，也是保障各级工会主席、副主席应向选举人负责并报告工作，接受监督的需要，以便更好地代表和维护会员利益，依法做好工会领导工作。对因工作需要调动工会主席、副主席的工作时，工会法规定必须征得本级工会委员会和上一级工会的同意。《中国工会章程》也是这样规定的。这也是对工会依法独立自主开展工作的保障。这些都要求各级政府及其他部门在调动工会主席、副主席的工作时，要充分尊重工会会员大会或会员代表大会的民主意志，保障工会主席、副主席依法履行会员赋予的职责。

（二）本条第二款规定了工会主席、副主席的罢免程序。一是从法律上规定了工会主席的罢免程序，二是从一个侧面起到保护工会主要工作人员的作用。根据本款规定，罢免工会主席或者副主席，必须由会员大会或者会员代表大会讨论决定，非经会员大会全体会员或者会员代表大会全体代表过半数通过，不得罢免。根据民主选举原则，工会主席是由会员大会全体会员或者会员代表大会全体代表过半数通过选举产生的，所以罢免也必须经过这一程序。

第十八条　基层工会专职主席、副主席或者委员自任职之日起，其劳动合同期限自动延长，延长期限相当于其任职期间；非专职主席、副主席或者委员自任职之日起，其尚未履行的劳动合同期限短于任期的，劳动合同期限自动延长至任期期满。但是，任职期间个人严重过失或者达到法定退休年龄的除外。

【释义】　本条是关于工会干部保护的规定。

基层工会干部维护职工合法权益，往往与企业行政方面发生矛盾，有些人还受到打击报复。如以各种理由解除为职工维权的基层工会干部的劳动合同，或者将其调离原工作岗位，或者降低其工资待遇，还有的在工会干部劳动合同到期后以种种借口不续签合同。在保障工会维护职工利益的同时，也迫切需要保护工会干部的合法权益，因此，工会法增加了这一条规定。

（一）基层工会专职主席、副主席或者委员的劳动合同期限的保护。由于专职的工会工作人员是完全脱产的，所以对工会专职工作人员劳动合同期限的规定是，其劳动合同期限自动延长，延长期限相当于其任职期间。也就是说，当职工被会员民主选举作为工会主席、副主席或者委员，根据规定或者与企业协商确定为脱产的专门从事工会工作的专职工会干部，其原来与企业签订的劳动合同有关期限的约定中止执行，当专职工会工作人员任期期满后，其原来尚未履行的劳动合同期限再继续履行。专职工会工作人员连选连任后，其劳动合同继续延长。

（二）非专职主席、副主席或者委员自任职之日起，其尚未履行的劳动合同期限短于任期的，劳动合同期限自动延长至任期期满。经民主选举产生的工会工作人员如果是不脱产的，即非专职的工会工作人员，如果其尚未履行的劳动合同期限与工会职务任期相比是少的。比如,刚刚当选的工会工作人员任期要工作三年,而其劳动合同期限已经还有半年就到期了,那么,其劳动合同期限要延长到本届工会工作届满,意味着其劳动合同就要延长两年半的时间。

（三）上述两种情况不适用于任职期间个人严重过失的以及达到法定退休年龄的。这里的个人严重过失是指依照劳动法第二十五条规定用人单位可以解除劳动合同的情形,即劳动者在试用期间被证明不符合录用条件的;劳动者严重违反劳动纪律或者用人单位规章制度的;劳动者严重失职,营私舞弊,对用人单位利益造成重大的损害的;劳动者被依法追究刑事责任的这四种情形。另外,当劳动者到了法定退休年龄也应当退休,不再履行劳动合同。

第三章 工会的权利和义务

第十九条 企业、事业单位违反职工代表大会制度和其他民主管理制度，工会有权要求纠正，保障职工依法行使民主管理的权利。

法律、法规规定应当提交职工大会或者职工代表大会审议、通过、决定的事项，企业、事业单位应当依法办理。

【释义】 本条是对工会保障职工行使民主权利的规定。

（一）国有企业应当实行职工代表大会制度，落实企业法规定职工代表大会的五项职权，制定具体的措施予以落实，以确保职工民主管理权利的实现。

集体企业根据宪法和法律、法规的规定实行民主管理，选举和罢免管理人员，决定经营管理的重大问题。

事业单位情况比较复杂，如学校可以实行教职工代表大会制度，依照法律、法规规定实行民主管理，有些事业单位实行民主管理的形式还在继续探索。总之，依照法律、法规应当实行民主管理的企业、事业单位，就必须实行民主管理。对企业、事业单位不依法实行民主管理的单位，工会有权提出要求纠正，以保障劳动者的民主权利。

对国有和集体企业、事业单位违反职工代表大会或其他民主管理制度的问题，工会有权提出意见，要求纠正。工会提出意见的范围，是指企业事业单位的做法违反了法律、法规或违反了职代会决议，要求予以纠正；对违反民主管理制度的责任人员可以向企业事业单位的上级主管部门提出意见，要求予以处理。

（二）法律、法规规定应当提交职工大会或者职工代表大会审议、通过、决定的事项，企业、事业单位应当依法办理。这一规定是这次工会法修改中增加的规定，目的是要强化职工大会或者职工代表大会的作用。在实际工作中，虽然国家的法律、法规对职工大会和职工代表大会的职权作了明确的规定，规定了哪些事项应当提交职工大会或者职工代表大会审议，哪些事项应当提交职工大会或者职工代表大会决定，但是仍然有少数单位的领导人，无视国家法律、法规的规定，少数人说了算，践踏职工的民主权利。工会法的这一规定重申了有关规定，并规定了相应的法律责任，以保障职工的民主权利。

第二十条　工会帮助、指导职工与企业以及实行企业化管理的事业单位签订劳动合同。

工会代表职工与企业以及实行企业化管理的事业单位进行平等协商，签订集体合同。集体合同草案应当提交职工代表大会或者全体职工讨论通过。

工会签订集体合同，上级工会应当给予支持和帮助。

企业违反集体合同，侵犯职工劳动权益的，工会可以依法要求企业承担责任；因履行集体合同发生争议，经协商解决不成的，工会可以向劳动争议仲裁机构提请仲裁，仲裁机构不予受理或者对仲裁裁决不服的，可以向人民法院提起诉讼。

【释义】　本条是对工会在实行劳动合同、集体合同中作用的规定。

（一）本条第一款规定工会在职工与企业以及实行企业化管理的事业单位签订劳动合同问题上，应为职工提供帮助、指导。劳动合同是职工与用人单位签订的，用以确定双方劳动关系，明确双方权利义务的协议。劳动合同的签订直接关系到职工的各项劳动权利包括劳动就业、劳动报酬、劳动安全卫生、社会保险等项权利的实现。工会帮助、指导职工签订劳动合同,便于我国劳动法律、法规的贯彻执行。使企业与职工签订的劳动合同更加符合劳动法律、法规,有利于劳动合同的正确履行,避免或减少劳动争议的发生。由于劳动合同的签订涉及许多法律、法规的问题,工会较职工更熟悉这些法律、法规,因此,在职工与企事业单位签订劳动合同的过程中,需要工会对职工提供帮助、指导。这些帮助和指导主要是对职工做一些宣传解释工作,教育职工认识到签订劳动合同的重要性,如何签订劳动合同,什么是合法的,什么是违法的,在劳动合同中有什么权利、应履行什么义务,怎样正确履行劳动合同,违反劳动合同要承担什么法律责任,发生合同纠纷后怎么办等问题,使职工依法正确签订劳动合同,避免盲目签订、事后反悔等现象发生,便于劳动合同的正确履行,维护职工的合法权益。

(二)本条第二款规定工会基层委员会有权代表职工与企业以及实行企业化管理的事业单位行政方面签订集体合同,以及集体合同的签订生效程序。工会代表职工与企业以及实行企业化管理的事业单位行政方面签订集体合同,主要目的是为了保障本单位职工的劳动权益和其他合法权益,协调企业经营者与企业职工之间带有共性的劳动关系,在发展生产的基础上有计划地逐步提高职工的物质文化生活水平。同时,集体合同把企业经营者和职工各自的义务用合同形式确定下来,使他们在生产经营过程中共担风险、共负责任、共享利益,有利于增强企业活力,促进生产发展,为企业的兴旺发达提供了可靠保障。集体合同的内容包括劳动报酬、工作时间、休息休假、劳动安全卫生、保险福利等事项。集体合同草案经当事人双方协商修改后,工会应提交职工大会或职工代表大会审议。没有职工大会或者职工代表大会的单位,应当由全体职工讨论通过。集体合同草案提交职工大会或职工代表大会审议的目的,是因为集体合同的一方是职工,而不是工会,应当经职工审查、讨论通过。工会只是代表职工进行平等协商、签订集体合同的，同时也可以为以后加强对集体合同的履行进行监督和检查。集体合同草案在提交职工代表大会或职工大会讨论通过后，由工会基层委员会主席代表全体职工与企业、事业单位的行政领导人或经营者签署。在签订集体合同时，上级工会可以给予指导和帮助，这一规定对保证集体合同签订的合法、规范，减少纠纷也是有一定作用的。

（三）这次工会法修改增加了关于发生集体合同争议解决的程序性规定。这一规定在劳动法中已经作出了规定。因履行集体合同发生争议，首先双方应当尽量协商，在双方互相理解的基础上解决问题，这是化解矛盾最好的方式。如果双方不能协商解决，工会和企业中任何一方均可以向劳动争议仲裁机构申请仲裁；双方中的任何一方对仲裁裁决不服的，都可以在收到仲裁裁决书之日起十五日内向人民法院提起诉讼，这是劳动法中的有关规定。工会法这次修改，对劳动法的有关规定作了补充，增加规定仲裁机构不予受理的，当事人也可以直接向人民法院提起诉讼。

劳动法对劳动争议仲裁规定的是“仲裁前置”的法律制度，即如发生劳动争议，必须通过仲裁机构仲裁后，才可以提起诉讼。在实践中，有些争议，劳动争议仲裁机构以超过时效或者其他原因不予受理，这样就使法律救济手段不能有效地发挥作用，老百姓“告状无门”，影响社会安定。为了解决这一问题，工会法对劳动法中解决集体合同争议的程序作了补充，即对劳动争议仲裁机构不予受理的，当事人可以直接向人民法院提起诉讼。

第二十一条　企业、事业单位处分职工，工会认为不适当的，有权提出意见。

企业单方面解除职工劳动合同时，应当事先将理由通知工会，工会认为企业违反法律、法规和有关合同，要求重新研究处理时，企业应当研究工会的意见，并将处理结果书面通知工会。

职工认为企业侵犯其劳动权益而申请劳动争议仲裁或者向人民法院提起诉讼的,工会应当给予支持和帮助。

【释义】 本条是对工会监督用人单位有关人事管理权的规定。

本条规定包括三个方面的内容:

(一)企业、事业单位处分职工,工会有权提出意见。这一规定,有助于保障企业、事业单位处分职工必须依法进行,有助于维护职工合法权益。它要求企业、事业单位对工会提出的意见认真考虑,采纳合理的建议。

(二)企业依照劳动法第二十五条、第二十六条规定,单方面解除职工劳动合同时,应事先将理由通知工会,工会认为企业的做法违反法律、法规和有关合同,可以要求重新研究处理。解除劳动合同是企业对职工最严厉的处分形式,直接影响职工的工作和生活,为此必须慎重进行,劳动法对此作了专门的规定。工会法的上述规定,一方面要求企业解除劳动合同应有法定理由,并应当事先将理由通知工会;另一方面规定工会对企业作出的解除劳动合同的决定,如有违反法律、法规和有关合同的,工会应当以书面形式正式提出不同意见,要求企业重新研究处理。这样做有利于维护经营者的权威,带动企业更好地依法行使职权,也有利于职工合法权益不受侵害,稳定职工情绪。对工会提出的意见,企业必须研究,慎重处理,并将处理结果以书面形式正式通知工会。应当说明,是否解除劳动合同,最后的决定权在企业,这一规定并不影响企业的自主权。

(三)职工认为企业侵犯其劳动权益而申请劳动争议仲裁或者向人民法院提起诉讼的,工会应当给予支持和帮助。

职工的劳动权益,是指基于劳动关系的建立而产生的职工应享有的不容侵犯的权利,包括劳动合同的履行、劳动合同的解除;劳动报酬;工作、休息时间;劳动安全卫生;职业培训、社会保险与福利待遇;奖励;企业民主管理等方面。根据我国有关法律、法规规定,因企业违反劳动法律、法规,使职工上述合法权益受到侵犯并形成争议,工会应根据不同情况提出解决意见。在国有企业或集体企业中,可通过劳动争议调解委员会依法调解有关争议;在外商投资企业和私营企业中由此引发的劳动争议,争议双方可以进行协商。工会也可以代表职工与企业协商。无论是在国有企业、集体企业,还是外商、私营企业,通过调解或者协商不能解决的,职工可向劳动争议仲裁机构申请仲裁。对仲裁裁决仍然不服的,可依法向企业所在地人民法院提起诉讼。对于向仲裁机构或者人民法院提起诉讼的职工,工会应当给予支持并为其提供法律上的帮助。法律上的帮助包括提供法律咨询、帮助当事人写法律文书、被委托担任当事人的诉讼代理人等。对经济特别困难的职工,工会也应给予经济上的帮助。根据我国民事诉讼法的有关规定,工会作为同当事人有关的社会团体可以推荐有关人员接受职工委托,作为其诉讼代理人参加诉讼活动,并有权调查收集证据和查阅本案材料,行使诉讼代理人的权利,有效地依法维护职工的合法权益。

第二十二条　企业、事业单位违反劳动法律、法规规定,有下列侵犯职工劳动权益情形,工会应当代表职工与企业、事业单位交涉,要求企业、事业单位采取措施予以改正;企业、事业单位应当予以研究处理,并向工会作出答复;企业、事业单位拒不改正的,工会可以请求当地人民政府依法作出处理:

(一)克扣职工工资的;

(二)不提供劳动安全卫生条件的;

(三)随意延长劳动时间的;

(四)侵犯女职工和未成年工特殊权益的;

(五)其他严重侵犯职工劳动权益的。

【释义】 本条是对工会实施法律监督和有关交涉权利的规定。

本条一层意义是规定了工会对劳动法律、法规的监督规定。工会是监督劳动法执行的重要组织。工会代表职工的监督属于社会监督、群众监督。工会的民主监督是国家监督体系的一个重要组成部分,其监督的范围和内容很广。工会是职工群众的组织,维护职工的合法权益是工会的基本任务之一。企业、事业单位违反劳动法律、法规,侵犯了职工合法权益时,工会作为职工的群众组织,有权要求企业、事业单位行政方面或者有关部门认真处理。工会对违反劳动法律、法规的行为,要了解情况,调查研究,弄清事实,及时提出意见,要求企业、事业单位行政方面或者有关部门认真纠正处理,不得敷衍了事。同时,还要将处理结果反馈给工会,使工会掌握情况。例如工会可以对职工劳动时间实行监督。我国宪法第四十三条规定:"中华人民共和国劳动者有休息的权利。国家发展劳动者休息和休养的设施,规定职工的工作时间和休假制度。"劳动法也明确具体地规定了劳动者的劳动时间和加班时间的条件、程序及待遇。根据劳动法及有关法律法规的规定,工会可以对职工在正常工作日之外延长工作的时间情况进行监督。看加班加点,是否严格按照法定程序进行,是否按规定支付加班加点劳动报酬。如果企业、事业单位违反法律、法规规定,随意加班加点,基层工会委员会有权要求企业、事业单位采取措施予以改正;企业、事业单位应当予以研究处理,并向工会作出答复。

本条另一层意义是规定了工会可以就一些严重侵犯职工劳动权益的行为代表职工向企业、事业单位提起交涉。这一规定是这次工会法修改中增加的一条重要规定,赋予了工会交涉权。我国宪法没有规定罢工权,这是从我国实际情况出发作出的选择。但是,在劳动关系日益复杂化的条件下,工会如何能更有力地维护工人群众的合法权益,能够采取哪些有力的手段与资本抗争,是一个需要研究的问题。工会法这一条的规定力图在宪法现有的规定中，赋予工会一定的手段，以维护工人群众的劳动权益。

当前一些企业无视职工的劳动条件与安全，随意延长劳动时间、克扣职工工资、不提供劳动安全保护，甚至采取限制职工人身自由的方法，侵犯女职工和未成年工特殊权益，这些严重侵犯职工的合法权益的行为，引发恶性安全事故和职工群体性突发事件，影响社会稳定。对这些事件，工会有责任及时反映情况，并代表职工与企业方面就维护职工劳动权益的问题进行交涉，使企业予以纠正，避免矛盾进一步激化，维护改革发展稳定的大局。因此，工会法规定了在企业、事业单位克扣职工工资、不提供劳动安全卫生条件，随意延长劳动时间等违反劳动法律、法规规定，严重侵犯职工劳动权益的时候，工会有权向企业、事业单位交涉，要求企业、事业单位采取措施予以改正。对工会提起交涉的事项，企业、事业单位要予以处理，并向工会作出明确的答复意见，采取措施予以解决。对企业、事业单位拒不改正的，工会可以要求当地人民政府依法作出处理。人民政府要依法处理。由于女职工在身体结构、生理机能等方面有其本身的特点，同时还有抚育子女的特殊需要，因此，在劳动方面对妇女有特殊权益的保障。女职工劳动保护规定就是专门的针对妇女劳动保护规定，它的公布实施使我国女职工的劳动保护工作有了较为明确的依据。《女职工劳动保护规定》中规定了禁止安排女职工从事矿山、井下、国家规定的第四级体力劳动强度的劳动和其他女职工禁忌从事的劳动；规定了女职工在经期、孕期、产期、哺乳期、更年期的保护；对女职工劳动保护设施方面作了规定，女职工比较多的单位，应当按照国家有关规定，以自办或联办的形式，逐步建立女职工卫生室、孕妇休息室、托儿所、幼儿园等设施。此外，其他法律中也对女职工的特殊劳动保护作了规定。如果企业单位侵犯了女职工的特殊劳动权益，工会及其女职工组织就有权要求企业、事业单位行政方面予以纠正。关于对未成年工的保护，我国的未成年人保护法及有关的法律、法规，包括我国加入的一些国际条约，都有明确具体的规定，这些也是工会应当依法进行监督的。工会发现这些问题也应当代表职工与企业、事业单位交涉，要求企业、事业单位采取措施予以改正；企业、事业单位应当予以研究处理，并向工会作出答复；对企业、事业单位拒不改正的，工会可以请求当地人民政府依法作出处理。

第二十三条　工会依照国家规定对新建、扩建企业和技术改造工程中的劳动条件和安全卫生设施与主体工程同时设计、同时施工、同时投产使用进行监督。对工会提出的意见，企业或者主管部门应当认真处理，并将处理结果书面通知工会。

【释义】　本条是对工会监督劳动安全卫生权利的规定。

职工从事生产劳动，必须有相应的劳动条件和安全卫生设施，以确保职工的生命安全和身体健康，这是劳动安全卫生工作中的基本内容。党和国家对这项工作十分重视，人民政府和有关部门对各行各业职工的劳动安全卫生都作了具体明确的规定。根据国家有关规定，新建企业、扩建企业、技术改造工程的主体工程应与安全卫生设施同时设计、同时施工、同时投产，以保障职工的身体健康和生命安全。否则，就不准投产使用。为确保这一规定的切实执行，国家有关部门规定了相应的检查验收制度。工会在贯彻工会法和国家有关规定的过程中，可以在设计阶段、施工阶段提出意见，也可以在投产前的检查验收中提出意见。可以要求按照国家规定增加或补建安全卫生设施，可以要求施工部门依法改善劳动条件，对未按国家规定同时配套安全卫生设施的，可以建议停止施工、投产，待安全卫生设施配套时再行施工等。企业或主管部门对工会提出的意见，应当认真处理。对确有法律依据的，应按工会的意见处理。对未按工会意见处理的，工会还可以向有关主管部门反映，或向上一级工会反映，要求解决。对工会提出的意见，企业或者有关主管部门要认真研究、处理解决，并应当将研究处理结果书面通知工会。工会在行使这一权利的过程中，应依法进行，要充分发挥工会劳动保护机构和劳动保护专职人员的作用。应当说明，这一条的规定与行政机关对于企业新建、扩建企业和技术改造工程中的劳动条件和安全卫生设施与主体工程同时设计、同时施工、同时投产使用进行验收是不同的，行政机关的行为是一种基于行政管理职能的行政行为，而工会的这种监督应当是一种群众性的监督。

第二十四条　工会发现企业违章指挥、强令工人冒险作业，或者生产过程中发现明显重大事故隐患和职业危害，有权提出解决的建议，企业应当及时研究答复；发现危及职工生命安全的情况时，工会有权向企业建议组织职工撤离危险现场，企业必须及时作出处理决定。

【释义】　本条是对工会在安全生产中提出建议权利的规定。

违章指挥是企业行政方面在生产过程中，不遵守国家关于安全生产和工业卫生方面的安全规程或规章制度，命令或指挥工人违章操作或冒险作业。明显重大事故隐患是指在生产过程中或作业现场不仅存在着事故苗头，而且这种苗头已非常明显，如果不采取措施，就将发生致人重伤或死亡，或给国家财产造成重大损失的事故。职业危害是指在生产过程中或作业场所存在着危害职工身体健康的尘毒危害和工业性毒物，如果不采取防治措施，将直接危害职工生命健康，导致职业病。本条有两层含义：

（一）工会发现企业行政方面违章指挥、强令工人冒险作业，或者生产过程中发现明显重大事故隐患和职业危害，有权提出解决的建议，建议企业停止违章指挥，改变让工人冒险作业的指令，采取有力措施消除生产过程中存在的明显事故隐患和职业危害，以确保职工的生命健康。企业方面应当及时研究工会的意见，不得推诿,并将处理结果通知工会。

(二)工会在生产过程中发现危及职工生命安全的情况时,有权向现场指挥人员建议将职工撤离即将发生重大事故的危险现场。企业或现场指挥人员应及时研究工会的建议,果断地作出处理决定,避免伤亡事故的发生。这里需要说明的是,工会对解决企业行政方面违章指挥,对职工撤离即将发生重大事故的危险现场,规定的都是向企业行政方面提出“建议”,而不是去直接制止或组织撤离。这是因为,按照企业法、公司法的有关规定,企业、公司的生产经营管理权是厂长、经理的职责,同时保障安全生产也是厂长、经理的职责。涉及生产的指挥和组织问题,应当由企业、公司行政决定。工会为了维护职工的生命和健康,有提出解决问题的建议权,企业行政方面应当及时研究、答复工会的建议。工会的建议权,与企业、公司的经营管理权目标是一致的。因为如果发生了事故,不仅会造成职工生命和健康的损害,而且也会给企业造成损失。工会行使这一权利,防患于未然,不仅保障了职工的生命安全,而且也保护了企业的利益不受损害,有利于维护企业行政的指挥权威,提高职工安全生产的自觉性。

第二十五条　工会有权对企业、事业单位侵犯职工合法权益的问题进行调查,有关单位应当予以协助。

【释义】　本条是对工会的调查权的规定。

这里的工会,包括基层工会和县以上各级总工会、产业工会。工会行使调查权时,可以派出代表,持有关工会组织的证明。调查方式可以多种多样,既可以询问有关人员取得第一手材料,也可以实地调查取证,掌握企业、事业单位侵犯职工合法权益的起因、过程及造成的后果,为依法提出工会的处理意见准备事实根据。对工会的调查,企业、事业单位应该予以协助,提供方便条件,不得故意设置障碍。工会对企业、事业单位干扰工会进行调查的行为,可以建议有关部门查处。工会依法行使调查权,为工会维护职工群众的合法权益提供有效的手段,同时,工会通过行使这一权利,也可以促进企业、事业单位依法行使职权,尊重职工的各项合法权益,从而为开展工会工作提供有力的保障。

第二十六条 职工因工伤亡事故和其他严重危害职工健康问题的调查处理,必须有工会参加。工会应当向有关部门提出处理意见,并有权要求追究直接负责的主管人员和有关责任人员的责任。对工会提出的意见,应当及时研究,给予答复。

【释义】 本条是关于工会参加安全生产事故调查处理权利的规定。

企业发生因工伤亡事故和其他危害职工健康的问题,直接关系到职工切身利益的,工会作为职工群众组织,应当关心这些问题,因此,工会参加有关调查是非常必要的,任何组织和个人不得阻挠工会参加调查。工会根据调查的实际情况,提出处理意见,对造成事故的直接负责的行政领导人和有关人员,有权要求追究其法律责任,直至要求追究其刑事责任。

根据劳动法规定,国家建立伤亡事故和职业病统计报告和处理制度。对劳动者在劳动过程中发生的伤亡事故和劳动者的职业病状况,应当按照国家法律、法规的规定统计报告和处理。伤亡事故的报告处理制度是我国劳动安全卫生工作的一项基本制度。这项制度的内容包括根据国家法律、法规的规定进行的报告、事故的统计,事故的调查和事故的处理。实行这项制度的目的是及时掌握职工在生产过程中的伤亡事故情况,研究事故发生的规律,总结经验教训,采取积极的措施,防止事故的重复发生。伤亡事故的报告、统计、调查和处理必须坚持实事求是、尊重科学的原则。

一、伤亡事故的报告

伤亡事故是指职工在劳动过程中发生的人身伤害、急性中毒事故。伤亡事故发生后,负伤者或者事故现场有关人员应当立即直接或者逐级报告本单位的负责人。用人单位负责人接到伤亡、重大伤亡事故报告后,应当立即报告本单位的主管部门和单位所在地的劳动部门、公安部门、人民检察院、工会等有关部门,最迟不得超过二十四小时。用人单位主管部门和劳动部门接到死亡和重大伤亡事故报告后,应当立即按系统逐级上报:死亡事故报至省、自治区、直辖市用人单位主管部门和劳动部门;重大伤亡事故报至国务院有关主管部门和劳动部门。事故报告的内容包括发生事故的用人单位、事故发生的时间、事故发生的地点、伤亡情况和初步分析的事故原因等。发生死亡、重大伤亡事故的用人单位应当保护事故现场,在事故调查组未进入事故现场前,用人单位要派专人看护现场,任何人不得擅自移动和取走现场物件。因抢救人员和国家财产,防止事故扩大而需移动现场部分物件时,必须作出标志,绘制事故现场图,摄影或录像并详细说明。清理事故现场,要经事故调查组同意后方可进行。

对于特别重大伤亡事故,要按照国务院《特别重大事故调查程序暂行规定》进行处理。特大事故发生后,事故发生地的有关单位必须严格保护事故现场。特大事故发生单位必须立即将所发生事故的情况,报告其主管部门和所在地地方人民政府,并报告所在地的省、自治区、直辖市人民政府和国务院有关主管部门。用人单位应当在二十四小时内写出书面报告,报上述各部门。特大事故报告应当包括以下内容:(1)事故发生的时间、地点、单位;(2)事故的简要经过、伤亡人数,直接经济损失的初步估计;(3)事故发生原因的初步判断;(4)事故发生后采取的措施及事故控制情况;(5)事故报告单位。

每个用人单位都必须按照国家规定对所发生的职工伤亡事故进行统计,如实填写统计报表,依法规定报送有关部门。统计报表是做好劳动安全卫生工作的基础工作,是分析、研究事故发生原因，掌握劳动安全卫生状况的重要手段，对劳动安全卫生管理具有重要意义。对于发生伤亡事故隐瞒不报的，要依据有关规定给予处罚。

二、伤亡事故的调查

用人单位发生伤亡事故后，必须依法进行事故调查，以查明事故原因，总结经验教训，提出防止再次发生的措施，保障职工的健康与安全。按照伤亡事故的大小，事故调查组的组成形式与要求也不同。

轻伤、重伤事故，由用人单位负责人或其指定人员组成生产、技术、安全等有关人员以及工会成员参加的事故调查组，进行调查。

死亡事故，由劳动部门、用人单位主管部门会同单位所在地设区的市或相同于这一级政府的公安部门、工会组成事故调查组，进行调查。

重大伤亡事故，按照用人单位的隶属关系，由省、自治区、直辖市用人单位主管部门或者国务院有关主管部门会同同级劳动部门、公安部门、监察部门、工会组成事故调查组，进行调查。

特别重大事故，按照事故发生单位的隶属关系，由省、自治区、直辖市人民政府或者国务院归口管理部门组织成立特大事故调查组，负责事故的调查工作。特大事故调查组应当根据所发生事故的具体情况，由劳动部门、事故发生单位的归口管理部门、公安部门、监察部门、经济综合部门等单位派员组成，并邀请人民检察机关和工会派员参加。特大事故调查组根据调查工作的需要，可以选聘其他部门或者单位的人员参加，也可聘请有关专家进行技术鉴定。

事故调查组的成员应当作风正派，具有事故调查所需要的某一方面的专长，并且不得与所发生的事故有直接的利害关系。事故调查组的主要职责是：

1. 查明事故发生的原因、人员伤亡及财产损失情况；

2. 查明事故的性质，确定事故责任者；

3. 提出事故处理意见和防范措施的建议；

4. 写出事故调查报告。

事故调查必须坚持实事求是，尊重科学的原则，不能带有主观色彩；用人单位必须积极支持、配合事故调查工作，不得设置障碍。事故调查组有权向有关单位和个人了解与事故相关的情况和索取与事故有关的材料，任何单位和个人都不得拒绝。对拒绝接受调查以及拒绝提供有关情况和材料的，要按照国家有关规定给予处分，或者依法追究刑事责任。事故调查组的成员如果借事故调查之机徇私舞弊或者在事故调查中玩忽职守的，有关部门要给予行政处分，构成犯罪的，要依法追究刑事责任。

三、伤亡事故的处理

伤亡事故调查结束，应当依法进行处理。要依法追究责任者的责任，提出落实事故的防范措施，切实保障职工的身体健康和安全。对于因忽视安全生产、违章指挥，违章作业、玩忽职守或者发现事故隐患、危害情况而不采取有效措施以致造成伤亡事故的，由用人单位按照国家有关规定，对用人单位负责人和直接责任人员给予行政处分或处以罚款，构成犯罪的，由司法机关依法追究刑事责任。对于在伤亡事故发生后隐瞒不报、谎报、故意延搁不报、故意破坏事故现场的，应当对用人单位负责人和直接责任人员给予行政处分或者处以罚款；构成犯罪的，由司法机关依法追究刑事责任。伤亡事故处理工作应当在九十日内结案，特殊情况不得超过一百八十日。伤亡事故处理结案后，有关部门应当公开宣布处理结果，这也有利于群众监督。

第二十七条　企业、事业单位发生停工、怠工事件，工会应当代表职工同企业、事业单位或者有关方面协商，反映职工的意见和

要求并提出解决意见。对于职工的合理要求，企业、事业单位应当予以解决。工会协助企业、事业单位做好工作，尽快恢复生产、工作秩序。

【释义】　本条是对工会参与解决企业发生停工、怠工事件的规定。

在我国的社会主义初级阶段的条件下，停工、怠工事件还不同程度地存在着，更由于多种经济成分的发展，劳动关系趋于复杂和激化，停工、怠工事件还有进一步增多的趋势。造成这一状况的原因是多方面的，有来自职工自身的原因，也有来自社会及企业的原因，但多数是由于职工的合法权益或正当要求未能得到应有的维护或及时的解决而造成的。在处理企业的停工、怠工事件中，工会作为党和政府联系职工群众的桥梁和纽带，与职工有着密切联系，熟悉职工的具体利益，了解职工的意见和要求，能够在协调企业行政与职工之间关系上发挥重要作用。工会应当代表和维护职工的利益，反映职工的意见和要求并提出解决意见，对职工提出的合理要求又应当也能够解决的部分，要代表职工与企业行政和有关方面进行协商，督促其及时地予以解决，满足职工的意愿和要求，避免矛盾激化。同时，要教育和引导职工尽早投入生产和工作，恢复正常的生产和工作秩序。要使职工懂得，坚持和发展生产，于国家有利，于企业有利，于自己也有利。在企业发生职工停工、怠工事件时，只有正确处理好企业与职工的关系，妥善解决矛盾，才能避免可能发生的重大恶性事件，维护企业生产的正常进行，促进社会安定和经济的发展。

第二十八条　工会参加企业的劳动争议调解工作。

地方劳动争议仲裁组织应当有同级工会代表参加。

【释义】　本条是对工会参加企业劳动争议处理的规定。

（一）企业工会委员会参加企业的劳动争议调解工作，包括有人员参加企业劳动争议调解委员会。劳动争议调解委员会依法调解本企业劳动争议,在分清是非和民主协商的基础上,达成协议,解决劳动纠纷。工会参加企业的劳动争议调解工作,有利于化解矛盾,增强团结,促进生产,稳定大局。

劳动争议又叫劳动纠纷,在资本主义体制中又称劳资争议或劳资纠纷。

劳动争议是指劳动关系当事人之间因劳动权利和义务产生分歧而引起的争议。根据劳动法的规定,劳动争议就是指依法建立劳动关系的用人单位和劳动者之间,因劳动权利和义务问题产生分歧而引起的争议。

劳动关系的特点决定了劳动争议具有如下特征:劳动争议主体一方为用人单位,另一方必须是劳动者;劳动争议主体之间必须存在劳动关系,即劳动者与用人单位有隶属性劳动关系,劳动争议是在这种劳动关系存续期间发生的;劳动争议的内容必须是与劳动权利义务有关,即是因劳动就业、劳动合同、劳动报酬、工作时间和休息时间、劳动安全与卫生、社会保险与福利、职业培训而引起的争议。

劳动争议根据其主体、客体、性质和内容的不同,可以有不同的分类,对劳动争议分类研究,有助于采取有针对性的措施解决和预防劳动争议。

首先,从劳动争议主体上分。劳动争议分为个人劳动争议、集体劳动争议。个人劳动争议指劳动者个人与用人单位发生的劳动争议。集体劳动争议则分两种:一种是劳动者一方为多人,且发生争议的原因和请求是共同的。这种集体争议劳动者一方应推举代表参加法定的处理程序。在处理程序上与个人劳动争议相同,但根据《劳动争议仲裁委员会办案规则》规定,职工一方在三十人以上的集体劳动争议适用特别程序。另一种为团体争议,即指以工会组织为一方,代表职工与用人单位因签订和执行集体协议而产生的争议。

其次,从劳动争议的客体上分,即从争议涉及的劳动关系上分,可分为:因执行劳动法律、法规、劳动合同和集体合同的规定而发生的劳动争议,亦称权利之争,以及因确定或变更劳动者的权利义务而发生的劳动争议,亦称利益争议。

再次,从劳动争议的性质上分,可以分为因参加、组织工会及罢工等行使公民权利行为与用人单位产生的劳动争议和因要求增加工资、缩短工时等经济利益产生的争议。

最后,从劳动争议的内容上分,劳动争议可分为因执行国家有关工资、保险、福利、职业培训、劳动保护的规定发生的争议;因履行劳动合同发生的争议;因用人单位开除、除名、辞退职工和职工辞职、自动离职发生的争议等。还可从内容的难易程度上分为简单的劳动争议和复杂的劳动争议。对简单的劳动争议,在处理程序上依法可以简化。

劳动法规定了用人单位与劳动者发生劳动争议时,可以依法申请调解、仲裁和提起诉讼,确立了处理劳动争议的调解、仲裁和诉讼三个法定程序。根据劳动法第七十九条规定,劳动争议处理程序应为:“劳动争议发生后,当事人可以向本单位劳动争议调解委员会申请调解;调解不成,当事人一方要求仲裁的,可以向劳动争议仲裁委员会申请仲裁。当事人一方也可以直接向劳动争议仲裁委员会申请仲裁,对仲裁裁决不服的,可以向人民法院提起诉讼。”

根据劳动法及有关法规规定,国家提倡劳动争议当事人在发生劳动争议后,主动就争议事项进行协商,协调双方的关系,消除矛盾,解决争议。劳动争议为人民内部矛盾,可以也应当协商解决,但当事人协商不是处理劳动争议的必经程序。当事人自愿可以协商,不愿协商或者协商不成的,应向本企业劳动争议调解委员会申请调解。

调解委员会调解劳动争议是一种十分有效又有利于改善双方关系的方式，因此，调解成为处理劳动争议的法定程序。然而，调解委员会的性质决定了它的调解不具有法律强制效力。因此，分歧较大、矛盾尖锐的争议调解方式难以解决，而调解达成的协议要靠当事人的自我约束来履行。所以，应当赋予当事人选择的权利，而不能强迫。故劳动争议当事人可以向本企业劳动争议调解委员会申请调解，若调解不成的，可以向劳动争议仲裁委员会申请仲裁，同时，当事人也可以直接向劳动争议仲裁委员会申请仲裁，而不经过调解程序，调解达成协议后当事人反悔的，仍然可以向仲裁委员会申请仲裁。

仲裁是处理劳动争议最重要的程序，是法定的必经程序。不经过仲裁，当事人就无权直接向人民法院提起诉讼。仲裁程序介于调解与法院判决之间，既具有调解程序的灵活性，又具有法院审判的权威性和法律强制效力。劳动争议当事人只有在仲裁委员会裁决后，对裁决不服时，才能向法院起诉，否则法院不予受理。我国劳动争议的仲裁实行的是一裁终裁，不服的可以向法院起诉，而不是采取“裁审择一”的体制，即或选择仲裁、或选择诉讼的制度。

依照劳动法及有关法规和民事诉讼法的规定，劳动争议当事人对仲裁裁决不服的，可以向人民法院起诉，提起劳动争议诉讼。当事人只能对仲裁裁决不服而起诉，不能起诉仲裁委员会，也不能直接就劳动争议向法院起诉。人民法院审理劳动争议案件适用于民事诉讼程序，采取两审终审制，即劳动争议当事人向人民法院起诉后，对第一审判决不服的，还可以在法定期间内向上一级人民法院提起上诉，经第二审人民法院审理作出判决的，当事人必须执行，二审判决为终审判决，至此劳动争议处理程序终结。

劳动法规定，解决劳动争议，应当根据合法、公正、及时处理的原则，依法维护劳动争议当事人的合法权益；并规定调解原则适用于仲裁和诉讼程序。这一规定确立了处理劳动争议的基本原则，即调解原则，及时处理原则，以事实为依据、以法律为准绳原则，当事人在适用法律上一律平等原则。这是处理劳动争议必须遵守的基本原则。

1. 调解原则。调解的原则是说劳动争议可以用调解方式解决。当事人应当在发生争议后先向企业劳动争议调解委员会申请调解，在互谅互让的基础上达成协议，并认真遵守履行，只有在调解无效时，才由仲裁机构和法院来解决。调解委员会应认真负责地做好调解工作，使争议调解解决。调解要求建立、健全用人单位的调解组织及制度，充分发挥调解委员会的作用。调解工作不仅调解委员会要做，在争议的仲裁、诉讼过程中也可以进行调解。调解在仲裁程序上表现为，仲裁委员会受理争议案件后可以先进行调解，在调解不成的情况下应尽快进行裁决，而在裁决作出前的任何阶段都可以进行调解。仲裁程序上的调解与裁决具有同等的法律效力。调解在诉讼程序上表现为，人民法院在不同的审判阶段可以先进行调解，在调解不成的情况下，应尽快作出判决。人民法院主持下达成的调解协议，与判决具有同等的法律效力。调解的原则并不意味着强制调解，而是要求在自愿的前提下，尽量调解解决劳动争议。调解与自愿原则是密不可分的，当事人是否申请调解委员会调解，当事人是否接受调解建议，是否达成调解协议完全自愿不得强迫。调解协议的内容还必须符合有关法律、法规的规定，否则自愿达成的协议也无效。在调解中要注意防止久调不决的现象，即能够调解的就调解，不能够调解的就尽快进入裁决或者判决。

2. 及时处理原则。及时处理原则要求劳动争议当事人、劳动争议调解委员会、劳动争议仲裁委员会及人民法院在劳动争议案件处理过程中，必须按照法律规定及时行使权利、履行职责。当事人应及时申请调解或仲裁，超过法定时间将不予受理。当事人应及时参加调解、仲裁活动，否则调解无法进行，仲裁则可能被视为撤诉或被缺席仲裁。当事人不服仲裁的起诉要及时,不服一审判决上诉也要及时,否则失去起诉权、上诉权,合法权益将得不到保障。调解委员会调解争议要及时,不能超过三十日;仲裁委员会受理争议案件要及时,不应超过七日,仲裁要及时,不能超过六十日;人民法院审判要及时,审判不应超过六个月,否则应承担相应的法律责任。及时处理的原则有助于及时维护双方当事人的合法权益,及时稳定劳动关系,使劳动者与用人单位生活、生产秩序正常化,使社会秩序稳定。

3. 以事实为依据、以法律为准绳原则。以事实为依据、以法律为准绳是我国法制的基本原则,在处理劳动争议时,要求调解委员会、仲裁委员会及人民法院都必须对争议的事实进行深入、细致、客观的调查、分析,查明事实真相,这是准确适用法律、公正处理争议的基础。在查清事实的基础上,应当依照法律规定依法进行调解、仲裁和审判。处理劳动争议是一项政策性很强的工作,既不能主观臆断,更不能徇私枉法。以法律为准绳要求处理劳动争议判断是非、责任要以劳动法律、法规为依据;处理争议的程序要依法;处理的结果要合法,不得侵犯社会公共利益和他人的利益。

4. 当事人在适用法律上一律平等原则。依法维护劳动争议双方当事人的合法权益体现了当事人适用法律上一律平等的原则。这一原则要求,调解委员会、仲裁委员会、人民法院在处理劳动争议案件时,对劳动争议的任何一方当事人都应同等对待,其法律地位完全平等,法律赋予当事人的权利义务双方当事人平等地享有和承担,不应因身份、地位的不同而采取不同的标准对待。用人单位与劳动者在申请调解、仲裁和诉讼时,在参加调解、仲裁、诉讼活动时都享有同等的权利,时效一样,陈述事实、进行辩论和举证、申请回避、是否达成调解协议,不服仲裁裁决是否向法院起诉等等方面权利是同等的,承担的义务也是同等的。

劳动争议调解委员会调解劳动争议依照《企业劳动争议处理

条例》有关规定,应当在当事人申请调解之日起三十日内进行。在此期间当事人拒绝调解或者未达成调解协议的,调解委员会应当向当事人宣布调解不成,告知其在规定的期限内向劳动争议仲裁委员会申请仲裁。在此期间劳动争议双方当事人经调解委员会调解自愿达成解决争议的协议时,就产生了调解的效力问题。

劳动法规定:劳动争议经调解达成协议的,双方当事人应当自觉履行。因此,在劳动争议调解委员会调解下当事人双方达成的调解协议,在效力上具有两方面的内容:首先,调解协议是当事人自愿达成的。具有一定的约束力,当事人不应擅自变更或解除,而应自觉、主动地遵守、履行。其次,协议是自愿达成的,是由群众性的调解机构主持下进行的,故达成的协议应由当事人自觉履行,而不能强制执行。简而言之,调解协议不具有强制执行的法律效力,而当事人有义务自觉履行。

(二)县以上地方劳动争议仲裁委员会应当有同级总工会的代表参加。这样规定有两个方面的含义。第一,县以上地方总工会有权派代表参加同级劳动争议仲裁组织。第二,劳动争议仲裁委员会作出仲裁决定实行少数服从多数的原则。劳动争议仲裁工作是公正合理地处理劳动争议的重要环节,工会代表参加劳动争议仲裁委员会,依法维护职工的合法权益,有利于劳动争议仲裁委员会听取各方面意见,正确行使仲裁权,解决劳动争议。

仲裁亦称"公断",是指争议双方在某一问题上无法取得一致时,由无利害关系的第三者居中调解,作出裁决。所谓劳动争议仲裁,是指以第三者身份出现的劳动争议仲裁委员会,对劳动争议当事人双方争议的事项,根据劳动法律、法规的规定,依照一定的法律程序作出裁决,从而解决劳动争议的一项劳动法律制度。世界各国对于劳动争议的处理虽因各国国情的不同而有所区别,但以仲裁方式来解决劳动争议则为世界各国所普遍采取。我国劳动争议仲裁有其自身的特点,主要是:第一,及时。根据劳动争议与劳动过程密切联系、与职工切身利益密切联系的特点，劳动法规定了劳动争议仲裁委员会受理案件的时效和办案时效。提出仲裁要求的一方应当自劳动争议发生之日起六十日内向劳动争议仲裁委员会提出书面申请。仲裁裁决一般应在收到仲裁申请的六十日内作出。上述这些规定体现了及时的特点，有利于及时消除劳动争议，避免事态的扩大，维护社会秩序和生产秩序的稳定。第二，程序简单。用仲裁方式解决劳动争议，程序上比较简单，不像诉讼程序那样复杂。我国劳动争议仲裁实行一次裁决制度。当事人不服劳动争议仲裁委员会的裁决，即可向人民法院提起诉讼。第三，具有法律约束力。仲裁程序不同于调解程序，经劳动争议仲裁委员会作出的仲裁决定书和调解书对当事人具有法律约束力。劳动法规定，对仲裁裁决无异议的，当事人必须履行。一方当事人在法定期限内不起诉又不履行仲裁裁决的，另一方当事人可以申请人民法院强制执行。生效的仲裁决定书和调解书不仅对争议当事人双方有利，而且对社会有效，非经法定程序，任何单位和个人不得随意改变，并有协助人民法院根据当事人的申请依法执行的义务。

劳动争议仲裁委员会是依法成立的，通过仲裁方式处理劳动争议的机构，它独立行使劳动争议仲裁权。劳动争议仲裁委员会是解决劳动争议的专门机构，设在政府内，具有行政机关的属性，依据我国的法制原则，按照法定的程序进行仲裁活动，其生效的仲裁决定书和调解书具有法律强制力。

根据劳动法的规定，劳动争议仲裁委员会由劳动行政主管部门、同级工会、用人单位方面三方代表组成，劳动争议仲裁委员会主任由劳动行政主管部门的负责人担任。劳动行政主管部门的劳动争议处理机构为仲裁委员会的办事机构，负责办理仲裁委员会的日常事务。仲裁委员会也可以聘任劳动行政主管部门或者政府其他有关部门的人员、工会工作者、专家学者和律师为专职的或者兼职的仲裁员。其中兼职仲裁员与专职仲裁员在执行仲裁公务时享有同等权利。

工会法也明确规定了地方劳动争议仲裁组织应当有同级工会代表参加。劳动争议仲裁工作是公正合理地处理劳动争议的重要环节,工会代表参加劳动争议仲裁委员会,依法维护职工的合法权益,有利于劳动争议仲裁委员会听取各方面意见,正确行使仲裁权,解决劳动争议。

进行劳动争议仲裁首先要有劳动争议仲裁机构,这是进行仲裁的前提。根据劳动法及《企业劳动争议处理条例》规定,县、不设区的市、市辖区应当设立劳动争议仲裁委员会,这是必需的、法定的。而在自治区、直辖市、省一级是否设立仲裁委员会则由其人民政府决定。这一规定具有强制性、排他性和行政性。强制性指县、市、市辖区都必须设立劳动争议仲裁委员会;排他性指劳动争议案件只能由劳动争议仲裁委员会仲裁,另一方面在一个县、市、市辖区的范围内,只能设立一个仲裁委员会;行政性指劳动争议仲裁委员会的设立是按行政区划分别设立的,另外在其组成人员和办事机构设置上也表现出其行政性。

按行政区划设立的仲裁委员会并不具有行政性隶属关系,因为劳动争议仲裁为一裁终裁制,不存在一级仲裁与二级仲裁的关系。县、市、市辖区或省一级仲裁委员会各自管辖范围不同,有明确的分工,各自完全独立。

鉴于仲裁委员会由三方代表组成,三方代表权利义务相同,仲裁应按少数服从多数的原则进行,故仲裁委员会的组成人数必须是单数,而主任由劳动行政主管部门的负责人担任,办事机构也设在劳动行政主管部门的劳动争议处理机构,具体负责办理仲裁委员会的日常事务。仲裁委员会主任没有对仲裁的最后决定权,只是依法行使职权组织仲裁工作。

劳动争议仲裁委员会的设置和组成决定了其性质。劳动争议仲裁委员会是国家授权依照有关法律规定由各级人民政府确定设立的,因此,仲裁委员会是国家授权,代表国家行使仲裁权的国家仲裁机构。

就仲裁委员会依行政区划设立,办事机构设在劳动行政主管部门,仲裁委员会主任由劳动行政主管部门代表担任,其具有行政性。但就仲裁委员会的组成人员看,工会代表的参加使其具有群众性、社会性,工会是基于国家授权参加仲裁,行使仲裁权的,因此,不改变仲裁委员会国家仲裁机构的性质。就仲裁程序的非选择性及仲裁裁决的可强制执行而言,仲裁具有国家强制性即属国家仲裁,仲裁委员会为国家仲裁机构。因此,劳动争议仲裁委员会是国家授权依法成立的并以国家强制力保证其生效裁决实施的,处理劳动争议的三方联合的、准司法性的国家仲裁机构。

劳动争议仲裁委员会仲裁劳动争议,除需遵守处理劳动争议的基本原则外,还需遵守如下特有原则:

1. 调解原则。这是指劳动争议仲裁委员会在裁决前,可以先行调解,经过调解不能达成协议,应及时仲裁。之所以规定这一原则,是因为争议的产生往往是双方当事人对执行劳动法律、法规的认识、理解不一致,对争议事实存在分歧和误解等,通过宣传法制,说服教育,疏导协商,争议事项大都是可以解决好的。同时,调解还具有简便、灵活、易行、迅速的特点以及缓和、改善双方矛盾的作用。贯彻调解原则,应注意防止强行调解和久调不决的做法。强行调解违反了自愿原则,久调不决则违背了及时、迅速的原则。

2. 及时、迅速原则。这一原则要求劳动争议仲裁委员会在处理劳动争议案件时,必须严格依照法律规定的期限结案,尽快地解决争议。贯彻这一原则,是由劳动争议的特点所决定。劳动争议与企业的生产和职工的生活密切相关,久拖不决势必影响到社会的安定和生产、生活秩序的稳定。因此,劳动法明确了“仲裁裁决一般应在收到仲裁申请的六十日内作出”的要求。

3. 回避原则。这是指仲裁委员会成员或仲裁员在仲裁劳动争议案件时,认为具有法定回避情况不宜参加本案审理,或当事人认为仲裁员具有回避情节的,可能裁决不公,都可以申请更换他人,以保证仲裁公正顺利进行。是否采取回避措施由仲裁委员会决定。

4. 少数服从多数原则。仲裁委员会由三方代表单数组成,仲裁庭则由三名仲裁员组成,均为多数人组成,难免意见有分歧,而仲裁委员会成员、仲裁员均有平等的表决权,为保证裁决不因少数成员意见的不一而难以作出,故以少数服从多数,简单多数即可作出裁决。《企业劳动争议处理条例》第十三条和第二十九条明确规定:劳动争议仲裁委员会和劳动争议仲裁庭处理劳动争议案件,按少数服从多数原则作出仲裁决定。

5. 一次裁决原则。这一原则是指劳动争议仲裁委员会对每一起劳动争议案件实行一次裁决即行终结的法律制度。这是针对过去曾实行两次裁决所存在的弊端而确立的一项重要原则。贯彻这一原则,当事人不服劳动争议仲裁委员会的裁决,不得再向上一级劳动争议仲裁委员会申请第二次仲裁,只能在收到仲裁决定书之日起十五日内,向有管辖权的人民法院起诉。期满不起诉的,仲裁决定书即发生法律效力,当事人必须按仲裁决定履行。贯彻这一原则,有利于及时、迅速解决争议事项,保护当事人的合法权益。

劳动争议仲裁分为以下几个程序:(1)申请与受理。劳动争议仲裁必须有当事人的申请,否则不能仲裁。当事人应当在法定期限内,即提出仲裁要求的一方当事人应当自劳动争议发生之日起六十日内向劳动争议仲裁委员会提出书面申请。仲裁委员会在收到申请书后,应在七日内审查作出受理与否的决定。(2)仲裁前准备。仲裁委员会决定受理的,首先成立仲裁庭,简单案件指定一名仲裁员审理。其次进行调查取证工作。(3)调解。(4)开庭与裁决。调解不成的应当开庭仲裁。仲裁庭应在开庭前四天将开庭时间、地点书面通知当事人。当事人拒不到庭或未经仲裁庭同意中途退庭的,对申诉人按照撤诉处理,对被诉人可以缺席仲裁。

开庭后应宣布仲裁人员名单,询问是否申请回避。然后当事人陈述并辩论,最后进行裁决。

劳动法规定:“提出仲裁要求的一方应当自劳动争议发生之日起六十日内向劳动争议仲裁委员会提出书面申请。仲裁裁决一般应在收到仲裁申请的六十日内作出。对仲裁无异议的,当事人必须履行。”劳动争议仲裁委员会处理劳动争议案件,应当自组成仲裁庭之日起六十日内仲裁程序结束。在此期间可以调解解决,也可以裁决解决。当事人双方自愿达成协议的,仲裁庭制作调解书,自送达之日起具有法律效力。仲裁庭裁决的,制作裁决书,送达双方当事人后,十五日内暂不生效,当事人不服的可以向人民法院起诉,期满未起诉的,裁决书产生法律效力。仲裁调解书与裁决书生效后,法律效力相同,当事人应当依照规定履行。一方当事人逾期不履行的,另一方当事人可以申请人民法院强制执行。

劳动法规定:“劳动争议当事人对仲裁裁决不服的,可以自收到仲裁裁决书之日起十五日内向人民法院提起诉讼。一方当事人在法定期限内不起诉又不履行仲裁裁决的,另一方当事人可以申请人民法院强制执行。”这一规定确立了劳动争议案件可以由人民法院进行审理的原则:当事人对仲裁裁决不服的,自收到裁决书之日起十五日内,可以向人民法院起诉。

人民法院对起诉书经审查,应在七日内决定是否受理。受理、审理劳动争议案件要遵循一定的法律程序。根据最高人民法院的规定,劳动争议案件由各级人民法院的民事审判庭按照民事诉讼法规定的诉讼程序进行审理,即人民法院审理劳动争议案件实行两审终审制,首先由一审人民法院审理、判决,当事人不服一审判决的,可以向上一级人民法院上诉,要求重新审理、判决。上一级人民法院的判决是终审判决,当事人不能再上诉。

法院审理劳动争议案件均按普通程序进行,即通知当事人有关情况,告知诉讼权利义务,调查取证,开庭。开庭时宣布审判人员名单及法庭纪律，询问是否请求回避。然后进行法庭调查、法庭辩论，最后调解，调解不成的及时判决。判决应在立案之日起六个月内作出。当事人对判决不服的，可以在判决书送达之日起十五日内向上一级人民法院上诉。当事人对一审或二审生效的判决及调解协议，均可申请再审，是否再审由法院决定。

当事人一方对劳动争议仲裁裁决或者对法院的判决不履行的，另一方可以申请人民法院强制执行。强制执行是指人民法院根据当事人的请求，依照法律规定的程序，运用国家强制手段，强制对方当事人履行已生效的民事判决、裁定和调解书、刑事判决、裁定中的财产部分以及法律规定的其他法律文书所规定的义务，保证这些判决、裁定及其他法律文书规定的内容得以实现的司法活动。民事诉讼法明确规定，依法设立的仲裁机构的裁决，当事人可以请求法院予以强制执行。因此，人民法院对其关于劳动争议案件的判决、裁定或调解书，在其生效后有权予以强制执行。同时，对仲裁委员会作出的生效的裁决书、调解书也有权予以强制执行。

申请强制执行须在法定期限内以书面形式提出，须具备产生法律效力的执行根据，须有执行的内容，须有强制执行的原因。具备上述条件，人民法院方可依法采取强制执行措施。

第二十九条　县级以上各级总工会可以为所属工会和职工提供法律服务。

【释义】　本条是对各级总工会为所属工会和职工提供法律服务的规定。

随着劳动法的贯彻实施和现代法人治理结构的形成，对工会开展活动提出了新的要求。由于职工与企业签订劳动合同，职工的劳动报酬、劳动安全卫生、培训等等，都要走上法制的轨道，依法办事。工会开展工作，为职工服务，一项很重要的任务，是为工会活动和职工提供法律服务。这样做,第一,有利于工会依法维护自身的合法权益,提高工会组织依法办事的自觉性,顺利完成工会法赋予工会的各项任务。第二,有利于维护职工的合法权益不受侵犯,为职工依法维护自己的合法权益提供了有效的形式。一方面,工会了解职工,与职工关系密切,是职工利益的代表者和维护者;另一方面,职工信任工会,拥护工会,有话对工会讲,有困难对工会提。工会通过法律服务为职工提供法律帮助,不仅可以进一步密切工会与职工的关系,还可以帮助职工增强法制观念和依法办事的自觉性。县级以上工会要为所属工会和职工提供法律服务,应当有懂得法律的人员。工会法律服务是法律事务专业性工作,其工作人员应具备较高的法律专业水平,才能承担并完成这一工作。县级以上各级工会组织应当有熟悉法律的人员,才能肩负起为职工提供法律咨询服务,对职工进行法制教育,提高广大职工的法制观念和遵纪守法的自觉性的重任。县级以上各级总工会法律服务的形式可以多种多样,既可以成立法律咨询室、法律顾问室,也可以经司法行政部门同意成立律师事务所,这些形式是专门为工会组织和职工群众提供法律服务的。它主要从事法律咨询,提供法律帮助。县级以上工会为所属工会和职工提供法律咨询服务,除了代理职工进行诉讼外,还可以从事服务于工会和职工的法律咨询、代写或审查法律事务文书,为工会、职工签订经济合同、集体合同、劳动合同,把好法律关,帮助职工解决劳动争议问题,以及为工会、职工提供其他法律帮助。

在 1992 年工会法施行后,这一条规定为工会法律服务工作提供了法律依据,经过近十年的时间,已经取得了很大的成绩,这次工会法的修改,将法律咨询服务扩大为一般意义的法律服务,会为工会法律服务工作开拓出更大的空间。

第三十条 工会协助企业、事业单位、机关办好职工集体福利事业，做好工资、劳动安全卫生和社会保险工作。

【释义】 本条是对工会协助用人单位做好涉及职工切身利益工作的规定。

（一）职工集体福利事业，是由企业、事业单位、机关行政方面兴办的，包括职工食堂、浴室、托儿所、医务室以及生活供应等各项集体事业。当然，上述这些事务目前正处在改革过程中，但工会关心这方面的事务依然是有现实意义的。办好这些职工集体福利事业，有利于保证职工身体健康，进一步调动职工群众的生产积极性，更好地发展生产，也是办好社会主义企业必不可少的工作。工会协助企业、事业单位、机关行政方面办好职工集体福利事业，是工会性质的必然要求。关心职工生活，帮助职工群众解决生活问题，是工会密切联系群众的有效手段。工会关心群众生活，为他们办好事、办实事，使广大职工群众感到工会确实是自己的组织，工会才能更广泛地团结群众。工会要做好职工的生活工作，首先要搞好职工的生活福利事业，协助行政兴办集体福利事业，改善各项集体福利设施。工会要做好从事生活后勤职工工作的思想教育工作，提高他们对服务工作的认识，树立良好的服务态度和职业道德观念；组织对生活福利工作的检查，促进服务水平的不断提高；协助行政改善职工生活条件。

（二）工会还要重视工资工作，积极主动地协助行政把工资工作搞好。工资，是劳动报酬的一种形式，是职工生活的主要来源，对改善职工生活，促进生产的发展关系极大。工会组织要向职工群众做好思想工作，要使职工的收入真正体现多劳多得，少劳少得，不劳不得；还要协助行政做好技术、业务考核和职工升级工作，协助企业搞好劳动定额的管理工作；监督国家的工资政策、法规和各项规定的贯彻执行情况，做好工资方面的民主管理工作。

（三）劳动安全卫生，是指通过加强劳动保护管理和采取安全技术、工业卫生等综合措施，不断改善劳动条件，防止或消除在生产中的伤亡事故和各种职业危害，保障职工的安全和健康，以达到保护生产力，不断提高劳动效率和经济效益，保证社会主义生产建设事业的健康发展。劳动安全卫生主要包括三个方面，即劳动保护管理、安全技术、工业卫生。加强劳动保护，搞好安全生产，保护职工的安全和健康，关系到职工的切身利益。工会要从自己的性质、特点出发，做好劳动保护工作。要关心职工劳动条件的改善，维护职工在劳动中的安全健康，监督国家有关劳动保护、安全技术、工业卫生等法律、法规、规章的贯彻执行。向职工进行安全教育，督促行政方面解决影响职工安全健康的问题，参加安全检查和伤亡事故的调查处理，工会要通过开展群众性的监督检查活动，进行群众性的劳动安全卫生宣传教育，组织预防事故和职业病的群众活动等，搞好劳动保护工作。

（四）社会保险工作，是工会为维护职工享有国家法律所规定的社会保障权利的一项群众性工作。社会保险是社会保障体系中的一项重要制度，是社会保障制度的核心内容。社会保险制度，是国家和社会对暂时或永久丧失劳动能力的职工，以及失业者给以物质帮助或物质保障的制度，包括养老、医疗、失业、工伤、生育保险。实行社会保险制度，对保护职工身体健康，解决职工在生活上的后顾之忧方面起到了重要作用。工会要积极参与、推动我国社会保险制度的改革，协助政府和企业进一步做好职工的社会保险工作。

第三十一条　工会会同企业、事业单位教育职工以国家主人翁态度对待劳动，爱护国家和企业的财产，组织职工开展群众性的合理化建议、技术革新活动，进行业余文化技术学习和职工培训，组织职工开展文娱、体育活动。

【释义】　本条是对工会教育和组织职工的规定。

工会应当教育职工以国家主人翁的态度对待劳动。我们国家工人群众是国家的主人,这是我国社会主义性质决定的。现在我国是多种经济成分并存,一些职工在非公有制经济组织中工作,但是,应当指出,这些非公有制经济也是我国社会主义经济的组成部分,在这些非国有经济组织中劳动工作的职工还是国家的主人翁,也还应当以国家主人翁的态度劳动,应当爱护国家和企业的财产。工会在这些方面负有教育职工的责任。

工会应当组织职工开展群众性的合理化建议、技术革新活动。这项工作是工会多年来积极从事的一项工作,积累了丰富的工作经验,工会应当加强这方面的工作,促进企业的发展。

业余文化、技术学习和培训,属于职工文化技术教育工作,是我国成人教育的重要组成部分,在整个国民教育体系中占有重要地位。职工教育是工会工作的重要内容,工会要积极主动地参与当地政府部门和企业行政组织的职工教育工作,进一步办好工会系统的各级各类职工学校,深入开展读书自学活动,鼓励和支持职工走岗位成才之路,发挥工会优势,大力推动岗位培训。工会在组织职工开展文化技术教育时,要依照“全员培训”“正规化”的原则来进行。所谓“全员培训”,就是要对各行各业所有职工,无例外地进行结合本职工作的科学文化技术知识的教育和技能技巧的训练。“正规化”,是指职工教育应该努力做到任务明确,要求具体,制度严格,进度合理,成绩显著。搞好职工教育是全心全意依靠工人阶级,充分发挥工人阶级主力军作用,建设一支有理想、有道德、有文化、有纪律的职工队伍的重要措施。工人阶级作为国家的领导阶级和改革的最基本的动力,肩负着历史的重任。这就要求广大职工必须具有较高的素质。工会作为职工群众自己的组织,必须要为提高本组织成员的素质尽职尽责。职工通过培训,提高了技术业务水平和能力,在生产、工作中作出较大成绩,就会相应获得较高的收入,既为国家创造了财富,也符合自己的切身利益。

工会通过组织职工开展各种有益的文体活动,使职工在活动中受到熏陶、教育和锻炼,不仅能提高职工的文化素质,而且也可以提高职工的社会主义思想、道德水准和健康水平,使职工得到积极的休息,以更充沛的精力投身于生产中去,提高劳动效率。工会要充分运用工人文化宫、俱乐部等文化设施,广泛组织职工开展文化体育活动。使职工群众在完成生产、工作任务之后,得到有益于身心健康的文化娱乐和休息,以消除疲劳,恢复体力,陶冶性情,焕发精神,并得到美的享受。还要通过举办多种类型的报告会、演讲会、学习班、座谈会、讲座和展览,努力提高职工的科学知识、文化技能和体育、美育水平。为此,工会要积极创造条件,使职工群众在业余时间有可能参加各种文化娱乐活动。

第三十二条　根据政府委托,工会与有关部门共同做好劳动模范和先进生产(工作)者的评选、表彰、培养和管理工作。

【释义】 本条是关于工会在劳动模范工作方面的规定。

根据本条的规定,对工会长期从事的有关评选、表彰、培养和管理劳动模范和先进生产(工作)者的工作给予了一定的法律地位。

在1992年的工会法修订中,工会就强烈要求对此项工作给予肯定。由于政府有关部门的不同意见,这一规定没有在工会法中予以体现。在这次工会法修改工作中,工会同志再次提出这一意见,经协商,对此规定没有过大的原则分歧。这里要明确一点,就劳动模范和先进生产(工作)者的评选、表彰、培养和管理,从理论上讲是政府的职能,所以这一条首先规定了要“根据政府委托”,工会才从事有关的工作。

第三十三条　国家机关在组织起草或者修改直接涉及职工切身利益的法律、法规、规章时，应当听取工会意见。

县级以上各级人民政府制定国民经济和社会发展计划，对涉及职工利益的重大问题，应当听取同级工会的意见。

县级以上各级人民政府及其有关部门研究制定劳动就业、工资、劳动安全卫生、社会保险等涉及职工切身利益的政策、措施时，应当吸收同级工会参加研究，听取工会意见。

【释义】　本条是工会源头参与权的规定。

（一）国家机关在组织起草或者修改直接涉及职工切身利益的法律、法规、规章时，应当听取工会意见。这里的国家机关包括国家权力机关和行政机关。这里的国家权力机关是指全国人大及其常委会，省、自治区、直辖市人大及其常委会，省会所在市和国务院批准的较大的市的人大及其常委会。这里的行政机关是指国务院及其所属的部、委员会和直属机构以及省、自治区、直辖市人民政府，省会所在市和国务院批准的较大的市的人民政府。国家权力机关、行政机关在制定直接涉及职工切身利益的法律、法规、规章时，要听取工会的意见。应当指出，这里的利益是指直接涉及职工的切身利益。

（二）县级以上各级人民政府制定国民经济和社会发展计划，对涉及职工利益的重大问题，应当听取同级工会的意见。为充分体现职工的意愿和要求，反映广大职工群众的意见和要求，各级人民政府要充分发挥工会作为党和政府联系职工群众的桥梁和纽带作用，在制定国民经济和社会发展计划时，对涉及职工利益的问题，应听取同级工会的意见。

（三）县级以上各级人民政府及其有关部门研究制定劳动就业、工资、劳动安全卫生、社会保险等涉及职工切身利益的政策、措施时，应当吸收同级工会参加研究，听取工会意见。工资、物价等直接关系到职工的生活水平，社会保险关系到职工丧失劳动能力或就业机会时所获得的物质帮助,劳动安全卫生直接关系到职工在劳动生产过程中的生命安全和身心健康。这些政策和措施的研究制定,都涉及职工的切身利益。工会要代表和维护职工利益,就必须就这些方面的问题开展调查研究,广泛听取职工意见。关心群众生活,及时向同级政府提出建议。另一方面,为使这些政策和措施体现广大职工群众的意愿和要求,使这些政策和措施符合实际,便于其贯彻执行,县级以上各级人民政府及其所属各部门在研究制定这方面的重大政策、措施时,应当吸收同级工会参加研究,认真听取工会意见。

第三十四条　县级以上地方各级人民政府可以召开会议或者采取适当方式,向同级工会通报政府的重要的工作部署和与工会工作有关的行政措施,研究解决工会反映的职工群众的意见和要求。

各级人民政府劳动行政部门应当会同同级工会和企业方面代表,建立劳动关系三方协商机制,共同研究解决劳动关系方面的重大问题。

【释义】　本条是对政府向工会通报政府的工作,研究、解决职工群众的问题以及按照国际惯例建立三方协商机制的规定。

(一)本条县级以上地方各级人民政府,也包括县级以上地方人民政府所属各职能部门。工会,包括相应的同级产业工会。本条的采取适当方式,是指因地、因事制宜地采用相应的形式,形式可以多种多样,如座谈会、现场会、联席会议等。本条规定体现了社会主义国家的人民政府同工会的新型关系,即工会支持自己的政府,维护政府的行政管理权,协助人民政府开展工作。政府要支持工会依法开展工作,自觉接受工会和广大职工的监督,关心职工的生产、生活,及时解决职工的困难和问题。

(二)根据世界大多数国家的做法以及一些国际公约的规定,

工会法规定了在我国建立各级人民政府劳动行政部门会同同级工会和企业方面代表,建立劳动关系三方协商机制的法律制度。这一制度的建立,必将对我国今后协调劳动关系产生重大的影响。依照工会法的规定,政府一方由劳动行政部门代表,工会一方由各级地方总工会代表,企业一方目前由企业联合会代表。2001 年 8 月,劳动和社会保障部、中国企业联合会、中华全国总工会召开会议,建立了国家一级劳动关系协商会议制度。三方应当根据工会法的原则规定,建立必要的规范制度,保证工会法的规定落到实处,真正共同研究解决劳动关系方面的重大问题。

第四章　基层工会组织

第三十五条　国有企业职工代表大会是企业实行民主管理的基本形式，是职工行使民主管理权力的机构，依照法律规定行使职权。

国有企业的工会委员会是职工代表大会的工作机构，负责职工代表大会的日常工作，检查、督促职工代表大会决议的执行。

【释义】　本条是国有企业职工代表大会性质、地位及其与基层工会委员会关系的规定。

（一）国有企业职工代表大会的性质。职工参与企业民主管理，是由我国的政治制度和生产资料公有制性质决定的。但是，不可能每一个职工都直接以主人的身份去管理企业，只能选出自己的代表，通过一定组织方式来进行。“职工代表大会是企业实行民主管理的基本形式，是职工行使民主管理权力的机构”，这就是职工代表大会的性质。职工代表是由职工民主选举出来的，因此，职工代表大会是实行民主管理的机构。同时，职代会不是一般性群众组织，也不是政治性团体，它有下列职权：(1)听取和审议厂长关于企业的经营方针、长远规划、年度计划、基本建设方案、重大技术改造方案、职工培训计划、留用资金分配和使用方案、承包和租赁经营责任制方案的报告，提出意见和建议。(2)审查同意或者否决企业的工资调整方案、奖金分配方案、劳动保护措施、奖惩办法以及其他重要的规章制度。(3)审议决定职工福利基金使用方案、职工住宅分配方案和其他有关职工生活福利的重大事项。(4)评议、监督企业各级行政领导干部，提出奖励和任免的建议。

(5)根据政府主管部门的决定选举厂长,报政府主管部门批准。

(二)工会是职工代表大会的工作机构。国有企业的工会与职工代表大会的关系是:工会是职工代表大会的工作机构,而不是它的常设机构。工作机构与常设机构是有原则区别的,常设机构在职工代表大会闭会期间,行使职工代表大会的职权。工作机构没有这种职权。它的任务是:会同有关部门进行大会的筹备工作、会务工作以及大会闭会期间的日常组织工作,办理职工代表大会或主席团交办的事项。工会作为职工代表大会的工作机构的工作内容包括:建立、健全职工代表大会制度和做好职工代表大会的宣传教育工作;提出关于召开职工代表大会的中心议题和议程的建议,会同有关部门准备会议文件和做好会议的筹备工作;组织选举职工代表,审查代表资格;组织职工代表活动,检查大会决议、提案的落实情况;组织与支持各专门工作委员会开展活动;培训职工代表等等。由于职工对企业的民主管理工作,始终与工会紧密相连,工会在代表和组织职工参加民主管理的过程中,积累了许多经验,有能力充任职工代表大会的工作机构。此外,工会和职工代表大会在民主管理方面的任务和作用有很多一致的方面。因此,由工会承担职工代表大会的日常工作,作为职工代表大会的工作机构是适宜的。企业工会作为职工代表大会的工作机构,应该检查督促职工代表大会决议的执行情况,发动职工落实职工代表大会决议。

第三十六条 集体企业的工会委员会,应当支持和组织职工参加民主管理和民主监督,维护职工选举和罢免管理人员、决定经营管理的重大问题的权力。

【释义】 本条是对集体企业工会地位的法律规定。

集体企业职工对企业管理的权力要比国有企业职工权力大。体现在三个方面:第一,实行直接民主,即集体企业职工基本是实行职工大会制度，而不是职工代表大会制度，只是考虑到有的集体企业职工过多，对企业职工多的企业实行代表大会制度。第二，企业的经营管理人员由集体企业职工选举和罢免，而国有企业职工代表大会的权力是评议、监督企业各级行政领导干部，提出奖励和任免的建议。第三，集体企业的经营管理的重大问题由集体企业职工决定，而国有企业职工代表大会的权力是听取和审议厂长关于企业的经营方针、长远规划、年度计划、基本建设方案、重大技术改造方案、职工培训计划、留用资金分配和使用方案、承包和租赁经营责任制方案的报告，提出意见和建议。法律这样规定，是由集体企业的性质决定的。因为集体企业是劳动者集体所有的，所以其权力是可以选举、罢免管理人员，决定重大的经营管理问题。

本条规定包含两个方面的内容：

（一）城镇集体企业工会支持和组织职工参加民主管理和民主监督。根据宪法和法律、法规的规定，我国集体企业的职工是企业的主人，依照法律、法规的规定，参加企业民主管理，监督企业各项活动和管理人员的工作；集体企业的工会维护职工的合法权益，依法独立自主地开展工作，组织职工参加民主管理和民主监督。为实现集体企业职工民主管理和民主监督的权力，集体企业的工会应当依法支持和组织职工参加上述活动。工会支持和组织职工参加民主管理和民主监督，有助于职工更好地依法行使民主管理和民主监督的权力，促进企业经营管理，提高企业的经济效益。

（二）城镇集体企业工会维护职工选举和罢免管理人员、决定经营管理重大问题的权力。选举和罢免厂长（经理）和其他企业管理人员，制定集体企业章程，审议决定企业重大方案、职工奖惩办法和其他重要规章制度，决定经营管理重大问题等，是集体企业通过职工大会或者职代会行使民主管理企业的权力。为充分保障集体企业职工上述权力的实现，确保职工的主人翁地位，发挥职工群众的主人翁作用，集体企业工会对职工的上述权力应依法加以支持和维护,这是集体企业工会的一项重要任务。

第三十七条 本法第三十五条、第三十六条规定以外的其他企业、事业单位的工会委员会,依照法律规定组织职工采取与企业、事业单位相适应的形式,参与企业、事业单位民主管理。

【释义】 本条是对国有、集体企业以外的其他企业、事业单位采取民主管理形式的规定。

在非公有制企业中,要不要同公有制企业一样实行职工代表大会制度,在修改工会法过程中是经过反复研究的。宪法和全民所有制工业企业法规定,在全民所有制即国有企业中实行职工代表大会制度。公司法规定,在国有独资企业或者两个以上的国有投资主体投资设立的有限责任公司设立职工代表大会。简而言之,只在公有制企业中建立职代会;而对非国有企业,包括中外合资、合作、外商独资企业和私营企业,现行法律没有规定实行职工代表大会制度。职代会职权包括:听取和审议厂长关于企业的经营方针、经营方案的报告;审查同意或否决企业的工资调整方案、奖金分配方案、劳动保护措施等重要规章制度;审议决定职工福利基金使用方案及有关职工生活福利的重大事项;评议、监督企业各级行政领导干部等。这些职权,显然是难以完全适用于非公有制企业的。但是从贯彻全心全意依靠工人阶级的方针和维护职工合法权益的方面考虑,非公有制企业的职工也应当参与民主管理,为此,这次修改工会法,根据宪法和有关法律对公有制以外企业、事业单位规定,规定“本法第三十五条、第三十六条规定以外的其他企业、事业单位的工会委员会,依照法律规定组织职工采取与企业、事业单位相适应的形式,参与企业、事业单位民主管理”。至于职工在非公有制企业中如何参与民主决策、民主管理问题,需要在实践的基础上,通过修改公司法和相关企业法作出规定。

第三十八条　企业、事业单位研究经营管理和发展的重大问题应当听取工会的意见；召开讨论有关工资、福利、劳动安全卫生、社会保险等涉及职工切身利益的会议，必须有工会代表参加。

企业、事业单位应当支持工会依法开展工作，工会应当支持企业、事业单位依法行使经营管理权。

【释义】　本条是对企业、事业单位工会参与企业有关管理问题的规定。

（一）企业、事业单位研究经营管理和发展的重大问题应当听取工会的意见。企业在经营管理方面是具有自主权的，是独立进行的。但是企业在研究经营管理和发展的重大问题时，听取工会的意见，能使企业、事业单位在决策前充分听取各方面的意见，有利于决策的科学化、民主化，有利于维护职工的合法权益。工会参加企业、事业单位重大问题的讨论，也可以使广大职工更好地了解企业、事业单位制订发展计划的依据、原因以及发展方向，同时也可以取得广大职工的合作，更进一步调动职工群众的生产积极性，搞好企业、事业单位的发展。

（二）明确了企业工会有参加企业召开的涉及职工切身利益的会议的权利。工会是代表职工利益、为职工说话办事的群众组织。当企业召开讨论有关工资、福利、劳动安全卫生、社会保险等涉及职工切身利益的会议时，要有工会代表参加，使工会在讨论这些涉及职工切身利益的问题的会议上，能够反映职工的意见和要求，在工资、福利、劳动安全卫生等方面维护职工的合法权益，促进企业内部的安定团结和生产持续稳定的发展。

（三）明确了企业和企业工会之间的相互关系。企业应当支持工会依法开展工作，工会应当支持企业依法行使经营管理权。企业要尊重工会的民主权利，工会要尊重企业的行政管理和生产指挥权利。这种相互尊重、相互支持的关系，是由我国社会性质和我国工会性质决定的。

第三十九条 公司的董事会、监事会中职工代表的产生，依照公司法有关规定执行。

【释义】 本条是对公司的董事会、监事会中职工代表的产生的规定。

在修改工会法的过程中，对职工代表参加董事会和监事会问题，考虑到公司法已对此作了规定，因此，作了上述原则规定。公司法规定，国有独资和两个以上国有企业或者两个以上国有投资主体投资设立的有限责任公司的董事会应当有职工代表参加，由公司职工选举产生，没有规定其他有限责任公司和股份有限公司的董事会一定要有职工代表参加。关于职工代表进入监事会的问题，公司法已经解决，即无论有限责任公司，还是股份有限公司，其监事会成员中，都应有职工代表。因此，这次对工会法修改，对职工代表参加董事会、监事会问题只作了原则规定："公司的董事会、监事会中职工代表的产生，依照公司法有关规定执行。"

第四十条 基层工会委员会召开会议或者组织职工活动，应当在生产或者工作时间以外进行，需要占用生产或者工作时间的，应当事先征得企业、事业单位的同意。

基层工会的非专职委员占用生产或者工作时间参加会议或者从事工会工作，每月不超过三个工作日，其工资照发，其他待遇不受影响。

【释义】 本条是对基层工会委员会开展活动时间的规定。

（一）生产或工作时间是指法定的从事生产或工作的时间。工会召开会议或组织职工活动一般应当在业余时间进行，这是工会开展活动的一项基本原则，即基层工会开展活动，要安排在业余时间，不宜安排在生产或者工作时间。因为生产或者工作时间就是用来生产或者工作的，如果工会活动经常占用生产或者工作时间，就会影响正常的生产和工作，这与工会活动的目的也是不符合的。工会活动的目的是通过各种形式的活动,使职工从思想上受到教育,身体上得到积极的休息,提高生产效率,更好地进行生产和工作。但是,有的基层工会的任务比较繁重,工会还需要占用一定的劳动和工作时间召开会议或组织职工开展活动。因此,有时需占用生产或者工作时间。在这种情况下,工会应当事先征得企业、事业单位的同意,在不影响生产和工作的情况下召开会议或开展活动。

(二)基层工会非专职委员占用生产或者工作时间从事工会工作,每月不得超过三个工作日。作为非专职的工会委员,不像专职的工会工作者,可以将全部工作时间用于工会活动,而是要把主要精力放在生产上,其主要任务是生产,其从事工会活动大部分是利用业余时间。但是,在某些场合下,非专职的工会委员从事工会活动必须占用生产时间时,应在法律规定的限度内,在此限度内,法律保障其基本的权益,即工资和待遇不受影响。企业、事业单位应依法为之提供必要的时间,以利工会活动的完成。因为劳动报酬包括工资、奖金等,都是根据生产(工作)时间或完成的生产(工作)任务来支付的。不脱产的工会委员有时组织或参加工会活动,如文体比赛及参加会议等,不可能用业余时间,这就会影响他们从事生产(工作),相应就要影响他们获得的劳动报酬。为了调动不脱产工会委员从事工会工作的积极性,使他们不至因为从事工会工作而使自己的劳动报酬受损失,本条第二款的规定较好地解决了不脱产工会委员占用生产时间从事工会活动的需要,保证了不脱产工会工作者的工资和福利待遇不受影响,对企业来说,也有一个明确的限度,保障了企业的权益。

第四十一条　企业、事业单位、机关工会委员会的专职工作人员的工资、奖励、补贴,由所在单位支付。社会保险和其他福利待遇等,享受本单位职工同等待遇。

【释义】　本条是对基层工会专职工作人员的工资和保险福

利待遇的规定。

基层工会专职工作人员的工资,新中国成立以来,是从工会会员交纳的会费中开支的。1978 年工会会员交纳会费的比例从个人工资的百分之一降低到百分之零点五,加上工会人员增多,会员交纳的会费已经无法承担基层工会脱产专职工作人员的工资,只好挤占工会经费。根据 1950 年工会法规定,企业、事业单位行政拨缴的百分之二工会经费,主要用于职工教育和工会开展活动。由于经费十分紧张,无法再承担基层工会脱产专职工作人员工资的开支。因此,1978 年工会恢复工作以来,基层工会专职工作人员的工资绝大部分是由企业、事业单位行政开支的。根据上述情况,并考虑到我国工会在基层企业中的任务的要求,在 1992 年修订工会法过程中,全国总工会与财政部经协商,将基层工会脱产专职工作人员的工资列入企事业单位行政开支。当时工会法对此作出的规定是:"全民所有制和集体所有制企业事业单位以及机关工会委员会的脱产专职工作人员的工资、奖励、补贴,由所在单位行政支付。"

基层工会专职工作人员的社会保险和福利待遇,1950 年工会法第十七条规定,基层工会脱离生产的委员继续享受由行政方面或资方支付的劳动保险或其他福利待遇。考虑到企业、事业单位保险制度改革的需要,我国将逐步建立完善基本养老保险与企业补充养老保险和职工个人储蓄性养老保险相结合的制度,其中企业补充养老保险由企业根据自身经济能力,为本企业职工建立,所需费用从企业自有资金中的奖励、福利基金内提取。因此,工会法规定,基层委员会的脱产专职工作人员的社会保险和其他福利待遇等,享受本单位职工同等待遇,即企业建立各自的补充养老保险制度时,基层工会专职干部的社会保险和福利待遇等就按国家和企业的有关规定执行。这样规定的有利之处,在于避免了企业工会专职干部的社会保险和福利待遇等与所在企业职工不一样的情况,有利于基层工会专职干部队伍的稳定。

第五章　工会的经费和财产

第四十二条　工会经费的来源：

（一）工会会员缴纳的会费；

（二）建立工会组织的企业、事业单位、机关按每月全部职工工资总额的百分之二向工会拨缴的经费；

（三）工会所属的企业、事业单位上缴的收入；

（四）人民政府的补助；

（五）其他收入。

前款第二项规定的企业、事业单位拨缴的经费在税前列支。

工会经费主要用于为职工服务和工会活动。经费使用的具体办法由中华全国总工会制定。

【释义】　本条是对工会经费的来源、标准与使用范围的规定。

（一）工会经费的来源及标准

第一，工会会员缴纳的会费。工会会员缴纳会费是工会经费的重要来源之一，是会员应尽的义务，同时也是会员在工会组织内享受权利的物质基础，它是会员组织观念的体现，有利于职工之间互助互济，增强阶级友爱和阶级团结。会员会费缴纳标准目前是按工资的0.5%缴纳。

第二，建立工会组织的企业、事业单位、机关按每月全部职工工资总额的2%向工会拨缴的经费。这是工会经费的主要来源。这里所说的全部职工工资总额，应根据1990年经国务院批准、国家统计局发布的《关于工资总额组成的规定》执行。

第三，工会所属的企业、事业单位上缴的收入。工会所属的企业、事业单位上缴的收入，是工会经费的来源之一。"上缴的收入"是指工会所属的企业和事业单位以自身的业务收入抵补各项支出后的净收益，按照规定上缴主管工会的一部分收入，作为主管工会的经费来源之一，用于弥补工会活动经费的不足和发展工会事业。

第四，人民政府的补助。人民政府补助，是中央或地方政府财政给工会的补贴、基建费用、活动经费或专项经费。

第五，其他收入。这是指个人、社团及海外侨胞、友人的捐助，工会变卖财产收入，银行存款利息收入等。

1992年工会法规定，建立工会组织的全民所有制和集体所有制企业、事业单位、机关按全部职工工资总额的2%向本单位工会拨缴经费；建立工会组织的中外合资、合作企业以及外资企业依照国家有关规定向本企业工会拨缴经费。这笔经费是在企业所得税税前列支的。工会收缴的经费用于开展各项工会活动，其中60%留在企业工会，40%上缴上级工会调剂使用。

从企业工资总额中拨缴2%的经费给工会，并允许从成本中列支，主要体现着国家财政对工会的扶助。中外合资经营企业法实施细则也已作出与全民所有制企业相同的规定。因此，根据实际情况，工会法规定了各种所有制企业以及事业单位、机关按照统一规定的标准拨缴会费。

（二）本条第二款规定的建立工会组织的企业、事业单位、机关按每月全部职工工资总额的2%向工会拨缴的经费，在税前列支，即可以将这一部分费用列入成本，由此减少了相应的税收，体现着国家的支持。

（三）工会经费的使用范围。本条第三款规定了工会经费的使用范围，并规定经费使用的具体办法由中华全国总工会制定，为工会经费的正确合理使用提供了依据。工会经费主要用于为职工服务和工会活动。工会经费的使用范围的开支标准按全国总工会关于基层和县以上工会有关财务管理办法和会计制度执行。

工会法对工会经费使用的具体办法未作具体规定,而是授权中华全国总工会制定经费使用的具体办法,体现了工会经费独立原则和工会依法独立开展活动原则。制定工会经费使用的具体办法,必须根据国家的有关法律、法规,并依照国家和地方财政的有关开支标准。

第四十三条　企业、事业单位无正当理由拖延或者拒不拨缴工会经费,基层工会或者上级工会可以向当地人民法院申请支付令;拒不执行支付令的,工会可以依法申请人民法院强制执行。

【释义】 本条是保证工会经费收缴的规定。

1992 年工会法规定了建立工会组织的全民所有制和集体所有制企业、事业单位、机关按全部职工工资总额的 2% 向本单位工会拨缴经费;建立工会组织的中外合资、合作企业以及外资企业依照国家有关规定向本企业工会拨缴经费。在实际执行中遇到一些问题,工会经费收缴相当困难,尤其是非公有制企业,拖欠、拒缴工会会费的现象严重。据全国总工会统计,全国的经费收缴率大约为 55% 左右。主要原因有:第一,1992 年工会法对外商投资企业的工会经费的拨缴未作具体规定,对私营企业的工会经费问题未涉及,这些企业是否应当拨缴工会经费尚无法可依。第二,法律对缴纳工会经费无强制性规定,对拖欠、拒缴工会经费的行为也没有规定相应的制约措施,一些企业行政方面故意少缴,或者拒缴工会经费。第三,部分国有企业亏损严重,依法拨缴工会经费有实际困难。

经过反复研究,认为工会法既然规定各种所有制性质的企业均要按照 2% 拨缴经费,就应当有相应的手段维护法律的严肃性,就要保证经费的收缴。因此,工会法规定了企业、事业单位无正当理由拖延或者拒不拨缴工会经费,基层工会或者上级工会可以向当地人民法院申请支付令；拒不执行支付令的，工会可以依法申请人民法院强制执行。

基层工会或者上级工会向人民法院申请支付令，适用民事诉讼法的有关规定，即对债权债务关系明确的，债权人可以向人民法院申请执行令。如果债务人对此提出异议的，则进入审判程序。如果债务人既不提出异议，也不执行的，工会可以申请人民法院强制执行，人民法院依照民事诉讼法有关执行的规定办理。

这里应当指出，在常委会审议过程中，一些常委委员提出，目前一些企业经营困难，无法按时拨缴工会经费，在采取强制拨缴措施时应对这一情况予以考虑，因此，工会法规定，对企业、事业单位单位无正当理由拖延或者拒不拨缴工会经费，工会可以申请人民法院强制执行。这就是说，对一些企业、事业单位确实有困难的，应当予以特殊考虑。人民法院对工会申请的强制执行也可以进行审查，经审查，企业、事业单位提出了正当理由的，人民法院也可以裁定免予执行或者暂缓执行。

第四十四条　工会应当根据经费独立原则，建立预算、决算和经费审查监督制度。

各级工会建立经费审查委员会。

各级工会经费收支情况应当由同级工会经费审查委员会审查，并且定期向会员大会或者会员代表大会报告，接受监督。工会会员大会或者会员代表大会有权对经费使用情况提出意见。

工会经费的使用应当依法接受国家的监督。

【释义】　本条是对工会经费民主管理制度的规定。

（一）工会独立管理经费是历史形成的，是由工会组织的性质和工作特点决定的。在旧中国，工会筹集经费并独立进行管理是工人阶级开展斗争的需要，也是工会赖以生存的需要。新中国成立以后，工人阶级和工会的地位都发生了根本变化，工会只有独立管理经费，才能真正做到独立负责地开展活动，才能用工会的经费，为职工办好事、办实事。工会经费独立原则，主要表现为工会经费使用与管理的具体办法由全国总工会制定，建立自己独立的预算、决算和经费审查监督制度。

工会经费预算是指经过一定程序审核批准的工会年度财务收支计划。通过经费预算，可以把资金的需要与可能结合起来，促使工会工作和事业活动有计划地进行。工会经费预算由三部分组成：基层工会经费预算，它是工会经费预算的基本环节；本级工会经费预算，是指有经费留成的县、(市)以上各级工会的预算；单位经费预算，是指有经费留成工会所属的事业单位的预算和县以上工会机关的经费预算。工会财务体制是“统一领导，分级管理”。

工会决算是工会预算执行的总结，它反映着年度工会预算收支的最终结果，也是工会活动在财务上的集中反映。通过编制工会决算，可以从财务上总结一年来的工会组织各项活动的主要经验和问题，为工会决策提供可靠的资料和数据信息。因此，在年终认真及时编制决算，是整个工会工作不可缺少的一个重要环节。工会决算的组成与预算的组成相一致。工会决算的编制政策性强，涉及面广，复杂程度高，要做好一系列的准备工作。如进行年终清理，要检查收入，核实支出，以确保数字完整、准确。

工会经费审查制度是指对工会各项经费收支和财产管理进行审查监督工作的规范和准则。它是工会独立管理经费的需要，是工会经费管理的重要组成部分。工会经费审查工作的主要内容为：审查工会经费的预算、决算编制是否合理；经费使用是否妥当；各项财务制度是否坚持；有没有违反财经纪律的情况；是否按规定报告工会经费收支情况等。

(二)本条第二款规定各级工会设立工会经费审查委员会，负责本级工会的经费审查工作。工会经费审查委员会是代表会员群众对工会各项经费的收支和财产管理进行审查监督的组织。该组织的权利与义务是：第一，经费审查委员会主任列席同级工会委员会常务委员会召开的有关会议，经费审查委员会委员列席同级工会委员会全体会议。第二，经费审查委员会有权从被审查部门或单位调阅各种账册、单据、报表及有关文件资料。第三，经费审查委员会对同级工会及其所属企业、事业单位违反财经法纪的有关责任人员，有权建议给予纪律处分。第四，在进行经费审查中，遇有拒不接受审查或有意设置障碍，经对当事人进行批评教育，仍坚持不改，阻挠破坏，情节严重者，可以建议追究有关责任。第五，对同级工会的预算、决算及时审查，对重大项目和案件的审查，每次审查完毕，须将审查结果和处理意见报同级工会委员会，由同级工会委员会作出处理决定。第六，在履行职责和执行任务时，应主动与同级工会委员会联系，共同研究工作，各级工会组织对经费审查人员的工作，应提供方便，给予支持，务必使经费审查人员不受打击报复。第七，经费审查人员要加强学习，按照国家的法律、法规、规章和工会财务制度进行工作，坚持原则，秉公办事，忠于职守、尽职尽责。第八，与财务部门加强联系，密切协作。工会经费审查委员会必须定期向会员大会或者会员代表大会报告经费审查监督情况，并接受其监督。

三、本条第四款规定了工会的经费要接受工会外部的监督，这是这次工会法修改时增加的规定。在常委会审议时，有些常委委员提出，既然法律规定了政府要给予补助和企业必须拨缴经费，就应当规定对工会的经费要接受外部审计监督，不能自己审计自己，建议增加有关审计监督的规定。这一款中规定得比较原则，只规定了工会经费的使用情况应当依法接受国家的监督。应当说，国家监督的形式是多种的，其中对经费最主要的监督形式是国家审计监督。依照审计法的规定，除了审计法明确规定了审计监督的范围，还规定了其他法律、行政法规规定应当予以审计的也在国家审计监督的范围之内。因此，根据工会法的规定，工会经费的使用情况，应当接受国家的审计监督，当然也还应当包括其他的监督形式。

第四十五条　各级人民政府和企业、事业单位、机关应当为工会办公和开展活动，提供必要的设施和活动场所等物质条件。

【释义】　本条是为工会提供必要的物质条件的规定。

工会一旦建立起来，建立工会的单位就应当依照法律规定，为工会提供必要的物质条件，以保证工会活动的开展。

首先是各级人民政府应当依照法律规定为各级总工会提供办公和开展活动等必要的设施和场所。其次是建立基层工会的企业、事业单位、机关也应当依法为工会提供办公和开展活动必要的设施。这是国家法律为保护劳动者所提供的法律保障。从国外看，尤其是欧洲一些国家的法律也有这样的规定，可以说，这是工人运动长期斗争的成果。我们是社会主义国家，是工人群众当家做主的国家，这样规定，也体现了我国社会主义的性质。

第四十六条　工会的财产、经费和国家拨给工会使用的不动产，任何组织和个人不得侵占、挪用和任意调拨。

【释义】　本条是对工会财产保护的规定。

工会财产、经费和国家拨给工会使用的不动产，是工会开展活动和举办各种为职工服务事业的物质基础。保护工会财产不受侵害，是工会顺利开展活动的前提。

禁止任何组织和个人，其中也包括工会组织内部的组织机构和个人任意调拨工会财产、经费和国家拨给工会使用的不动产。当工会财产所有权遭到侵害，无法行使占有、使用、收益、处分的权能时，有权请求国家予以保护，责令侵权人履行民事义务，承担民事责任。

第四十七条 工会所属的为职工服务的企业、事业单位，其隶属关系不得随意改变。

【释义】 本条是对工会所属的企业、事业单位的保护规定。

工会所属企业、事业单位是指工会用自己的经费或自筹资金兴办的及国家拨给工会使用的，为职工群众服务的工人文化宫、俱乐部；职工疗养院、休养所；报刊、杂志社、出版社；工会院校、文艺团体；体育场馆；宾馆、旅行社；种植、养殖、生产加工、商业服务等企业、事业单位。工会所属的企业、事业单位是为职工群众服务的，有利于调动职工群众的生产积极性和保持职工队伍的稳定；有利于增强工会的活力和对职工的吸引力、凝聚力；有利于减轻国家负担，增加社会财富，方便职工群众，缓解社会服务不足的矛盾。工会所属企业、事业的收入是为职工服务，为工会事业的发展服务的。本条规定为工会所属企业、事业单位维护自己的合法权益，提供了法律依据和保障。

禁止任何行政机关非法占有、使用和处分工会所属企业、事业单位的财产，禁止随意改变工会对所属企业、事业单位的产权关系。一旦发生随意改变工会所属为职工服务的企业、事业单位隶属关系的情况，工会及其所属的企业、事业单位有权要求国家干预，制止侵权行为，维护自己的合法权益。国家保护工会及其所属企业、事业单位合法权益不受侵犯。

第四十八条 县级以上各级工会的离休、退休人员的待遇，与国家机关工作人员同等对待。

【释义】 本条是对县级以上总工会离休、退休人员的待遇规定。

县级以上工会离退休人员的各项费用由同级财政支付有其历史上的渊源。新中国成立后，县级以上各级工会退休人员的退休费，一直是由同级财政负担的。原内务部 1962 年第 193 号文件规定:“县(镇)以上各级工会工作人员和工会事业单位(包括疗养事业和文化事业)人员的退休费,应由地方民政部门支付(也即由同级财政负担)。”1978 年 6 月国务院发布 104 号文件,规定退休干部管理工作由原单位负责,费用由原单位支付。以后,经中华全国总工会与财政部进行协商,规定为:“县以上各级工会离休、退休人员的离休、退休费和医疗福利费用等,由同级财政支付。”考虑到我国目前正在进行社会保险制度改革,工会法对此规定为:“县级以上各级工会的离休、退休人员的待遇,与国家机关工作人员同等对待。”这一规定有两个方面的含义:即社会保险制度未改革之前,这部分费用(包括离休、退休费、医疗福利费用以及离休、退休人员依法应得到的其他费用等)由同级财政负担;社会保险制度改革完成之后,工会离退休人员的待遇与国家机关工作人员相同,也就是说,国家机关工作人员离退休后的费用由国家财政支付的部分,县级以上工会离退休人员的这部分费用也由同级财政支付。国家机关工作人员的保险费用由个人承担的部分,县级以上工会离退休人员也按相同比例由个人承担。本条规定,明确了县级以上各级工会离休、退休人员各项待遇的开支渠道,有利于调动他们的积极性,稳定工会的干部队伍。

第六章　法律责任

本章是关于违反工会法的行为应承担的法律责任的规定。

法律责任是指公民、法人或其他组织实施违法行为所必须承担的法律后果,即因违法行为而在法律上受到的相应制裁。法律责任是一种强制性的责任,是由国家强制力来保障实施的,是违法者所必须承担的。确定违法行为的法律责任,是法律规范区别于道德规范、政策文件等其他行政规范的重要特征,对于维护法律尊严,教育违法者和广大公民自觉守法具有重要意义。

法律责任是法律、法规必不可少的重要组成部分,占有重要的地位。任何一项完整的法律规范,都应当包括适用条件、行为模式以及违反法律规定的行为模式应承担的法律责任这样三个要素,其中法律责任的规定是体现法律规范的国家强制力的核心部分。如果在一部法律中缺乏法律责任的规定,就难以有效地保证法律所规定的权利和义务的实现,从而使之形同虚设。因此,在法律、法规、规章中,根据其所调整的社会关系的性质、特点,正确、合理地选择、规定法律责任的条款,对保证法律的有效实施具有非常重要的法律意义和社会意义。

法律责任从性质上说可分为三种:行政责任(包括行政处分和行政处罚)、民事责任和刑事责任。其具体承担方式,又可分为人身责任、财产责任、行为责任等。采取何种法律责任形式,应当根据法律所调整、违法行为所侵害的社会关系的性质、特点以及违法行为的情节和社会危害程度等因素来确定。

我国第一部工会法是 1950 年由中央人民政府颁布的,1992

年曾经作过一次修改。1992 年修订后的工会法对某些企业拒不组建工会、不按规定拨缴会费、侵犯工会或者工会干部合法权益等行为应当承担什么责任,由哪些部门按照何种程序加以追究,没有具体的规定。过去在单一的公有制经济制度下,一般不发生这些问题,企业所有制结构多样化以后,这些问题逐渐增多,没有相应的制裁措施,不利于工会法贯彻实施。在修改工会法中,总结实践经验,有针对性地确立和完善相应的法律责任制度,对贯彻实施工会法,维护国家法律尊严是必要的,因此,本次修改工会法增加了法律责任一章。

本章共分七条,针对打击报复依法行使职权的工会干部、阻挠职工依法组建工会或者阻挠上级工会帮助、指导职工筹建工会以及妨碍工会依法行使职权等违法行为,规定了行政、民事、刑事三种法律责任,同时对工会合法权益受侵犯的法律救济渠道作出了明确规定。

第四十九条　工会对违反本法规定侵犯其合法权益的,有权提请人民政府或者有关部门予以处理,或者向人民法院提起诉讼。

【释义】　本条是关于对工会合法权益受到侵犯的法律救济渠道的规定。

工会法第四条规定:“国家保护工会的合法权益不受侵犯。”工会是工人阶级的群众组织,它有自己的活动原则与活动范围。只要工会组织的活动没有违反法律的有关规定,就理应受到国家法律的保护。这不仅是我国工会能够开展活动的基本条件,而且也是我国社会主义法制建设的基本要求。保护工会的合法权益不受侵犯,是国家的一项义务。工会的合法权益,具体体现在三个方面:一是工会开展活动的权利。工会的合法权益很多,但最主要的是开展活动的权利。工会组织起来的目的之一,就是开展各种工会活动,并通过这种活动,逐步扩大工会组织的影响,吸引广大职工群众，把职工群众团结在自己的周围，达到成立工会的初衷。因此，只要工会的各项活动是依法开展的，国家就应为之提供必要的保护，保护工会活动的权利不受侵犯。工会法明确规定了工会所享有的权利，主要有民主参与、民主监督和参加研究、制定涉及职工利益的重大决策、措施的权利，与人民政府或者有关部门采取适当方式互相通报情况，研究解决问题的权利，代表职工与企业进行平等协商，签订集体合同的权利，参加劳动争议调解和仲裁的权利，以及其他维护职工合法权益的权利等。二是工会的合法财产不受侵犯。工会的财产、经费和国家拨给工会使用的不动产，任何组织和个人不得侵占、挪用和任意调拨。工会所属的为职工服务的企业、事业单位，其隶属关系不得随意改变。三是工会工作者的合法权益不受侵犯。工会工作者是工会工作得以开展的基本力量，离开了工会工作者，工会的活动无从谈起，自然更谈不上发挥工会的作用了，所以国家依法维护工会工作者的合法权益。

工会的合法权益一旦受到侵犯，工会可以通过以下两个途径来寻求救济：

一、提请人民政府或者有关部门予以处理

维护工会的合法权益不受侵犯是人民政府的责任，因为工会在“维护全国人民总体利益的同时，代表和维护职工的合法权益”。工会行使权利，开展活动，在于维护职工的合法权益，组织职工依法行使民主权利，参加企业民主管理，同时动员和组织职工积极参加经济建设，努力完成生产任务和工作任务。教育职工不断提高思想道德、技术业务和科学文化素质，建设有理想、有道德、有文化、有纪律的职工队伍，最终目的是为了维护全国人民的总体利益，维护党和政府在人民群众中的威信。所以各级人民政府有责任维护工会的合法权益不受侵犯。

侵犯工会合法权益的侵权者，主要有三个方面：

第一，基层工会所在的企业、事业单位主要负责人，如企业老板、经理、厂长等。他们侵犯工会合法权益的原因不外乎两个方面：一是由于工会维护职工的合法权益，对企业、事业单位侵犯职工合法权益的问题与企业、事业单位负责人进行交涉，要求予以纠正，因而这些老板、经理、厂长们认为工会与自己作对，把工会视作眼中钉、肉中刺，因而想方设法地阻挠本企业工会开展活动，阻挠职工参加工会，对依法履行职责的工会干部采用种种手段进行打击报复；二是把工会看作本单位的一个职能部门，认为工会是隶属于本单位行政的，因而无视工会的权利，对于工会要求纠正的侵犯职工合法权益的行为不予纠正，对工会要求答复的有关劳动安全卫生问题不予答复，对应当通知工会的情况，如企业单方面解除职工劳动合同，不将理由和最后的处理结果通知工会或者拒绝与工会就签订集体合同进行平等协商，拒绝让工会参加研究企业经营发展的重大问题等等。

第二，政府有关部门的侵犯。这种侵权行为主要包括三个方面：一是有的企业主管部门，随意侵占、挪用或拒不返还企业中基层工会的经费及房屋、土地、文化宫、体育馆、疗养院、俱乐部等财产，或者是将工会举办的企业、事业单位划为企业行政或本部门所有。二是有的企业主管部门不经过职工大会或职工代表大会，随意将企业中的基层工会主席、副主席调离、免职。三是一些对企业负有监督管理职能的政府部门，对工会组织请求其履行责令企业、事业单位改正侵犯工会合法权益的违法行为，不予履行其法定职责。政府部门这种不作为的违法行为，也侵犯了工会的合法权益。

第三，社会其他方面的侵犯。如有的机关、企业、事业单位和其他组织拒不退还其占有的工会的房屋等财产，从而侵犯了工会的合法财产权。

对于上述侵权行为，工会都可以提请当地的人民政府或者政府的有关部门来予以处理。人民政府或者有关部门（这里的有关部门主要是指劳动行政部门、工商部门等对企业直接行使监督管理权的部门）应当依法予以处理，决不能推卸责任。人民政府可以通过批评教育，找企业、事业单位负责人谈话，甚至予以有关责任人纪律处分，对有关企业进行通报批评等方式，责令侵犯工会权益的有关当事人立即停止侵权行为，纠正错误的决定，消除其违法行为造成的影响，对已撤并的工会组织予以恢复，把被调离的工会干部请回来，让被非法解除劳动合同的职工重新回到原有的工作岗位上去，归还被侵占、挪用的工会经费、财产，同时尊重工会的权利，支持工会依法开展活动。

这里应当指出的是，人民政府或者有关部门在处理侵犯工会合法权益的案件过程中，必须依法进行处理，既不能姑息放任，也不能随意处罚。对于企业等用人单位违反工会法规定的行为，经劳动行政部门及至人民政府的严肃处理，责令改正，一般来讲都会改正违法行为的；对极少数较为顽固，拒不改正的，可以通过组织纪律处分、通报批评、监督检查等方式进行严肃处理，维护工会法的严肃性。1994 年颁布实施的《中华人民共和国劳动法》第十一章“监督检查”专章规定了“县级以上各级人民政府劳动行政部门依法对用人单位遵守劳动法律、法规的情况进行监督检查，对违反劳动法律、法规的行为有权制止，并责令改正。”“县级以上各级人民政府有关部门，在各自职责范围内，对用人单位遵守劳动法律、法规的情况进行监督。”这些规定，为人民政府及劳动行政部门依法处理企业违反工会法的行为，提供了法律依据。

二、向人民法院提起诉讼

工会的合法权益受到侵犯时，除了提请人民政府或者有关部门来处理外，还可以通过向人民法院提起诉讼来寻求法律救济。向法院提起诉讼，主要是针对侵占、挪用工会经费、财产的行为，以及企业、事业单位无正当理由拖延或者拒不拨缴工会经费的违法行为提起民事诉讼，请求法律保护。其中，对企业、事业单位拖欠或者拒不拨缴工会经费的，根据工会法第四十二条规定，基层工会或者上级工会可以向当地人民法院申请支付令;拒不执行支付令的,工会可以依法申请人民法院强制执行。根据民事诉讼法第十七章关于“督促程序”的规定,对工会就企业、事业单位无正当理由拖欠或者拒不拨缴工会经费而申请支付令的,人民法院应当在五日内通知提出申请的工会是否受理。人民法院受理申请后,经审查工会组织提供的事实、证据,对企业、事业单位拖欠或者拒缴工会经费事实清楚的,应当在受理之日起十五日内向企业、事业单位发出支付令。企业、事业单位应当自收到支付令之日起十五日内缴纳拖欠或者拒缴的工会经费。如果企业、事业单位对支付工会经费有异议,认为自身经营困难,甚至连工资都不能按时发放,根本无力缴纳工会经费;或者暂时资金周转困难,不能按时缴纳工会经费;或者认为已经缴纳过了,不应再缴纳;或者对缴纳数额有异议,认为超过全体职工工资数额的2%等,企业、事业单位可以向人民法院提出书面异议。人民法院收到企业、事业单位提出的书面异议后,应当裁定终结督促程序,支付令自行失效,工会组织可以向人民法院提起民事诉讼,要求企业、事业单位支付其拖欠、拒缴的工会经费。如果企业、事业单位在接到人民法院支付令后的十五日期限内,既不提出异议也不履行支付令的,工会可以向人民法院申请强制执行。

此外,对符合行政诉讼法规定的收案范围,如人民政府或者有关部门不履行其保护工会合法权益的职责,工会请求其依法处理某些违法行为,而不予处理时,工会也可以向人民法院提起行政诉讼。行政诉讼法第十一条规定,公民、法人和其他组织申请行政机关履行保护人身权、财产权的法定职责,行政机关拒绝履行或者不予答复的,公民、法人和其他组织可以向人民法院提起行政诉讼。工会组织可以根据这一规定,对人民政府及有关部门不作为的违法行为,向人民法院提起行政诉讼,寻求法律救济。

第五十条　违反本法第三条、第十一条规定，阻挠职工依法参加和组织工会或者阻挠上级工会帮助、指导职工筹建工会的，由劳动行政部门责令其改正；拒不改正的，由劳动行政部门提请县级以上人民政府处理；以暴力、威胁等手段阻挠造成严重后果，构成犯罪的，依法追究刑事责任。

【释义】　本条是关于对阻挠职工依法参加工会或者阻挠上级工会帮助、指导职工筹建工会的违法行为应承担法律责任的规定。

本条对以下两种违法行为规定了法律责任：

（一）阻挠职工依法参加工会。工会法第三条明确规定："在中国境内的企业、事业单位、机关中以工资收入为主要生活来源的体力劳动者和脑力劳动者，不分民族、种族、性别、职业、宗教信仰、教育程度，都有依法参加和组织工会的权利。任何组织和个人不得阻挠和限制。"参加和组织工会是每一名职工的合法权益，是受国家法律保护的，任何组织和个人都不得侵犯。目前一些用人单位，特别是"三资"企业、私营企业等非公有制企业，限制、阻挠甚至禁止职工依法组织和参加工会，有的用人单位公开宣称谁组织参加工会就辞退谁。因此，新建企业，特别是外商投资企业、私营企业工会组建率低，职工合法权益难以得到保障。据统计，截止到1996年第一季度，外商投资企业只有56.35%组建了工会，而476430家私营企业只有5404家成立了工会组织。就是原来已建立工会组织的企业中，也出现了以精简机构为名随意撤并工会的现象。出现这一问题的原因是多样的，首先是对工会的认识问题。在非公有制企业中，普遍存在对工会组织的作用不了解，甚至是误解，担心成立工会会使职工组织起来难以管理，甚至与企业行政对立；有的则认为成立工会会干预企业经营管理，限制、损害经营者的权威；有的则是因为企业本身存在着违反劳动法律法规的行为，侵犯职工的合法权益而职工又没有意识到或者个人无力与之对抗。成立工会组织，职工就能通过工会来维护自身的合法权益，企业不正当的获利，也将因此而减少；还有些企业是因为不愿缴纳2%的工会经费而不愿建会。另一方面则是这类企业中，职工自我维护权益的意识不强，不知道成立工会对维护自身合法权益的重要性，有的虽然知道工会组织的作用，但慑于老板、经理、厂长的权威而不敢成立或参加工会。

企业阻挠职工依法参加和组织工会的行为方式，主要有：(1)公开阻挠。一些用人单位公开宣称谁参加工会就开除谁，不准职工参加、组建工会，有的甚至以暴力、威胁的手段来公开阻挠。(2)变相阻挠。一些用人单位采用对参加工会的职工进行打击报复、“穿小鞋”的方式变相阻挠职工参加工会。有的职工因为参加工会被从原来较好的工作岗位调到较差的岗位，工资相应降低；有的因为参加工会，造成原来担任的一些班组长、车间主任等职务被撤销。用人单位无论以直接的方式，还是以间接的方式阻挠职工参加工会，都是违反工会法规定的违法行为，都要依法承担法律责任。

（二）阻挠上级工会帮助、指导职工筹建工会的。最大限度地把职工组织到工会中来，保障工会更好地代表和维护职工的合法权益，做好新建企业组建工会工作，是工会的一项基础性任务。为了保证组建工会的顺利进行，针对一些外商投资企业、私营企业和乡镇企业组建工会存在阻力、进展缓慢、覆盖率偏低的状况，工会法第十一条第二款明确规定：“上级工会可以派员帮助和指导企业职工组建工会，任何单位和个人不得阻挠。”通过上级工会的指导和帮助，以加强基层工会的建设是非常重要的。在市场经济条件下，处于全新的劳动关系调整机制下的职工，无论是来自农村的劳动者，还是城镇原有的职工，往往缺少维护自身合法权益的意识和能力，但这种现象是暂时的，出于利益原则，劳动者作为弱者维护自身利益的意识将不断增强，如果不采取有效的手段加以引导、规范，一些同乡会等自发组织的出现将难以避免。因此，应当强化工会的组建工作。上级工会在派员帮助和指导企业组建工会时，一方面要对广大职工积极宣传工会的性质、地位、任务、活动准则以及工会的权利和义务，使广大职工认识到工会是工人阶级自己的组织，是代表和维护职工合法权益的，只有加入工会组织，自身的合法权益才能得到有效地维护，从而激发广大职工积极加入工会组织的愿望，启发他们的阶级觉悟，指导职工自觉地组织起来成立工会，只有这样才能最大限度地把职工组织到工会中来，增强工会的凝聚力，更好地发挥工会组织的作用。另一方面，还要对企业的经营管理者做好宣传、解释工作，使他们认识到中国工会的积极建设性作用，认识到成立工会组织对调动广大职工的积极性、创造性，提高职工的思想道德、技术业务和科学文化素质，建设有理想、有道德、有文化、有纪律的职工队伍，从而有利于企业的发展的重要意义，这样有利于老板、经理、厂长等企业的经营管理者转变观念，消除顾虑，支持工会组建，支持工会依法开展活动，支持职工参加工会。此外，还要强化法律，特别是工会法的宣传教育，要求企业守法经营，自觉遵守国家的法律，特别是工会法的规定，告诫他们如果不遵守工会法的规定，要依法承担相应的法律责任。

企业阻挠上级工会帮助、指导职工筹建工会，主要是指企业拒绝上级工会派员进厂来帮助、指导职工组建工会工作，对上级工会派员进厂设置重重障碍，甚至使用暴力、威胁的手段阻挠地方总工会派员来帮助、指导职工组建工会。

对于上述两种行为，工会法规定了以下法律责任：

一是由劳动行政部门责令改正，拒不改正的，由劳动行政部门提请县级以上人民政府依法处理。这里应当指出的是，责令改正并不是一种行政处罚，因为 1996 年 10 月 1 日起施行的行政处罚法在关于行政处罚的种类的规定中，只规定了警告、罚款、没收违法所得、没收非法财物、责令停产停业、暂扣或者吊销许可证、暂扣或者吊销执照、行政拘留这六种行政处罚的种类，并没有将"责令改正"也列入行政处罚的种类当中。在制定行政处罚法的过程当中，关于"责令改正"是有如下考虑的：我国现行的法律、法规中，在行政处罚的手段上都有这样的规定，责令改正违法行为，或者规定责令限期消除违法行为的后果等。考虑到对任何一种违法行为，均应当予以改正，责令改正不应当是一种处罚，而是实施每一种行政处罚的一个前置条件，一个必经过程，即实施每一种行政处罚之前，都应当首先责令当事人改正违法行为，消除违法行为后果，然后才是实施行政处罚，因为实施行政处罚的目的绝不是为罚而罚，而是为了维护公共利益和社会秩序，保护公民、法人或者其他组织的合法权益，纠正违法行为，教育公民、法人自觉守法。为此，行政处罚法第二十三条明确规定："行政机关实施行政处罚，应当责令当事人改正或者限期改正违法行为。"

对于企业采取种种手段阻挠职工参加工会或者阻挠上级工会帮助、指导企业职工组建工会的，劳动行政部门可以通过批评教育的方法，责令有关当事人改正违法行为。劳动行政部门应当对阻挠职工组建工会的企业有关行政负责人指出，企业必须要守法经营，遵守国家有关的法律、法规，组织和参加工会是工会法赋予每一名职工的权益，是受到国家法律保护的，任何人、任何组织都不能侵犯，否则要依法承担相应的法律责任。同时，要教育企业负责人认识到组建工会，依法支持职工参加工会活动，能够更好地发挥职工群众的积极性，建立起稳定协调的劳动关系，提高职工的素质，把企业办得更好。要对他们宣传工会的性质和作用，指出在企业中组建工会，并不是为了跟老板对着干，而是支持企业依法经营管理，教育职工遵守劳动纪律，执行劳动安全卫生规程，组织职工开展劳动竞赛和合理化建议活动，调动广大职工的劳动积极性，努力完成生产任务，为企业的发展做贡献。这样就能消除一些外商、私营企业主对组建工会的误解和疑虑，自觉支持工会的组建工作。

对于一些企业经劳动行政部门责令改正后，仍拒不改正的，劳动行政部门可以提请县级以上人民政府依法处理。各级人民政府应当充分认识到加快新建企业工会组建工作的重要性，重视和支持这项工作，要统筹安排、制定规划、齐心协力，督促企业遵守工会法的规定，支持、配合工会组织，指导职工建立工会。对于干扰和阻挠组建工会的违法行为，必须依法予以纠正，维护法律的严肃性。

二是以暴力、威胁手段阻挠参加工会或者阻挠上级工会帮助、指导职工筹建工会，造成严重后果，构成犯罪的，依法追究刑事责任。刑事责任，又称刑罚，是依据国家刑事法律规定，对实施犯罪行为的行为人所给予的处罚。行政处罚和刑罚的本质区别在于行政处罚是对实施尚未构成犯罪的轻微违法行为的当事人所给予的处罚；而刑罚是对实施犯罪行为的当事人所给予的处罚。所谓犯罪，是指一切危害国家主权、领土完整和安全，分裂国家、颠覆人民民主专政的政权和推翻社会主义制度，破坏社会秩序和经济秩序，侵犯国有资产或者劳动群众集体所有的财产，侵犯公民私人所有的财产，侵犯公民的人身权利、民主权利和其他权利，以及其他危害社会，依照法律应当受刑罚处罚的行为。依照我国刑法的规定，刑罚包括主刑和附加刑两种。主刑有管制、拘役、有期徒刑、无期徒刑和死刑；附加刑有罚金、剥夺政治权利和没收财产。此外，对于犯罪的外国人，可以独立适用或者附加适用驱逐出境。

1997 年 3 月 14 日第八届全国人大第五次会议通过了对刑法的修订案，修订后的刑法对以暴力、威胁的手段侵犯公民人身权利、民主权利的犯罪明确规定了法律责任，刑法第二百三十四条规定："故意伤害他人身体的，处三年以下有期徒刑、拘役或者管制。""犯前款罪，致人重伤的，处三年以上十年以下有期徒刑；致人死亡或者以特别残忍手段致人重伤造成严重残疾的，处十年以上有期徒刑、无期徒刑或者死刑。本法另有规定的，依照规定。"

致人重伤,依照刑法第九十五条的规定,有下列情形之一的伤害:(1)使人肢体残废或者毁人容貌的;(2)使人丧失听觉、视觉或者其他器官机能的;(3)其他对于人身健康有重大伤害的。“其他对于人身健康有重大伤害的”,主要是指能够引起威胁生命的并发症,以及其他严重影响人体健康的损伤,主要包括颅脑损伤、颈部损伤、胸部损伤、腹部损伤、骨盆部损伤以及烧伤、烫伤、冻伤、电击伤、物理、化学或者生物等致伤因素引起的损伤。第二百三十八条规定:“非法拘禁他人或者以其他方法剥夺他人人身自由的,处三年以下有期徒刑、拘役、管制或者剥夺政治权利。具有殴打、侮辱情节的,从重处罚。”第二百四十六条规定:“以暴力或者其他方法公然侮辱他人或者捏造事实诽谤他人,情节严重的,处三年以下有期徒刑、拘役、管制或者剥夺政治权利。”

第五十一条[①] **违反本法规定,对依法履行职责的工会工作人员无正当理由调动工作岗位,进行打击报复的,由劳动行政部门责令改正、恢复原工作;造成损失的,给予赔偿。**

对依法履行职责的工会工作人员进行侮辱、诽谤或者进行人身伤害,构成犯罪的,依法追究刑事责任;尚未构成犯罪的,由公安机关依照治安管理处罚条例的规定处罚。

【释义】 本条是关于对依法履行职责的工会工作人员无正当理由调动工作岗位,进行打击报复的违法行为所应承担的法律责任的规定。

一、对依法履行职责的工会工作人员无正当理由调动工作岗位,进行打击报复的,由劳动行政部门责令改正、恢复原工作;造成损失的,给予赔偿

① 根据2009年8月27日《全国人民代表大会常务委员会关于修改部分法律的决定》,本条中的“治安管理处罚条例”修改为“治安管理处罚法”。

在建立社会主义市场经济体制的过程中，劳动关系日趋复杂，劳动争议日渐增多。基层工会在协调劳动关系、维护职工合法权益的过程中应该发挥积极的作用。然而基层工会干部维护职工合法权益，往往与企业行政方面发生矛盾，有些人还受到打击报复。如以各种理由解除为职工维权的基层工会干部的劳动合同，或者将其调离原工作岗位，或者降低其工资待遇，还有的在工会干部劳动合同到期后以种种借口不续签合同。这些事件虽然不多，但影响极大，直接关系到工会干部的积极性和队伍的稳定。由此引发当前工会工作中一个值得重视的问题，基层工会干部维护职工的合法权益，谁来维护基层工会干部的合法权益？因此，在保障工会维护职工利益的同时，也迫切需要保护工会干部的合法权益。为此，工会法第十七条明确规定："工会主席、副主席任期未满时，不得随意调动其工作。因工作需要调动时，应当征得本级工会委员会和上一级工会的同意。""罢免工会主席、副主席必须召开工会会员大会或者会员代表大会讨论，非经会员大会全体会员或者会员代表大会全体代表过半数通过，不得罢免。"对违反这一规定的，由劳动行政部门责令改正，恢复工会工作人员的原工作；对因这一违法行为给有关工会工作人员造成损失的，给予赔偿。这里规定了侵权赔偿的民事责任。

民事责任是根据民法的规定，公民或者法人在违反自己的民事义务或侵犯他人的民事权利时所应承担的法律后果。构成民事责任的条件包括：(1)损害事实；(2)违法行为；(3)因果关系；(4)主观过错。承担民事责任的形式，在财产关系方面，表现为恢复被违法行为所破坏的财产权利；在人身方面，除恢复人身权利外，还必须赔偿因此而受到的财产损失。我国民法通则所规定承担民事责任的方式有：(1)停止侵害；(2)排除妨害；(3)消除危害；(4)返还财产；(5)恢复原状；(6)修理、重作、更换；(7)赔偿损失；(8)支付违约金；(9)消除影响、恢复名誉；(10)赔礼道歉。

如果企业、事业等用人单位对依法履行职责的工会工作人员无正当理由调动工作岗位,进行打击报复的,则构成了一种民事侵权行为,要依法承担侵权赔偿的民事责任。赔偿的范围包括受害的工会工作人员的物质损失和精神损失。物质损失主要包括工资或其他劳动收入的损失以及为保护自己合法权益,寻求救济而支付的必要的交通费用、误工费用等。此外,工会工作人员因此而受到的精神损失也应在赔偿之列。工会主席、副主席等工会工作人员是基层工会组织的领导人,他们肩负着代表和维护职工合法权益,组织职工参加企业民主管理,对企业进行民主监督等各项法律所赋予的神圣职责,如果企业无正当理由调动其工作岗位,对其进行打击报复,他们在精神上无疑会受到很大伤害,遭受很大痛苦。因此,除了物质方面的赔偿外,对其进行适当的精神赔偿是十分必要的。

所谓精神损害赔偿,是指公民因其人身权利受到不法侵害而遭受精神痛苦或精神利益受到损害,要求侵权人进行金钱赔偿的一种法律制度。精神损害赔偿的条件,根据最高人民法院 2001 年 3 月 8 日发布的《关于确定民事侵权精神损害赔偿责任若干问题的解释》(以下简称《解释》)和婚姻法的规定,在下列几种情况下可以请求精神损害赔偿:第一,自然人因人格权利(包括生命权、健康权、身体权;姓名权、肖像权、名誉权、荣誉权;人格尊严、人身自由权)遭受非法侵害时,有权向法院起诉请求赔偿精神损害。第二,违反社会公共利益、社会公德、侵害他人隐私或者其他人格利益,受害人有权以侵权为由向法院起诉请求赔偿精神损害。如宣扬他人婚恋生活、私自开拆他人信件了解他人的秘密等,都属于侵犯他人隐私权的行为。第三,非法使被监护人脱离监护,导致亲子关系或近亲属间的亲属关系遭受严重损害的,监护人有权起诉请求精神损害赔偿。第四,自然人死亡后,其近亲属因下列侵权行为遭受精神痛苦的,有权向法院起诉请求赔偿精神损害:(1)以侮辱、诽谤、贬损、丑化或者违反社会公共利益、社会公德的其他形式,侵害死者姓名、肖像、名誉、荣誉;(2)非法披露、利用死者隐私,或者以违反社会公共利益、社会公德的其他形式侵害死者隐私;(3)非法利用、损害遗体、遗骨,或者以违反社会公共利益、社会公德的其他形式损害遗体、遗骨。第五,具有人格象征意义的特定纪念物品,因侵权行为而永久性灭失或者损毁,物品所有人以侵权为由,向人民法院起诉请求精神损害赔偿的,法院应当依法受理。第六,因过错导致离婚的,无过错方有权请求精神损害赔偿。根据婚姻法第四十六条的规定,导致离婚的过错包括重婚、有配偶者与他人同居、实施家庭暴力及虐待、遗弃家庭成员的。工会工作人员因用人单位非法调动其工作岗位,遭受打击报复的,可以依据《解释》的第一种情况,即人格权利受到侵害,向法院请求精神损害赔偿。

当事人承担精神损害赔偿责任的方式有:致人精神损害,未造成严重后果的,可判令侵权人停止侵害、恢复名誉、消除影响、赔礼道歉;造成严重后果的,应根据受害人一方的请求同时判令侵权人赔偿相应的精神损害抚慰金。精神损害赔偿应起到三个作用:一是对受害人的抚慰,二是对加害人的制裁,三是对社会的一般的警示。只有符合这三点要求,这样的赔偿数额就是合适的,而不在于究竟是多是少。法院确定精神损害赔偿数额一般根据以下因素:(1)侵权人的过错程度,法律另有规定的除外;(2)侵害的手段、场合、行为方式等具体情节;(3)侵权行为所造成的后果;(4)侵权人的获利情况;(5)侵权人承担责任的经济能力;(6)受诉法院所在地的平均生活水平。

二、对依法履行职责的工会工作人员进行侮辱、诽谤或者进行人身伤害的

所谓侮辱,是指以暴力或者其他方法,公然诋毁他人人格,破坏他人名誉的行为。侮辱的方法可以是暴力,也可以是暴力以外

的其他方法。所谓暴力，是指以强制方法来损害他人人格和名誉，如强迫他人戴高帽游行、当众剥光他人衣服等。所谓“其他方法”，是指以语言、文字等方法侮辱他人，如当众嘲笑、辱骂、贴传单或者利用漫画告示来污辱他人。这里应当指出的是，侮辱他人的行为，首先必须是公然进行的，即能够使众人听到或看到的方式，对他人进行污辱；其次，这种污辱行为必须是针对特定的人实施，如果不是针对特定的人实施，只是一般的谩骂，不构成污辱罪。所谓诽谤，是指故意捏造事实，并且进行散布，损害他人人格和名誉的行为。捏造事实，是指无中生有，凭空捏造虚假的事实。进行散布，包括利用口头、书面的方式进行散布。人身伤害，是指故意非法损害他人身体健康的行为。

对于这三种行为，如果情节特别严重，构成犯罪的，就要依据刑法的规定追究刑事责任；如果情节不是特别严重，尚未构成犯罪的，应当依照《治安管理处罚条例》的规定，由公安机关给予行政处罚。这一款规定了两种法律责任：行政责任和刑事责任。

（一）行政责任

行政责任包括行政处罚和行政处分。行政处罚是国家法律制度的重要组成部分，是行政机关依法进行行政管理，保障法律贯彻实施的重要手段，是行政责任中的一种形式。第八届全国人民代表大会第四次会议审议通过了《中华人民共和国行政处罚法》，这部法律从行政处罚的设定、实施机关、处罚程序等方面对行政处罚进行了规范，从而完善了我国的法律责任制度，对于保障和监督行政机关有效实施行政管理，维护公共利益和社会秩序，保护公民、法人或者其他组织的合法权益具有十分重要的意义。根据行政处罚法的规定，公民、法人或者其他组织违反行政管理秩序的行为，应当给予行政处罚的，依照行政处罚法由法律、法规或者规章规定，并由行政机关依照行政处罚法规定的程序实施。行政处罚的种类有：警告；罚款；没收违法所得、没收非法财物；责令停产停业；

暂扣或者吊销许可证、暂扣或者吊销执照;行政拘留。

《治安管理处罚条例》第二十二条对下列侵犯他人人身权利,尚不构成刑事处罚的行为规定了处十五日以下拘留、二百元以下罚款或者警告的行政处罚:(1)殴打他人,造成轻微伤害的;(2)非法限制他人人身自由或者非法侵入他人住宅的;(3)公然侮辱他人或者捏造事实诽谤他人的;(4)写恐吓信或者用其他方法威胁他人安全或者干扰他人正常生活的。根据这一规定,对于对依法履行职责的工会工作人员进行污辱、诽谤或者进行人身伤害的违法行为,如果尚不构成犯罪的,应当由公安机关给予十五日以下拘留、二百元以下罚款或者警告的行政处罚。这里规定了三个处罚种类:行政拘留、罚款和警告。

行政拘留在学理上称为人身罚,是公安机关对违反治安管理的人,在短期内限制其人身自由的处罚形式。行政拘留是最严厉的行政处罚种类,根据治安管理处罚条例的规定,只有县级以上公安机关才有行政拘留的决定权。拘留一般适用于严重违反治安管理的行为人,只有在使用警告、罚款处罚不足以惩治违法者时才适用拘留处罚。对于怀孕或正在哺乳自己婴儿的妇女,不能适用拘留处罚。处罚的期限应在一日以上,十五日以下。按照《治安管理处罚条例》的规定,被处以拘留处罚的人或者其家属能够找到担保人或者按规定交纳保证金的,在申诉和诉讼期间,原处罚决定暂缓执行。

警告在学理上称为申诫罚,有告诫的意思,就是当公民、法人或者其他组织有违反行政管理秩序的行为时,行政机关可以责令其立即改正违法行为,告诫其应当遵守法律、法规的有关规定,不能违法。警告是六种处罚中相对比较轻的一种处罚,所以行政处罚法对其设定权的规定比较宽松:法律、法规、规章都可以设定警告的处罚,并且行政机关适用简易程序即可当场作出处罚决定,不必经过调查、收集证据等一般程序。

罚款在学理上称作财产罚,所谓财产罚是指使被处罚的当事人的财产权利和利益受到损害的行政处罚,主要是对当事人的财产权予以剥夺,并不影响违法者的人身自由和进行其他活动的权利。财产罚的形式主要表现为没收其不合法占有的财物和金钱,或使其缴纳一定数额的金钱,即没收违法所得、没收非法财物和罚款。财产罚主要适用于以下三种情况:(1)有经济收入的公民或有固定资产的法人或者组织所实施的违法行为;(2)在从事以营利为目的的经营活动中所实施的违法行为;(3)行为人实施违法行为所造成的危害后果,可以通过剥夺其财产予以补偿,对这种违法行为可适用财产罚。财产罚必须以制裁违法行为为目的,依法适用,不能滥用和乱用,否则必然会产生种种弊端。罚款这种处罚种类由于既不影响被处罚人的人身自由及其合法的活动,又能起到对违法行为的惩戒作用,因此成为行政处罚中应用最广泛的一种,在治安管理处罚、工商行政管理处罚、环境保护管理处罚、财产金融管理处罚等许多方面都有罚款的规定。为了更好地规范罚款这一处罚种类,有效地制止乱罚款、滥罚款,行政处罚法从设定权、处罚主体、决定程序、执行程序等方面对罚款进行了规定,特别是规定了罚收分离制度,即作出罚款决定的行政机关应当与收缴罚款的机构分离,除了当场收缴的罚款外,作出行政处罚决定的行政机关及其执法人员不得自行收缴罚款。当事人应当自收到行政处罚决定书之日起十五日内,到指定的银行缴纳罚款。罚收分离制度的确立,杜绝了行政机关以罚款搞创收的不正之风,确保罚款能及时、全额上缴国库,促进了行政机关的廉政建设,保护了当事人的合法权益,是行政处罚中的一大举措。

除了行政处罚以外,行政责任还有一种重要的形式——行政处分,它适用于国家行政机关内部,是上级对有隶属关系的下级违反纪律的行为或者是尚未构成犯罪的轻微违法行为给予的纪律制裁。行政处分和行政处罚虽然同属行政责任的一种,但二者是不同的:第一,适用对象不同,行政处分只适用于国家机关、企业事业单位所属的人员,不适用于社会上一般的公民;而行政处罚则适用于所有的公民、法人或其他组织。第二,适用的违法行为不同,行政处分与行政处罚都适用于行政违法行为,但行政处分适用的是一般的违法失职行为,而行政处罚则适用于违反某种特定的,设定有行政处罚的法律、法规、规章的违法行为。第三,实施处罚的机关不同。实施行政处分的机关必须是被处分人员所在单位或者行政监察机关,实施行政处罚的机关是国家法律规定的具有行政处罚权的行政机关,法律、法规授权的具有管理公共事务职能的组织和行政机关依照法律、法规、规章的规定,在其法定权限内委托的组织。第四,执行不同。行政处分只能由国家机关和事业单位执行;而行政处罚则由行政机关执行,也可由行政机关申请人民法院强制执行。第五,救济的渠道不同。行政处罚的救济渠道为行政复议和行政诉讼,当事人对行政处罚不服的,可以向该行政机关的上级行政机关申请行政复议,也可以向人民法院就行政机关的行政处罚行为提起行政诉讼。行政处分的救济渠道为复核和申诉,当事人对行政处分不服的,可以在接到处分决定之日起三十日内向原处分机关申请复核,或者向行政监察机关申诉。受理复核和申诉的行政机关或者监察机关经审查认为原行政处分决定是错误的,应当及时予以纠正;造成名誉损害的,应当负责恢复名誉、消除影响、赔礼道歉;造成经济损失的,应当负赔偿责任。

(二)刑事责任

1. 侮辱、诽谤罪。刑法第二百四十六条规定:“以暴力或者其他方法公然侮辱他人或者捏造事实诽谤他人,情节严重的,处三年以下有期徒刑、拘役、管制或者剥夺政治权利。”“前款罪,告诉的才处理。但是严重危害社会秩序和国家利益的除外。”对依法履行职责的工会工作人员进行侮辱、诽谤,如果情节严重,构成犯罪的,即依此条的规定追究刑事责任。所谓“情节严重”,是指侮辱、诽谤他人手段恶劣、后果严重或者影响很坏等情况,一般是指以暴力的方式对他人进行污辱、诽谤,但这里的暴力,其目的不是为损害他人的身体健康,如果在实施侮辱的过程中造成他人死亡或者伤害后果的,即构成杀人罪或者故意伤害罪,不构成污辱、诽谤罪。这里应当指出的是,对于侮辱罪、诽谤罪,只有被污辱人、被诽谤人亲自向人民法院控告的,人民法院才能受理,对于被侮辱人、被诽谤人不控告的,司法机关不能主动受理,追究侮辱、诽谤行为人的刑事责任。但也有例外,一是根据刑法第九十八条的规定,如果被害人受强制或者威吓而无法告诉的,人民检察院和被害人的近亲属也可以告诉;二是依照刑法第二百四十六条第二款的规定,严重危害社会秩序和国家利益的除外,这里所说的"严重危害社会秩序和国家利益",主要是指侮辱、诽谤行为造成被害人精神失常或者自杀的,可由人民检察院提起公诉。

2. 故意伤害罪。刑法第二百三十四条规定:"故意伤害他人身体的,处三年以下有期徒刑、拘役或者管制。""犯前款罪,致人重伤的,处三年以上十年以下有期徒刑;致人死亡或者以特别残忍手段致人重伤造成严重残疾的,处十年以上有期徒刑、无期徒刑或者死刑。本法另有规定的,依照规定。"对依法履行职责的工会工作人员进行人身伤害,情节严重,构成犯罪的,依照此条的规定追究刑事责任。致人重伤,是指依照刑法第九十五条的规定,有下列情形之一的伤害:(1)使人肢体残废或者毁人容貌的;(2)使人丧失听觉、视觉或者其他器官机能的;(3)其他对于人身健康有重大伤害的。

第五十二条　违反本法规定,有下列情形之一的,由劳动行政部门责令恢复其工作,并补发被解除劳动合同期间应得的报酬,或者责令给予本人年收入二倍的赔偿:

(一)职工因参加工会活动而被解除劳动合同的;

（二）工会工作人员因履行本法规定的职责而被解除劳动合同的。

【释义】　本条是关于对职工因参加工会活动而被解除劳动合同，以及工会工作人员因履行本法规定的职责而被解除劳动合同的行为，所应承担法律责任的规定。

本条对以下两种违法行为规定了法律责任：

一、职工因参加工会活动而被解除劳动合同的

1994年第八届全国人大常委会第八次会议审议通过的《中华人民共和国劳动法》对劳动合同制度作出了明确的规定。根据劳动法规定，劳动合同是劳动者与用人单位确立劳动关系，明确双方权利和义务的协议。确立劳动关系应当订立劳动合同。劳动合同依法订立即具有法律约束力，当事人必须履行劳动合同规定的义务。实行劳动合同制，是我国用工制度的一大改革，也是深化企业内部改革的一项重要措施，对增强企业活力，调动广大职工群众的积极性具有重要意义。

参加工会活动是每一名职工应当享有的权利，是受国家法律保护的，任何用人单位不能违反劳动法、工会法的规定，因职工参加工会活动而解除其劳动合同。对于用人单位单方面解除劳动者合同的条件，劳动法第二十五条、第二十六条作出了明确规定：劳动法第二十五条规定："劳动者有下列情形之一的，用人单位可以解除劳动合同：（一）在试用期间被证明不符合录用条件的；（二）严重违反劳动纪律或者用人单位规章制度的；（三）严重失职，营私舞弊，对用人单位利益造成重大损失的；（四）被依法追究刑事责任的。"第二十六条规定："有下列情形之一的，用人单位可以解除劳动合同，但是应当提前三十日以书面形式通知劳动者本人：（一）劳动者患病或者非因工负伤，医疗期满后，不能从事原工作也不能从事由用人单位另行安排的工作的；（二）劳动者不能胜任工作，经过培训或者调整工作岗位，仍不能胜任工作的；（三）劳

动合同订立时所依据的客观情况发生重大变化,致使原劳动合同无法履行,经当事人协商不能就变更劳动合同达成协议的。”除了上述劳动法第二十五条、第二十六条规定的情形外,用人单位不能以种种借口,特别是因参加工会活动而单方面解除职工的劳动合同。

二、工会工作人员因履行本法规定的职责而被解除劳动合同的

工会的一切工作离不开工会干部。工会大量的工作是通过工会干部的辛勤劳动来完成的。工会干部,特别是基层工会干部在履行职责中,为完成工会的任务,为维护职工的合法权益,必须要与企业、事业单位行政方面就各种争议或者矛盾进行交涉、协商,特别是对企业、事业单位克扣职工工资、不提供劳动安全卫生条件、随意延长劳动时间等严重侵犯职工劳动权益的,工会干部有责任代表职工去与企业、事业单位交涉,要求企业、事业单位采取措施予以改正。这样就使得工会主席、副主席等基层工会干部处在矛盾的焦点上,有的因此而遭到打击报复的情况时有发生。在实践中,有的工会干部因履行职责而被调离、撤职,有的被扣发工资,有的被解除劳动合同。维护职工合法权益是工会的基本职责,在社会主义市场经济条件下,由于经济结构的战略性调整,公有制实现形式的多样化和非公有制经济的快速发展,经济关系和劳动关系发生了深刻变革。在这种情况下,更需要突出和强调工会维护职工合法权益的职能。为了更好地保障工会干部履行好维护职工合法权益的职能,法律有必要保护好维权者——工会干部,使他们能够大胆工作,解除他们的后顾之忧,为他们履行好职责保驾护航。为此,工会法第十七条明确规定:“基层工会专职主席、副主席或者委员自任职之日起其劳动合同自动延长,延长期限相当于其任职期间;非专职主席、副主席或者委员自任职之日起,其尚未履行的劳动合同期限短于任期的,劳动合同期限自动延长至任期期满。但是,任职期间个人严重过失或者达到法定退休年龄的除

外。”对违反此条规定，擅自解除工会工作人员劳动合同的，要依法承担相应的法律责任。

对以上两种违法行为，本条规定的法律责任是：由劳动行政部门责令恢复其工作，并补发被解除劳动合同期间应得的报酬，或者责令给予本人年收入二倍的赔偿。

1. 由劳动行政部门责令恢复其工作，并补发被解除劳动合同期间应得的报酬。

劳动行政部门是劳动工作的行政主管机关。国务院劳动行政部门主管全国劳动工作，县级以上地方人民政府劳动行政部门主管本行政区域内的劳动工作。因此，监督劳动法律、法规的实施，成为各级劳动行政部门的权限和职责。劳动法规定：“县级以上各级人民政府劳动行政部门依法对用人单位遵守劳动法律、法规的情况进行监督检查，对违反劳动法律、法规的行为有权制止，并责令改正。”

劳动行政部门监督检查劳动法律、法规遵守和执行情况的具体内容有很多，其中，用人单位劳动合同的订立和履行情况是一项很重要的内容，因为劳动合同是保障劳动者实现劳动权的法律形式。劳动者与用人单位签订劳动合同，就意味着劳动权的实现，劳动者在合同期限内获得了有保障的工作，用人单位不能无故辞退劳动者，这就切实保证劳动者享有劳动的权利。对于用人单位违反劳动法、工会法的规定，因职工参加工会活动而解除劳动合同的，劳动行政部门应当责令恢复其工作，并补发被解除劳动合同期间应得的报酬，包括工资、奖金等各种应得的报酬。

2. 责令给予本人年收入二倍的赔偿。

如果职工在被解除劳动合同期间又找到了其他工作，或者本人不愿意再回到原来的用人单位工作，在征得职工本人同意的情况下，劳动行政部门也可以通过责令用人单位给予职工本人在本企业所得年收入二倍的赔偿的方式，来补偿职工由于被解除劳动合同所受到的损失,维护其合法权益。这里规定的“给予本人年收入二倍的赔偿”是一种违约的民事法律责任。

违约责任,是指当事人违反合同依法应该承担的法律责任。违约责任是合同制度的核心。它具有以下特征:第一,违约责任是一种财产责任。法律一般只强制违约者用其财产来弥补因违约给对方所造成的损失。虽然这种弥补有时带有惩罚性,如本条规定的“给予本人年收入二倍的赔偿”就带有明显的惩罚性,但它与刑事责任中带有人身惩罚性质的罚金、没收财产是根本不同的,它仅限于财产责任,是违约者对造成他人损害所必须承担的一种义务,而不是对违约者的人身惩罚。第二,违约责任权存在于合同当事人之中。违约责任是合同一方当事人因违反合同而产生的民事责任,没有合同关系,就不可能产生违约责任问题。用人单位与职工是存在着劳动合同关系的,虽然劳动合同与一般的民事合同有所区别,但从大的方面来讲,它也是一种合同,也是遵循平等自愿的原则签订的,所以用人单位非法单方面解除职工的劳动合同,也是一种违反合同的违约行为,因而要承担相应的违约赔偿责任。第三,违约责任基于法律的规定或当事人的约定而产生。用人单位与劳动者之间的劳动合同一经签订,即产生法律效力,当事人必须履行合同规定的义务,这是劳动法明文规定的,即使在劳动合同中没有规定违约责任条款,违约方也要承担违约责任。当然违约责任也可依当事人的约定而产生。当事人约定的违约责任,常常是基于法律规定而产生的违约责任的重要补充。

违约责任的形式,从违约一方说,是违约后将要受到的某种法律制裁;从受害一方说,是违约出现后可能得到的法律救济方式。违约责任的形式主要有两种:第一,违约金。违约金是当事人一方不履行合同时依法律规定或合同约定向对方支付一定数额的金钱,用以制裁违约当事人和救济受害一方的主要方式之一。凡法律规定或合同约定有违约金的,当事人在履行合同过程中,如因自己的过错而违约时,无论是否给对方造成损失,都负有支付违约金的责任,因而违约金带有一定的惩罚性。本条规定的“给予年收入二倍的赔偿”,即是带有惩罚性质的,因而是属于违约金这一形式的违约责任。第二,赔偿损失。赔偿损失,是指违约方不履行合同给对方造成损失时,依法承担的赔偿责任。它是违约出现后受害一方可能得到的最重要的法律救济方式,往往以赔偿金的方式出现。赔偿金与违约金不同,前者只具有补偿性的一面,受害一方只能在遭受的实际损失范围内提出赔偿要求;而后者是一种以惩罚为主兼有补偿性的制裁方式。

违约责任的构成要件为:第一,当事人要有违约行为,这是违约责任的客观要件。用人单位因职工参加工会活动,或工会干部履行职责而非法解除他们的劳动合同,即是一种违约行为。第二,违约方主观上有过错,这是违约责任的主观要件。我国法律追究当事人的违约责任,除了看其客观是否有违约行为外,还要看主观上是否有过错。用人单位违反法律规定,解除劳动者的劳动合同,主观上显然是有过错的,所以应当承担违约责任。只有具备上述两个要件,无论受害的劳动者一方是否因用人单位解除劳动合同的行为而受到了损失,用人单位都应当承担法律规定的违约责任。

劳动行政部门在处理有关企业、事业等用人单位违反本条规定的案件时,应注意几点:一是本条所规定的两种法律责任是一种“或者”的选择关系,而非“和”的并列关系,就是说,“责令恢复其工作,并补发被解除劳动合同期间应得的报酬”与“责令给予本人年收入二倍的赔偿”二者之间只能选择其一对用人单位适用,不能既让用人单位恢复职工的原工作并补发被解除劳动合同期间应得的报酬,又让给予本人年收入二倍的赔偿,这样规定比较公平,实践中也行得通,有利于法律的执行;二是劳动行政部门对用人单位是适用“责令恢复其工作,并补发被解除劳动合同期间应得的报酬”,还是“责令给予本人年收入二倍的赔偿”的法律责任,应征求被解除劳动合同的当事职工的意见,如果职工本人还愿意回原企业工作,劳动行政部门应责令用人单位恢复其原工作,并补发被解除劳动合同期间应得的报酬;如果职工本人不愿意再回原企业工作,劳动行政部门应责令用人单位给予职工本人年收入二倍的赔偿;三是"责令给予本人年收入二倍的赔偿"中的"年收入"是指职工本人在被解除劳动合同的原单位的年收入,包括工资、奖金等用人单位发的各种报酬,不包括职工本人在单位外部所获得的其他收入,如股票、存款利息、房产出租等收入。四是被解除劳动合同的职工或工会干部,除了可以提请劳动行政部门依法处理外,还可以依据劳动法、工会法的规定,向劳动仲裁机构申请劳动争议仲裁,对仲裁机构不予受理或对仲裁裁决不服的,可以向人民法院提起诉讼。

第五十三条　违反本法规定,有下列情形之一的,由县级以上人民政府责令改正,依法处理:

(一)妨碍工会组织职工通过职工代表大会和其他形式依法行使民主权利的;

(二)非法撤销、合并工会组织的;

(三)妨碍工会参加职工因工伤亡事故以及其他侵犯职工合法权益问题的调查处理的;

(四)无正当理由拒绝进行平等协商的。

【释义】　本条是关于对妨碍工会依法行使职权的违法行为所应承担法律责任的规定。

本条对以下四种违法行为规定了法律责任:

一、妨碍工会组织职工通过职工代表大会和其他形式依法行使民主权利的

在我国的社会主义民主政治建设中,加强基层民主制度的建设具有十分重要的意义。党的十五大报告明确指出,推进我国民

主政治建设的一个重要方面和措施，就是要不断扩大基层民主，“坚持和完善以职工代表大会为基本形式的企事业民主管理制度，组织职工参与改革和管理，维护职工合法权益”。参与企业管理是工会行使自身权利的一个十分重要的方面。企业管理的每一项工作，都离不开听取广大职工的意见和建设，因而都需要工会代表、组织职工参加。工会组织职工参与企业管理，有助于全面促进企业的物质文明和精神文明建设，提高企业的经济效益，发挥职工群众主人翁的积极性、创造性，维护职工的合法权益。工会组织职工依法行使民主权利，参与企业管理的重点，主要是参与企业生产经营的重大决策，参与企业工资、奖金的分配，参与企业劳动安全卫生、社会保险、生活福利问题的决定，参与企业各项制度的改革等。工会组织职工行使民主权利的形式，可以包括职工代表大会、职工大会等多种形式，对此，工会法也作了比较灵活的规定：工会法第三十五条规定：“国有企业职工代表大会是企业实行民主管理的基本形式，是职工行使民主管理权力的机构，依照法律规定行使职权。”第三十六条规定：“集体企业的工会委员会，应当支持和组织职工参加民主管理和民主监督，维护职工选举和罢免管理人员、决定经营管理的重大问题的权力。”第三十七条规定：“本法第三十五条、第三十六条规定以外的其他企业、事业单位的工会委员会，依照法律规定组织职工采取与企业、事业单位相适应的形式，参与企业、事业单位民主管理。”作为企业、事业单位的行政方面，要依法支持工会开展工作，保障广大职工享有充分的民主权利，只有这样才能调动广大职工的积极性，促进企业健康发展。现代管理思想的一个重要理念就是以人为本，无论什么性质的企业，其发展都离不开职工积极性、智慧和创造力的发挥。工会组织职工参与企业民主管理，能够加强企业管理层与职工的相互沟通和联系，促使职工充分了解企业的生产经营状况，对于这些企业的发展将起到十分重要的作用。如果企业、事业单位违反工会法的规定，妨碍工会组织职工通过职工代表大会或其他形式行使民主权利的，要承担相应的法律责任。

二、非法撤销、合并工会组织的

工会法第十二条明确规定，“任何组织和个人不得随意撤销、合并工会组织”。工会组织是依法成立的，除了按工会法第十二条规定的“基层工会所在的企业终止或者所在的事业单位、机关被撤销，该工会组织相应撤销，并报告上一级工会”外，任何组织和个人不得随意加以撤销，或者把工会组织合并到其他的部门当中。目前，一些用人单位以精简机构为名，随意撤并工会，甚至一些国有企业也出现了非法撤销、解散、合并工会的情况。有的企业甚至将撤并工会作为“抓改制促生产、增效益”的经验加以介绍、推广。出现这一情况，主要是一些用人单位对工会的性质、地位、作用缺乏正确认识，对市场经济条件下劳动关系新的调整机制中工会的重要性不了解，把工会看作多余的组织或者当作行政的附属而随意加以撤销、合并。这种违法撤销、合并工会组织的行为，要依法承担相应的法律责任。

三、妨碍工会参加职工因工伤亡事故以及其他侵犯职工合法权益问题的调查处理的

工会参加职工因工伤亡事故和其他严重危害职工健康的问题的调查，是工会对用人单位有关劳动安全卫生工作进行监督的重要手段。党和政府历来重视工会对职工因工伤亡事故的调查处理工作，以追究官僚主义、玩忽职守者的责任，保护广大职工的生命安全和健康。为此，工会法第二十六条规定：“职工因工伤亡事故和其他严重危害职工健康问题的调查处理，必须有工会参加。工会应当向有关部门提出处理意见，并有权要求追究直接负责的主管人员和有关责任人员的责任。对工会提出的意见，应当及时研究，给予答复。”违反这一规定，妨碍工会参加职工因工伤亡事故以及其他侵犯职工合法权益问题的调查处理的，要依法承担相应

的法律责任。

四、无正当理由拒绝进行平等协商的

1994 年，我国颁布实施了劳动法。劳动法对集体合同作出了明确规定，劳动法第三十三条规定："企业职工一方与企业可以就劳动报酬、工作时间、休息休假、劳动安全卫生、保险福利等事项，签订集体合同。集体合同草案应当提交职工代表大会或者全体职工讨论通过。集体合同由工会代表职工与企业签订；没有建立工会的企业，由职工推举的代表与企业签订。"劳动法实施后，工会依照劳动法的规定大力推动集体合同的工作，通过工会与企业签订集体合同，更好地维护劳动者的合法权益，并取得了显著的效果。从近年来的实践看，在企业中，尤其是在非公有制企业中，由工会代表职工与企业通过平等协商签订集体合同，有利于工会发挥维权职能，建立和维护和谐的劳动关系。进行平等协商应主要围绕维护职工劳动权益，如工资待遇、福利、工作与休息时间、劳动安全卫生等事项进行，并签订集体合同。为此，工会法第六条第二款明确规定："工会通过平等协商和集体合同制度，协调劳动关系，维护企业职工劳动权益。"第二十条第二款规定："工会代表职工与企业以及实行企业化管理的事业单位进行平等协商，签订集体合同。集体合同草案应当提交职工代表大会或者全体职工讨论通过。"代表职工与企业进行平等协商，是工会的权利，如果工会提出与企业行政方面进行平等协商，签订集体合同，而企业行政方面无正当理由拒绝与工会进行平等协商，企业的有关行政负责人要依法承担法律责任。应当指出的是，签订集体合同是一项双方的权利，既是工会的权利，也是企业的权利。如果企业方面提出与工会进行平等协商，工会不能拒绝，否则也要承担相应的法律责任。

发生上述四种违法行为，县级以上人民政府应当责令有关责任人立即停止妨碍工会组织职工通过职工代表大会和其他形式依法行使民主权利的违法行为，支持工会的工作；对被非法撤销的工会组织、对合并到群众工作部、党群工作部、政治部等其他机构的工会组织予以重新恢复；支持工会参加职工因工伤亡事故以及其他侵犯职工合法权益问题的调查处理，对工会提出的处理意见，应当及时研究，给予答复；对工会提出平等协商的，不能拒绝。对拒不改正违法行为的，县级以上人民政府应当依法严肃处理，对有关责任人进行批评教育，直至依法给予行政处分，对有关企业可以给予通报批评，责成其进行必要的整顿。应当指出的是，县级以上人民政府在进行依法处理时，不能超越法律的规定，给予用人单位责令停产停业、罚款、吊销营业执照等种类的行政处罚，理由前已述及，这里不再赘述。

第五十四条　违反本法第四十六条规定，侵占工会经费和财产拒不返还的，工会可以向人民法院提起诉讼，要求返还，并赔偿损失。

【释义】　本条是关于侵占工会经费和财产拒不返还的违法行为所应承担的法律责任的规定。

工会经费的来源，主要有五个部分：一是工会会员缴纳的会费；二是建立工会组织的企业、事业单位、机关按每月全部职工工资总额的百分之二向工会拨缴的经费，这笔经费是在企业所得税税前列支的，体现着国家财政对工会的扶助；三是工会所属的企业、事业单位上缴的收入；四是人民政府的补助；五是其他收入。工会经费主要用于为职工服务和工会活动，其使用范围包括：会员活动费、职工业余教育、事业活动、宣传活动、图书阅览、文艺活动、体育活动、职工集体福利补助、工会组织建设费等。

工会经费实行独立原则，基层工会经费只属于基层工会，由基层工会独立管理，与所在的企业行政方面没有关系，不是该企业的财产。工会独立管理经费是由工会的性质决定的。工会只有独立管理经费,才能真正做到独立负责地开展工作,依法维护职工合法权益,不受制于企业、事业单位的行政意志,也才能为职工多办好事、办实事。工会法关于工会经费来源的规定,说明工会经费既不是政府的财政拨款,也不完全是企业、事业单位的拨款,其收支办法不受企业、事业单位行政的干预。工会经费独立,主要表现为工会有独立的预算、决算和经费审查制度。工会经费的预算,是指工会经过一定程序制定的工会经费年度财务收支计划。工会建立经费预算制度,对贯彻落实工会财务工作方针和任务,保证工会工作全面顺利开展提供了保证。它是工会有计划地组织收入,合理分配支出,促进增收节支,保证需要,充分发挥工会财力的重要手段,为发扬工会财务民主,接受群众监督创造了有利条件。工会经费的决算是工会经费预算执行的总结,它反映着年度工会预算收支的最终结果,也是工会活动在财务上的集中反映。通过编制工会决算,可以从财务上总结一年来的工会组织各项活动的主要经验和问题,为工会决策提供可靠的资料和数据信息。工会经费审查监督制度,是指工会组织内部对各项经费收支和财务管理进行审查监督工作的规范和准则。它是工会独立管理经费的需要,是工会经费、财产管理的重要组成部分。工会建立经费审查监督制度的目的,在于保证工会任务的顺利实现,促进增收节支,合理使用经费,保证各级工会预算的财务收支计划的实现,全面完成工会的各项工作计划。

工会的财产是指工会组织依法取得并享有所有权或占有的动产和不动产。动产主要是指工会开展活动的各种办公设备和设施,不动产是指工会的房屋、场地等。从财产权上划分,工会财产又可分为两类:一种是工会享有所有权的财产,包括工会用自有资金或自筹资金兴建或购置的财产以及工会组织所有的企、事业单位。对于工会享有所有权的这些财产,工会有权行使占有、使用、收益和处分的权利;另一种是工会占有、使用的财产,包括各级人民政府及企业、事业单位和机关为支持和帮助工会开展活动，依法提供给工会使用的不动产。这部分财产的所有权属于提供的单位，工会对于这部分财产享有占有、使用、收益的权利，没有处分的权利。但是应当指出的是，虽然所有权仍归提供单位所有，但提供单位不得随意侵占、挪用和任意调拨这部分工会财产。

工会的财产和经费是工会组织开展活动的物质基础，对工会组织来说，是十分必要的。由于社会主义市场经济的建立和完善，经济结构的战略性调整，公有制实现形式的多样化和非公有制经济的快速发展，经济关系和劳动关系发生了深刻变革。工会工作面临着一些新的问题，所承担的任务也越来越艰巨和繁重。为适应形式的需要，履行好工会职责，特别是维护职工合法权益这一工会的基本职责，除了依靠充分调动和发挥工会干部及广大职工的积极性、创造性，建立科学、完善的工会组织制度，依法保障工会的各项权利外，坚实的物质基础也是不可缺少的重要保障。没有相应的经费、财产保障，工会组织就难以开展活动。工会作为职工群众的社团组织，需要以丰富多彩、群众喜闻乐见的形式对职工群众进行教育，文化宫、俱乐部、体育馆、疗养院、学校等是开展这些活动不可或缺的阵地，没有这些物质保障，工会的群众工作就很难开展。此外，“关心职工的生活，帮助职工解决困难，全心全意为职工服务”也是工会工作的一项重要内容，各级工会组织每年进行的为困难职工“送温暖”活动，就是这一工作的重要体现，做好这项工作无疑也是需要物质基础作保障的。由此可见，工会的经费和财产是工会做好各项工作的不可缺少的物质保障，必须要依法加以保护，决不允许任何组织和个人加以侵犯。

目前侵占工会经费和财产的行为，主要包括：一是一些企业行政方面将工会举办的企业、事业当作企业的财产，非法使用和处分工会的企业、事业单位的人员和财产，任意调拨、挪用工会的这部分财产，甚至擅自改变工会企业、事业单位的产权关系；二是一些地方法院在审理经济纠纷案件中，将工会财产当作企业资产和财产进行冻结和查封、扣押。这些行为都是违法的，其根本原因是没有认识到工会财产的独立性，错误地将企业里的基层工会当作企业的一个职能部门，认为工会的财产是隶属于企业行政的。三是一些部门和单位将工会举办的一些为职工服务的企业、事业单位占为己有，随意改变这些企业、事业单位的隶属关系。工会作为社团法人，有自己独立的财产，可以按照自己的需要独立自主地处分自己的财产权益，承担相应的义务和责任，因而具备独立举办企业、事业单位的资格。工会运用自有资金和自筹资金，在法律规定的范围内，独立或联合举办为职工服务的企业、事业单位，一方面可以增加工会组织本身的财产，另一方面也可以为职工服务，给他们排忧解难，提供经济实惠的衣食住行等各方面的服务，还可以吸收和消化企业的富余人员，为下岗职工提供再就业的机会，因而深受广大职工的欢迎，也解决了企业的一些困难，减轻了企业的发展压力，对于调动职工群众的积极性，促进社会稳定，增强工会的活力和对职工的吸引力、凝聚力，开展好工会工作，更好地维护职工的合法权益，促进改革与经济发展具有十分重要的意义。所以要依法保护好工会所举办的为职工服务的企业、事业单位，它们是各级工会组织所有的财产，任何组织和个人不得随意改变其隶属关系，将工会的企业、事业单位划为他人名下，变工会所有为其他部门和单位所有，这是违反工会法的违法行为。工会法第四十五条明确规定："工会的财产、经费和国家拨给工会使用的不动产，任何组织和个人不得侵占、挪用和任意调拨。"第四十六条规定："工会所属的为职工服务的企业、事业单位，其隶属关系不得随意改变。"对违反这些规定，侵占工会经费和财产，拒不返还的，本条规定了财产损害赔偿的民事法律责任。

财产损害的赔偿，是指行为人对他人财产的侵害应负的赔偿责任。民法通则第一百一十七条明确规定："侵占国家的、集体的财产或者他人财产的,应当折价赔偿。损害国家的、集体的财产或者他人财产的,应当返还财产,不能返还财产的,应当折价赔偿。损害国家的、集体的财产或者他人财产的,应当恢复原状或者折价赔偿。受害人因此遭受其他重大损失的,侵害人并应当赔偿损失。"根据这一规定,对侵害财产所造成的损失,首先应考虑的是,能返还原物的,要返还原物;原物损坏但能修复的要尽量修复;修复后影响其质量和价值的,应予相应的经济补偿;如果不能返还原物或恢复原状的,或以用种类和质量相同的实物赔偿,或按照被损害财产的实际价值赔偿。

致害人对其侵权行为所造成的损害,须承担全部赔偿的责任,即赔偿受害人的所有实际损失,这叫全部赔偿原则。适用全部赔偿原则,尤其应当注意三个问题。第一,不能把刑法上的量刑标准搬到民事责任上来。在刑法上,犯罪行为的性质、社会危害程度、罪过形式和程度以及犯罪分子的个人情况等,都是量刑的重要依据。然而,民法上的损害赔偿范围,完全是根据损害的大小来确定的。违法行为的过错程度,违法行为人的个人情况等,通常对于确定侵权行为人应负赔偿责任范围的大小并无实际意义。因此,若认为故意造成损害或对错误认识不好,就应该全部赔偿甚至多赔偿,反之,就可以少赔偿或不赔偿,这都是错误的。其结果必然会造成多赔或少赔,多赔会给受害人造成不当收入;少赔则又会使受害人的损失得不到应得的补偿。第二,不能把实际损失只理解为直接损失。全部赔偿,是指赔偿受害人全部的实际损失。民法上所说的实际损失包括直接损失和间接损失两个方面。因此,在确定赔偿范围时,直接损失和间接损失,都不应忽视,特别是间接损失,否则,就不可能使受害人的实际损失得到全部赔偿。第三,适用全部赔偿原则时,还要从实际情况出发,既要公平合理,又要实事求是,切实可行。

第五十五条　工会工作人员违反本法规定,损害职工或者工

会权益的，由同级工会或者上级工会责令改正，或者予以处分；情节严重的，依照《中国工会章程》予以罢免；造成损失的，应当承担赔偿责任；构成犯罪的，依法追究刑事责任。

【释义】 本条是关于工会工作人员违反本法规定，损害职工或者工会权益的违法行为所应承担的法律责任的规定。

工会法修正案（草案）在提交第九届全国人大常委会第二十三次会议初审时，在法律责任一章中只规定了六条对企业、事业等用人单位侵犯工会和工会干部合法权益，以及侵犯职工合法权益的行为的法律责任，没有规定对工会干部违法行为的法律责任。在常委会的初次审议中，一些常委委员提出，目前一些工会干部对工作极不负责任，不履行法律规定的职责，对职工的合法权益不关心，不维护，甚至被企业主收买，反过来与职工作对。还有的工会干部贪污、挪用工会经费，在职工中造成很坏的影响。因此，应当规定一条对工会干部的法律责任。根据这一意见，修正案增加了这一条对工会干部的法律责任。

工会干部违反本法规定，损害职工或者工会权益的违法行为，主要包括：

一、工会工作人员不履行本法规定的职责，不代表和维护职工合法权益的

工会的工作离不开工会工作人员，工会工作人员包括工会主席、副主席及工会委员。他们有专职的，即专门从事工会工作，不兼任其他业务工作的，也有非专职的，既从事工会工作，也兼做其他业务工作。工会工作人员，无论是专职的，还是非专职的，都应当恪尽职守，履行好工会干部应尽的职责。特别是工会主席、副主席，是由工会会员大会或者会员代表大会选举出来的、主持工会工作的工会委员会的负责人，广大职工选他们做工会主席、副主席，是相信他们能够代表和维护职工的合法权益，带领广大会员一道搞好工会工作，完成工会的各项任务。所以，作为工会工作人员，

必须尽职尽责,做好本职工作,决不能马虎草率,工作不负责任;或是放弃职守,对自己应当负责的工作撒手不管,更不能被企业行政方面收买,非但不代表和维护职工的合法权益,反而与不法的老板、经理串通一气,坑害职工群众,侵害他们的权益。

二、工会工作人员因其他违法行为侵犯职工及工会合法权益的

除了不履行应尽的职责,工会工作人员因其他违法行为侵犯职工和工会权益的违法行为,也要依法承担法律责任。工会工作人员其他的违法行为,主要包括与其担任工作职务有关的违法行为,包括侵吞、挪用工会经费和财产、收受贿赂,利用职务之便为他人谋取不正当利益等。工会工作人员,作为人民团体的负责人,也属于国家工作人员,因此,要依法承担相应的法律责任。

对于上述工会工作人员的违法行为,本条规定了行政、民事和刑事三种法律责任:

1. 行政责任。工会工作人员违反本法规定,侵害职工或者工会权益的,由同级工会或者上级工会责令改正,或者予以处分。行政处分即是一种行政责任。行政处分是行政机关内部,上级对有隶属关系的下级违反纪律的行为或者是对尚未构成犯罪的轻微违法行为所给予的纪律制裁,在《国家公务员暂行条例》颁布之前,其法律依据主要有两个:一个是1957年国务院颁布的《关于行政机关工作人员的奖惩暂行条例》,该条例对奖惩的目的、条件、种类及其适用程序,都作了比较详细的规定;同时规定,事业单位也参照执行。另一个是1988年国务院颁布的《国家行政机关工作人员贪污贿赂行政处分暂行规定》,该规定着重对贪污贿赂行为的行政处分作了比较全面和具体的规定,实际上是对1957年奖惩暂行条例部分内容的修改和补充。由于四十多年来各种情况的发展变化,1957年的奖惩暂行条例已不适应当前工作的需要。1993年8月14日,国务院颁布了《国家公务员暂行条例》,该条例对行政

处分的种类和适用作了规定，是对国家公务员实施行政处分的主要法规依据。根据《国家公务员暂行条例》的规定，行政处分分为六种：警告、记过、记大过、降级、撤职、开除。(1)警告。有提醒注意、不致再犯的意思，属于申诫处分。它可以是口头的，也可以是书面的，由处分机关选择适用。警告一般适用于轻微的行政违法行为，是行政处分中最轻的一种。根据《国家公务员暂行条例》的规定，国家公务员受警告处分期间，可以晋升工资档次，但不得晋升职务和级别。(2)记过、记大过。这是两种程度有所区别的行政处分。一般来说，记过、记大过适用于国家工作人员的行为违反了行政法的规定，给国家和人民造成了一定的损失，给予警告处分过轻，给予降级处分过重的情况。(3)降级。作为一种行政处分，降级的含义是降低公务员的职务级别。根据《国家公务员暂行条例》的规定，国家公务员的职务分为领导职务和非领导职务，级别分为十五级：一级为国务院总理；二至三级为国务院副总理、国务委员；三至四级为部级正职、省级正职；四至五级为部级副职、省级副职；五至七级为司级正职、厅级正职，巡视员；六至八级为司级副职、厅级副职、助理巡视员；七至十级为处级正职、县级正职、调研员；八至十一级为处级副职、县级副职、助理调研员；九至十二级为科级正职、乡级正职，主任科员；九至十三级为科级副职、乡级副职、副主任科员；九至十四级为科员；十至十五级为办事员。给予降职的行政处分就是由原来的职务级别往下降，如由局级降为处级；由处级降为科级等，同时，对公务员工资中的级别工资也要予以相应地降低。国家公务员实行职级工资制，工资主要有职务工资、级别工资、基础工资和工龄工资构成。降级也要降低工资中的级别工资。受降级处分期间，不得晋升职务和级别，也不得晋升工资档次。(4)撤职。国家公务员的行政违法行为，给国家和人民利益造成重大损失，不适合继续担任行政职务的，可以给予撤职处分。受撤职处分的，同时降低级别和职务工资。受撤职处分期间，不得晋升工资和级别，并不能晋升工资档次。(5)开除。开除是指受处分人不适合继续在国家机关工作，国家机关取消其公务员资格令其离开的处分形式。开除是最严厉的一种处分，适用于公务员犯有违法行为，给国家和人民造成了极其严重的损失，丧失了国家公务员的资格的情况。开除的行政处分不能解除。根据《国家公务员暂行条例》的规定，给予国家公务员行政处分，依法分别由任免机关或者行政监察机关决定；其中给予开除处分的，应当报上级机关备案。县级以下国家行政机关开除国家公务员，必须报县级人民政府批准。国家公务员受开除以外的行政处分，分别在半年至两年内由原处理机关解除行政处分。但是，解除降级、撤职处分不视为恢复原级别、原职务。国家公务员在受行政处分期间，有特殊贡献的，可以提前解除行政处分。解除行政处分后，晋升职务、级别和工资档次不再受行政处分的影响。行政处分决定和解除行政处分的决定应当以书面形式通知本人。

对工会工作人员违法情节严重的，除了由同级工会或者上级工会责令改正，或者予以处分外，还可以依照《中国工会章程》予以罢免。工会主席、副主席是由工会会员大会或者会员代表大会选举产生的，罢免他们自然也要经过工会会员大会或者会员代表大会，决不能由企业、事业单位的行政领导拍板决定，也不能由党组织或者上级工会组织作出决定。对此，工会法第十六条第二款作出了明确的规定："罢免工会主席、副主席必须召开工会会员大会或者会员代表大会讨论，非经会员大会全体会员或者会员代表大会全体代表过半数通过，不得罢免。"那么，由谁来提议召开工会会员大会或者会员代表大会呢？除了按照工会章程的规定定期召开的外，根据工会法第十六条的规定，基层工会委员会定期召开工会会员大会或者会员代表大会，讨论决定工会工作的重大问题。经工会基层委员会或者三分之一以上的工会会员提议，也可以临时召开工会会员大会或者会员代表大会，讨论决定工会工作的重大问题，其中包括罢免工会主席、副主席这样的重大问题。就是说，如果广大会员认为工会主席、副主席不称职，不能代表和维护职工的合法权益的，可以通过三分之一以上的会员联名的方式，提出召开会员大会或者会员代表大会，来罢免工会主席、副主席。

2. 民事责任。工会工作人员违反本法规定，侵害职工或者工会权益，造成损失的，应当承担赔偿责任。这里规定的是一种侵权的损害赔偿责任。

所谓侵权的民事责任，是指行为人由于过错侵害他人的财产、人身，依法应承担的民事赔偿责任。侵权民事责任主要是一种财产责任，它以财产赔偿的方式制裁致害人，从而补偿受害人所受到的损失。侵权民事责任的构成要件有：第一，侵权损害事实。所谓损害，是指由一定的行为或事件给人身或财产造成的不良后果和不良状态，包括一切受法律承认和保护的权利和利益所遭受的不良后果（如财产减损、利润丧失、健康恶化、名誉玷污）和不良状态（如财物被侵占、经营受妨碍、环境被污染、行动受限制）。侵权民事责任以损害事实的存在为要件，没有损害事实的，不承担民事责任。第二，必须有民事违法行为的存在。加害行为必须是违法的，合法行为不负赔偿责任。违法的加害行为有两种：一种是违法的作为，如殴打他人、污辱诽谤他人等，这种积极的违法行为造成他人损害要负赔偿责任是毫无疑义的；另一种是违法的不作为，凡不作为的赔偿责任，必须是法律明文规定当事人有作为的义务，他不尽这种义务，即不作为，因而造成他人损害的，才负赔偿责任。工会法明确规定工会有代表和维护职工合法权益的义务，对企业、事业单位随意延长职工的劳动时间、克扣职工工资、不提供劳动安全卫生条件，甚至采用限制人身自由的方法强制职工劳动等违反劳动法律、法规规定，严重侵犯职工劳动权益的，工会有责任代表职工与企业、事业单位交涉，要求企业、事业单位采取措施予以改正。对企业、事业单位拒不改正的，工会可以请求当地人民政府依法作出处理。如果工会工作人员没有履行这种法定的义务,对职工权益受侵犯漠不关心,视而不见,甚至当职工请求其出面代表去与用人单位交涉时,也毫不理会,根本不去交涉或者敷衍了事,做表面文章,没有认真去行使法律所赋予的交涉权,就是一种不作为的违法行为,因这种不作为的违法行为而侵害了职工的权益的,应当承担侵权赔偿责任。应当指出的是,合法的行为有时也会造成他人损害,但可以不承担赔偿责任,如紧急避险、正当防卫行为等,但这些行为不能超过必要的限度,否则也要承担一定的赔偿责任。第三,侵权行为与损害结果之间有因果关系。正是由于行为人的侵权行为造成受害人的损害,如该损害事实并非该违法行为所造成,则该行为人不承担赔偿责任。第四,行为人主观上有过错。过错是构成违法行为承担民事责任的基本条件。也就是说,违法行为人对自己的行为在主观上有过错时才承担责任,否则,即使有了损害事实和违法行为,行为人也不承担赔偿责任。所谓主观过错,就是故意和过失。行为人能够预见自己行为的后果,并希望这样的结果发生或放任这种结果的发生,称之为故意;行为人对行为的结果应当预见而没有预见到,或者虽然预见到,但又轻信能够避免,称之为过失。故意是行为人的恶意,对社会的危害性也大;而过失违法行为相对对社会的危害性要小一些。

3. 刑事责任。工会工作人员违反工会法的规定,因贪污、挪用工会经费,以及收受贿赂等与其担任工作职务有关的其他违法行为,侵害职工或者工会权益,构成犯罪的,要依法追究其刑事责任。因工会工作人员是人民团体的负责人,属于国家工作人员,所以如果工会工作人员利用职务上的便利,侵吞、挪用工会经费和财产、收受贿赂的,适用刑法第八章有关贪污罪、挪用公款罪、贿赂罪、巨额财产来源不明罪等来定罪量刑。

第一,贪污罪。工会工作人员犯贪污罪的,依照刑法第三百八十二条、三百八十三条的规定定罪量刑。刑法第三百八十二条规定，“国家工作人员利用职务上的便利，侵吞、窃取、骗取或者以其他手段非法占有公共财物的，是贪污罪。”第三百八十三条规定：“对犯贪污罪的，根据情节轻重，分别依照下列规定处罚：（一）个人贪污数额在十万元以上的，处十年以上有期徒刑或者无期徒刑，可以并处没收财产；情节特别严重的，处死刑，并处没收财产；（二）个人贪污数额在五万元以上不满十万元的，处五年以上有期徒刑，可以并处没收财产；情节特别严重的，处无期徒刑，并处没收财产；（三）个人贪污数额在五千元以上不满五万元的，处一年以上七年以下有期徒刑；情节严重的，处七年以上十年以下有期徒刑。个人贪污数额在五千元以上不满一万元，犯罪后有悔改表现、积极退赃的，可以减轻处罚或者免予刑事处罚，由其所在单位或者上级主管机关给予行政处分；（四）个人贪污数额不满五千元，情节较重的，处二年以下有期徒刑或者拘役；情节较轻的，由其所在单位或者上级主管机关酌情给予行政处分。”

第二，挪用公款罪。工会工作人员犯挪用公款罪的，依照刑法第三百八十四条的规定定罪量刑。刑法第三百八十四条规定：“国家工作人员利用职务上的便利，挪用公款归个人使用，进行非法活动的，或者挪用公款数额较大、超过三个月未还的，是挪用公款罪，处五年以下有期徒刑或者拘役；情节严重的，处五年以上有期徒刑。挪用公款数额巨大不退还的，处十年以上有期徒刑或者无期徒刑。”“挪用用于救灾、抢险、防汛、优抚、扶贫、移民、救济款物归个人使用的，从重处罚。”

第三，受贿罪。工会工作人员犯受贿罪的，依照刑法第三百八十五条、第三百八十六条的规定定罪量刑。刑法第三百八十五条规定：“国家工作人员利用职务上的便利，索取他人财物的，或者非法收受他人财物，为他人谋取利益的，是受贿罪。”“国家工作人员在经济往来中，违反国家规定，收受各种名义的回扣、手续费，归个人所有的，以受贿论处。”第三百八十六条规定：“对犯受贿罪的,根据受贿所得数额及情节,依照本法第三百八十三条的规定处罚。索贿的从重处罚。"

第四,巨额财产来源不明罪。工会工作人员的财产或者支出明显超过合法收入,差额巨大,不能说明其来源合法的,依照刑法第三百九十五条的规定定罪量刑。刑法第三百九十五条规定:"国家工作人员的财产或者支出明显超过合法收入,差额巨大的,可以责令说明来源。本人不能说明其来源是合法的,差额部分以非法所得论,处五年以下有期徒刑或者拘役,财产的差额部分予以追缴。""国家工作人员在境外的存款,应当依照国家规定申报。数额较大、隐瞒不报的,处二年以下有期徒刑或者拘役;情节较轻的,由其所在单位或者上级主管机关酌情给予行政处分。"

第七章　附　　则

第五十六条　中华全国总工会会同有关国家机关制定机关工会实施本法的具体办法。

【释义】　本条是对机关工会适用本法的规定。

由于历史原因,工会法主要内容是针对企业作出的规定,虽然工会法的适用范围包括机关,但就工会法的内容来说,对机关工会适用的规定不很多,因此有必要对机关工会如何适用本法再作出更为具体的规定,所以工会法授权中华全国总工会与有关国家机关共同制定实施本法的具体办法。

应当指出,本法的有些规定是不能够适用机关的,尤其是有些条文明确规定了适用于企业事业的,在制定实施办法中不能再扩大到机关。

第五十七条　本法自公布之日起施行。1950 年 6 月 29 日中央人民政府颁布的《中华人民共和国工会法》同时废止。

【释义】　本条是对法律开始施行时间的规定。

法律的施行时间也就是法律的生效时间。正确地理解法律的生效时间,是运用法律不可缺少的条件。法律从何时开始生效,一般根据该项法律的性质和实际需要来决定,通常有三种方式。

第一种是法律条文中明确规定,从其公布之日起生效施行。

第二种是法律公布后,并不立即生效施行,经过一定时期后才开始施行,法律中明确规定生效施行的日期。

第三种是法律公布后先予以试行或者暂行,而后由立法部门加以补充修改,再通过为正式法律,公布施行,在试行期间也具有约束力,如在 1982 年第五届全国人民代表大会常务委员会第二十二次会议通过了《中华人民共和国民事诉讼法(试行)》,经过近十年的司法实践,在 1991 年第七届全国人民代表大会第四次会议上通过了正式的《中华人民共和国民事诉讼法》;再如,1982 年第五届全国人民代表大会第二十五次会议通过的《中华人民共和国食品卫生法(试行)》规定,“本法自 1983 年 7 月 1 日起试行”。经过十二年的试行,在 1995 年第八届全国人民代表大会常务委员会第十六次会议上通过了正式的食品卫生法。

还有一种特殊的生效形式,即法律的施行时间以另一法律的施行为条件。1986 年 12 月 2 日第六届全国人大常委会第十八次会议通过的《中华人民共和国企业破产法(试行)》即为一例。该法第四十三条规定,“本法自全民所有制工业企业法实施满三个月之日起试行”。1988 年 4 月 13 日第七届全国人民代表大会第一次会议通过的《中华人民共和国全民所有制工业企业法》中规定,“本法自 1988 年 8 月 1 日起施行”。即企业破产法从 1986 年 12 月 2 日通过后要到 1988 年 11 月 1 日起才试行。这样的法律施行日期,在十一届三中全会以后,我国法制建设刚刚恢复时期多一些,到了 20 世纪 80 年代后期以及进入 90 年代以后,这样的情况就不多了。

我国的大多数法律多采取第二种方式,例如,刑法、行政诉讼法、教育法等等。工会法采取的是第一种方式。工会法于 1992 年 4 月 3 日由第七届全国人民代表大会第五次会议通过,同日由中华人民共和国主席公布,自公布之日起施行,1950 年工会法即行废止。也就是说,工会法从 1992 年 4 月 3 日发生法律效力,任何组织和个人在工会工作中都必须按照工会法的规定办事。这次全国人大常委会关于修改工会法的决定也是自公布之日起施行。

法律中明确规定法律的生效时间一般涉及法律有无溯及力的

问题。所谓法律的溯及力,即是法律溯及既往的效力。简言之,就是新的法律施行后,对它生效前发生的事件和行为是否适用新法的问题。如果适用,就是具有溯及力;如果不适用就是不具有溯及力。如果具有溯及力的,法律要明确规定适用原则。关于溯及力的原则一般是采用“从旧兼从轻”的原则。即新的法律施行以前的行为,该行为实施时的法律不认为是违法的,适用当时的法律;当时的法律认为是违法的,依照当时的法律给予处罚;但是若新的法律不认为是违法,或者处罚较轻的,则适用新法。如我国 1979 年制定的刑法就规定了这一原则,1997 年新修订的刑法第十二条对于刑法溯及力的问题,也明确规定:“中华人民共和国成立以后本法施行以前的行为,如果当时的法律不认为是犯罪的,适用当时的法律;如果当时的法律认为是犯罪的,依照本法总则第四章第八节的规定应当追诉的,按照当时的法律追究刑事责任,但是如果本法不认为是犯罪或者处刑较轻的,适用本法。”一般的法律没有溯及力,这种不溯及既往的原则已成为各国立法所共同遵循的通例。我国立法法也明确规定了我国的法律一般不具有溯及力。这次工会法的修改也遵照这一原则,即在本次工会法修改施行前发生的法律事实和法律关系,不适用本次修改的内容;但是,在本修改决定施行前发生的事实和关系,直至工会法修改决定公布施行后依然自然存续的,则适用本法。

应当看到,我国是一个封建统治长达两千多年的国家,封建意识还长期影响着人们的思想和行为。一方面公民的法律意识还很淡薄,违法行为还屡有发生;另一方面还有许多人不懂得如何运用法律武器保护自己的合法权益。因此,明确规定法律的施行时间,使人们在时间概念上有所遵循,这一点不论在理论上,还是在实践上都是有着重要意义的。

第二部分 附 录

中华人民共和国主席令

第六十二号

《全国人民代表大会常务委员会关于修改〈中华人民共和国工会法〉的决定》已由中华人民共和国第九届全国人民代表大会常务委员会第二十四次会议于2001年10月27日通过,现予公布,自公布之日起施行。

中华人民共和国主席 **江泽民**

2001年10月27日

全国人民代表大会常务委员会关于修改《中华人民共和国工会法》的决定

（2001年10月27日第九届全国人民代表大会常务委员会第二十四次会议通过）

第九届全国人民代表大会常务委员会第二十四次会议决定对《中华人民共和国工会法》作如下修改：

一、第二条增加一款作为第二款："中华全国总工会及其各工会组织代表职工的利益，依法维护职工的合法权益。"

二、第三条修改为："在中国境内的企业、事业单位、机关中以工资收入为主要生活来源的体力劳动者和脑力劳动者，不分民族、种族、性别、职业、宗教信仰、教育程度，都有依法参加和组织工会的权利。任何组织和个人不得阻挠和限制。"

三、第四条第一款修改为："工会必须遵守和维护宪法，以宪法为根本的活动准则，以经济建设为中心，坚持社会主义道路、坚持人民民主专政、坚持中国共产党的领导、坚持马克思列宁主义毛泽东思想邓小平理论，坚持改革开放，依照工会章程独立自主地开展工作。"

四、第六条第一款修改为："维护职工合法权益是工会的基本职责。工会在维护全国人民总体利益的同时，代表和维护职工的合法权益。"

增加两款作为第二款、第三款："工会通过平等协商和集体合同制度,协调劳动关系,维护企业职工劳动权益。

"工会依照法律规定通过职工代表大会或者其他形式,组织职工参与本单位的民主决策、民主管理和民主监督。"

五、将第七条、第八条、第九条合并为一条作为第七条,修改为:"工会动员和组织职工积极参加经济建设,努力完成生产任务和工作任务。教育职工不断提高思想道德、技术业务和科学文化素质,建设有理想、有道德、有文化、有纪律的职工队伍。"

六、第十一条改为第九条,第二款修改为:"各级工会委员会由会员大会或者会员代表大会民主选举产生。企业主要负责人的近亲属不得作为本企业基层工会委员会成员的人选。"

七、第十二条改为第十条,第一款修改为:"企业、事业单位、机关有会员二十五人以上的,应当建立基层工会委员会;不足二十五人的,可以单独建立基层工会委员会,也可以由两个以上单位的会员联合建立基层工会委员会,也可以选举组织员一人,组织会员开展活动。女职工人数较多的,可以建立工会女职工委员会,在同级工会领导下开展工作;女职工人数较少的,可以在工会委员会中设女职工委员。"

增加一款作为第二款:"企业职工较多的乡镇、城市街道,可以建立基层工会的联合会。"

八、第十三条改为第十一条,增加一款作为第二款:"上级工会可以派员帮助和指导企业职工组建工会,任何单位和个人不得阻挠。"

九、第十三条第二款改为第十二条,修改为:"任何组织和个人不得随意撤销、合并工会组织。

"基层工会所在的企业终止或者所在的事业单位、机关被撤销,该工会组织相应撤销,并报告上一级工会。

"依前款规定被撤销的工会,其会员的会籍可以继续保留,具体管理办法由中华全国总工会制定。"

十、增加一条作为第十三条:"职工二百人以上的企业、事业单位的工会,可以设专职工会主席。工会专职工作人员的人数由工会与企业、事业单位协商确定。"

十一、增加一条作为第十五条:"基层工会委员会每届任期三年或者五年。各级地方总工会委员会和产业工会委员会每届任期五年。"

十二、增加一条作为第十六条:"基层工会委员会定期召开会员大会或者会员代表大会,讨论决定工会工作的重大问题。经基层工会委员会或者三分之一以上的工会会员提议,可以临时召开会员大会或者会员代表大会。"

十三、第十五条改为第十七条,增加一款作为第二款:"罢免工会主席、副主席必须召开会员大会或者会员代表大会讨论,非经会员大会全体会员或者会员代表大会全体代表过半数通过,不得罢免。"

十四、增加一条作为第十八条:"基层工会专职主席、副主席或者委员自任职之日起,其劳动合同期限自动延长,延长期限相当于其任职期间;非专职主席、副主席或者委员自任职之日起,其尚未履行的劳动合同期限短于任期的,劳动合同期限自动延长至任期期满。但是,任职期间个人严重过失或者达到法定退休年龄的除外。"

十五、第十六条改为第十九条,第一款修改为:"企业、事业单位违反职工代表大会制度和其他民主管理制度,工会有权要求纠正,保障职工依法行使民主管理的权利。"

增加一款作为第二款:"法律、法规规定应当提交职工大会或者职工代表大会审议、通过、决定的事项,企业、事业单位应当依法办理。"

十六、删去第十七条。

十七、第十八条改为第二十条,修改为:"工会帮助、指导职工与企业以及实行企业化管理的事业单位签订劳动合同。

“工会代表职工与企业以及实行企业化管理的事业单位进行平等协商,签订集体合同。集体合同草案应当提交职工代表大会或者全体职工讨论通过。”

增加两款作为第三款、第四款:“工会签订集体合同,上级工会应当给予支持和帮助。

“企业违反集体合同,侵犯职工劳动权益的,工会可以依法要求企业承担责任;因履行集体合同发生争议,经协商解决不成的,工会可以向劳动争议仲裁机构提请仲裁,仲裁机构不予受理或者对仲裁裁决不服的,可以向人民法院提起诉讼。”

十八、第十九条改为第二十一条,修改为:“企业、事业单位处分职工,工会认为不适当的,有权提出意见。

“企业单方面解除职工劳动合同时,应当事先将理由通知工会,工会认为企业违反法律、法规和有关合同,要求重新研究处理时,企业应当研究工会的意见,并将处理结果书面通知工会。

“职工认为企业侵犯其劳动权益而申请劳动争议仲裁或者向人民法院提起诉讼的,工会应当给予支持和帮助。”

十九、第二十条改为第二十八条。

二十、第二十一条改为第二十二条,修改为:“企业、事业单位违反劳动法律、法规规定,有下列侵犯职工劳动权益情形,工会应当代表职工与企业、事业单位交涉,要求企业、事业单位采取措施予以改正;企业、事业单位应当予以研究处理,并向工会作出答复;企业、事业单位拒不改正的,工会可以请求当地人民政府依法作出处理:(一)克扣职工工资的;(二)不提供劳动安全卫生条件的;(三)随意延长劳动时间的;(四)侵犯女职工和未成年工特殊权益的;(五)其他严重侵犯职工劳动权益的。”

二十一、第二十二条改为第二十九条,修改为:“县级以上各级总工会可以为所属工会和职工提供法律服务。”

二十二、第二十三条修改为："工会依照国家规定对新建、扩建企业和技术改造工程中的劳动条件和安全卫生设施与主体工程同时设计、同时施工、同时投产使用进行监督。对工会提出的意见，企业或者主管部门应当认真处理，并将处理结果书面通知工会。"

二十三、第二十四条第一款改为第二十四条，修改为："工会发现企业违章指挥、强令工人冒险作业，或者生产过程中发现明显重大事故隐患和职业危害，有权提出解决的建议，企业应当及时研究答复；发现危及职工生命安全的情况时，工会有权向企业建议组织职工撤离危险现场，企业必须及时作出处理决定。"

二十四、增加一条作为第二十五条："工会有权对企业、事业单位侵犯职工合法权益的问题进行调查，有关单位应当予以协助。"

二十五、第二十四条第二款改为第二十六条，修改为："职工因工伤亡事故和其他严重危害职工健康问题的调查处理，必须有工会参加。工会应当向有关部门提出处理意见，并有权要求追究直接负责的主管人员和有关责任人员的责任。对工会提出的意见，应当及时研究，给予答复。"

二十六、第二十五条改为第二十七条，修改为："企业、事业单位发生停工、怠工事件，工会应当代表职工同企业、事业单位或者有关方面协商，反映职工的意见和要求并提出解决意见。对于职工的合理要求，企业、事业单位应当予以解决。工会协助企业、事业单位做好工作，尽快恢复生产、工作秩序。"

二十七、第二十六条改为第三十条，修改为："工会协助企业、事业单位、机关办好职工集体福利事业，做好工资、劳动安全卫生和社会保险工作。"

二十八、第二十七条改为第三十一条，修改为："工会会同企业、事业单位教育职工以国家主人翁态度对待劳动，爱护国家和企业的财产,组织职工开展群众性的合理化建议、技术革新活动,进行业余文化技术学习和职工培训,组织职工开展文娱、体育活动。”

二十九、增加一条作为第三十二条:“根据政府委托,工会与有关部门共同做好劳动模范和先进生产(工作)者的评选、表彰、培养和管理工作。”

三十、第二十八条改为第三十三条,修改为:“国家机关在组织起草或者修改直接涉及职工切身利益的法律、法规、规章时,应当听取工会意见。

“县级以上各级人民政府制定国民经济和社会发展计划,对涉及职工利益的重大问题,应当听取同级工会的意见。

“县级以上各级人民政府及其有关部门研究制定劳动就业、工资、劳动安全卫生、社会保险等涉及职工切身利益的政策、措施时,应当吸收同级工会参加研究,听取工会意见。”

三十一、第二十九条改为第三十四条,修改为:“县级以上地方各级人民政府可以召开会议或者采取适当方式,向同级工会通报政府的重要的工作部署和与工会工作有关的行政措施,研究解决工会反映的职工群众的意见和要求。

“各级人民政府劳动行政部门应当会同同级工会和企业方面代表,建立劳动关系三方协商机制,共同研究解决劳动关系方面的重大问题。”

三十二、第三十条改为第三十五条,修改为:“国有企业职工代表大会是企业实行民主管理的基本形式,是职工行使民主管理权力的机构,依照法律规定行使职权。

“国有企业的工会委员会是职工代表大会的工作机构,负责职工代表大会的日常工作,检查、督促职工代表大会决议的执行。”

三十三、第三十一条改为第三十六条,修改为:“集体企业的工会委员会,应当支持和组织职工参加民主管理和民主监督,维护职工选举和罢免管理人员、决定经营管理的重大问题的权力。”

三十四、增加一条作为第三十七条:“本法第三十五条、第三十六条规定以外的其他企业、事业单位的工会委员会,依照法律规定组织职工采取与企业、事业单位相适应的形式,参与企业、事业单位民主管理。”

三十五、第三十二条改为第三十八条,删去第一款。第二款、第三款修改为:“企业、事业单位研究经营管理和发展的重大问题应当听取工会的意见;召开讨论有关工资、福利、劳动安全卫生、社会保险等涉及职工切身利益的会议,必须有工会代表参加。

“企业、事业单位应当支持工会依法开展工作,工会应当支持企业、事业单位依法行使经营管理权。”

三十六、删去第三十三条。

三十七、增加一条作为第三十九条:“公司的董事会、监事会中职工代表的产生,依照公司法有关规定执行。”

三十八、第三十四条改为第四十条,修改为:“基层工会委员会召开会议或者组织职工活动,应当在生产或者工作时间以外进行,需要占用生产或者工作时间的,应当事先征得企业、事业单位的同意。

“基层工会的非专职委员占用生产或者工作时间参加会议或者从事工会工作,每月不超过三个工作日,其工资照发,其他待遇不受影响。”

三十九、第三十五条改为第四十一条,修改为:“企业、事业单位、机关工会委员会的专职工作人员的工资、奖励、补贴,由所在单位支付。社会保险和其他福利待遇等,享受本单位职工同等待遇。”

四十、第三十六条改为第四十二条,第一款第二项修改为:“建立工会组织的企业、事业单位、机关按每月全部职工工资总额的百分之二向工会拨缴的经费；”

删去第二款。增加一款作为第二款：“前款第二项规定的企业、事业单位拨缴的经费在税前列支。”

第三款修改为：“工会经费主要用于为职工服务和工会活动。经费使用的具体办法由中华全国总工会制定。”

四十一、增加一条作为第四十三条：“企业、事业单位无正当理由拖延或者拒不拨缴工会经费，基层工会或者上级工会可以向当地人民法院申请支付令；拒不执行支付令的，工会可以依法申请人民法院强制执行。”

四十二、第三十七条改为第四十四条，增加一款作为第四款：“工会经费的使用应当依法接受国家的监督。”

四十三、增加法律责任一章作为第六章，共七条：

“第四十九条　工会对违反本法规定侵犯其合法权益的，有权提请人民政府或者有关部门予以处理，或者向人民法院提起诉讼。

“第五十条　违反本法第三条、第十一条规定，阻挠职工依法参加和组织工会或者阻挠上级工会帮助、指导职工筹建工会的，由劳动行政部门责令其改正；拒不改正的，由劳动行政部门提请县级以上人民政府处理；以暴力、威胁等手段阻挠造成严重后果，构成犯罪的，依法追究刑事责任。

“第五十一条　违反本法规定，对依法履行职责的工会工作人员无正当理由调动工作岗位，进行打击报复的，由劳动行政部门责令改正、恢复原工作；造成损失的，给予赔偿。

“对依法履行职责的工会工作人员进行侮辱、诽谤或者进行人身伤害，构成犯罪的，依法追究刑事责任；尚未构成犯罪的，由公安机关依照治安管理处罚条例的规定处罚。

“第五十二条　违反本法规定，有下列情形之一的，由劳动行政部门责令恢复其工作，并补发被解除劳动合同期间应得的报酬，或者责令给予本人年收入二倍的赔偿：（一）职工因参加工会活动而被解除劳动合同的；（二）工会工作人员因履行本法规定的职责而被解除劳动合同的。

“第五十三条　违反本法规定，有下列情形之一的，由县级以上人民政府责令改正，依法处理：（一）妨碍工会组织职工通过职工代表大会和其他形式依法行使民主权利的；（二）非法撤销、合并工会组织的；（三）妨害工会参加职工因工伤亡事故以及其他侵犯职工合法权益问题的调查处理的；（四）无正当理由拒绝进行平等协商的。

“第五十四条　违反本法第四十六条规定，侵占工会经费和财产拒不返还的，工会可以向人民法院提起诉讼，要求返还，并赔偿损失。

“第五十五条　工会工作人员违反本法规定，损害职工或者工会权益的，由同级工会或者上级工会责令改正，或者予以处分；情节严重的，依照《中国工会章程》予以罢免；造成损失的，应当承担赔偿责任；构成犯罪的，依法追究刑事责任。”

四十四、增加一条作为第五十六条：“中华全国总工会会同有关国家机关制定机关工会实施本法的具体办法。”

此外，根据本决定对部分条文的文字作相应的修改。

本决定自公布之日起施行。

《中华人民共和国工会法》根据本决定作相应的修正，重新公布。

中华人民共和国工会法

（1992年4月3日第七届全国人民代表大会第五次会议通过　根据2001年10月27日第九届全国人民代表大会常务委员会第二十四次会议《关于修改〈中华人民共和国工会法〉的决定》修正）

目　　录

第一章　总　　则
第二章　工会组织
第三章　工会的权利和义务
第四章　基层工会组织
第五章　工会的经费和财产
第六章　法律责任
第七章　附　　则

第一章　总　　则

第一条　为保障工会在国家政治、经济和社会生活中的地位，确定工会的权利与义务，发挥工会在社会主义现代化建设事业中的作用，根据宪法，制定本法。

第二条　工会是职工自愿结合的工人阶级的群众组织。

中华全国总工会及其各工会组织代表职工的利益，依法维护职工的合法权益。

第三条　在中国境内的企业、事业单位、机关中以工资收入为主要生活来源的体力劳动者和脑力劳动者，不分民族、种族、性别、职业、宗教信仰、教育程度，都有依法参加和组织工会的权利。任何组织和个人不得阻挠和限制。

第四条　工会必须遵守和维护宪法，以宪法为根本的活动准则，以经济建设为中心，坚持社会主义道路、坚持人民民主专政、坚持中国共产党的领导、坚持马克思列宁主义毛泽东思想邓小平理论，坚持改革开放，依照工会章程独立自主地开展工作。

工会会员全国代表大会制定或者修改《中国工会章程》，章程不得与宪法和法律相抵触。

国家保护工会的合法权益不受侵犯。

第五条　工会组织和教育职工依照宪法和法律的规定行使民主权利，发挥国家主人翁的作用，通过各种途径和形式，参与管理国家事务、管理经济和文化事业、管理社会事务；协助人民政府开展工作，维护工人阶级领导的、以工农联盟为基础的人民民主专政的社会主义国家政权。

第六条　维护职工合法权益是工会的基本职责。工会在维护全国人民总体利益的同时，代表和维护职工的合法权益。

工会通过平等协商和集体合同制度，协调劳动关系，维护企业职工劳动权益。

工会依照法律规定通过职工代表大会或者其他形式，组织职工参与本单位的民主决策、民主管理和民主监督。

工会必须密切联系职工，听取和反映职工的意见和要求，关心职工的生活，帮助职工解决困难，全心全意为职工服务。

第七条　工会动员和组织职工积极参加经济建设，努力完成生产任务和工作任务。教育职工不断提高思想道德、技术业务和科学文化素质，建设有理想、有道德、有文化、有纪律的职工队伍。

第八条　中华全国总工会根据独立、平等、互相尊重、互不干涉内部事务的原则,加强同各国工会组织的友好合作关系。

第二章　工 会 组 织

第九条　工会各级组织按照民主集中制原则建立。

各级工会委员会由会员大会或者会员代表大会民主选举产生。企业主要负责人的近亲属不得作为本企业基层工会委员会成员的人选。

各级工会委员会向同级会员大会或者会员代表大会负责并报告工作,接受其监督。

工会会员大会或者会员代表大会有权撤换或者罢免其所选举的代表或者工会委员会组成人员。

上级工会组织领导下级工会组织。

第十条　企业、事业单位、机关有会员二十五人以上的,应当建立基层工会委员会;不足二十五人的,可以单独建立基层工会委员会,也可以由两个以上单位的会员联合建立基层工会委员会,也可以选举组织员一人,组织会员开展活动。女职工人数较多的,可以建立工会女职工委员会,在同级工会领导下开展工作;女职工人数较少的,可以在工会委员会中设女职工委员。

企业职工较多的乡镇、城市街道,可以建立基层工会的联合会。

县级以上地方建立地方各级总工会。

同一行业或者性质相近的几个行业,可以根据需要建立全国的或者地方的产业工会。

全国建立统一的中华全国总工会。

第十一条　基层工会、地方各级总工会、全国或者地方产业工会组织的建立,必须报上一级工会批准。

上级工会可以派员帮助和指导企业职工组建工会，任何单位和个人不得阻挠。

第十二条 任何组织和个人不得随意撤销、合并工会组织。

基层工会所在的企业终止或者所在的事业单位、机关被撤销，该工会组织相应撤销，并报告上一级工会。

依前款规定被撤销的工会，其会员的会籍可以继续保留，具体管理办法由中华全国总工会制定。

第十三条 职工二百人以上的企业、事业单位的工会，可以设专职工会主席。工会专职工作人员的人数由工会与企业、事业单位协商确定。

第十四条 中华全国总工会、地方总工会、产业工会具有社会团体法人资格。

基层工会组织具备民法通则规定的法人条件的，依法取得社会团体法人资格。

第十五条 基层工会委员会每届任期三年或者五年。各级地方总工会委员会和产业工会委员会每届任期五年。

第十六条 基层工会委员会定期召开会员大会或者会员代表大会，讨论决定工会工作的重大问题。经基层工会委员会或者三分之一以上的工会会员提议，可以临时召开会员大会或者会员代表大会。

第十七条 工会主席、副主席任期未满时，不得随意调动其工作。因工作需要调动时，应当征得本级工会委员会和上一级工会的同意。

罢免工会主席、副主席必须召开会员大会或者会员代表大会讨论，非经会员大会全体会员或者会员代表大会全体代表过半数通过，不得罢免。

第十八条 基层工会专职主席、副主席或者委员自任职之日起，其劳动合同期限自动延长，延长期限相当于其任职期间；非专职主席、副主席或者委员自任职之日起,其尚未履行的劳动合同期限短于任期的,劳动合同期限自动延长至任期期满。但是,任职期间个人严重过失或者达到法定退休年龄的除外。

第三章　工会的权利和义务

第十九条　企业、事业单位违反职工代表大会制度和其他民主管理制度,工会有权要求纠正,保障职工依法行使民主管理的权利。

法律、法规规定应当提交职工大会或者职工代表大会审议、通过、决定的事项,企业、事业单位应当依法办理。

第二十条　工会帮助、指导职工与企业以及实行企业化管理的事业单位签订劳动合同。

工会代表职工与企业以及实行企业化管理的事业单位进行平等协商,签订集体合同。集体合同草案应当提交职工代表大会或者全体职工讨论通过。

工会签订集体合同,上级工会应当给予支持和帮助。

企业违反集体合同,侵犯职工劳动权益的,工会可以依法要求企业承担责任;因履行集体合同发生争议,经协商解决不成的,工会可以向劳动争议仲裁机构提请仲裁,仲裁机构不予受理或者对仲裁裁决不服的,可以向人民法院提起诉讼。

第二十一条　企业、事业单位处分职工,工会认为不适当的,有权提出意见。

企业单方面解除职工劳动合同时,应当事先将理由通知工会,工会认为企业违反法律、法规和有关合同,要求重新研究处理时,企业应当研究工会的意见,并将处理结果书面通知工会。

职工认为企业侵犯其劳动权益而申请劳动争议仲裁或者向人民法院提起诉讼的,工会应当给予支持和帮助。

第二十二条　企业、事业单位违反劳动法律、法规规定，有下列侵犯职工劳动权益情形，工会应当代表职工与企业、事业单位交涉，要求企业、事业单位采取措施予以改正；企业、事业单位应当予以研究处理，并向工会作出答复；企业、事业单位拒不改正的，工会可以请求当地人民政府依法作出处理：

（一）克扣职工工资的；

（二）不提供劳动安全卫生条件的；

（三）随意延长劳动时间的；

（四）侵犯女职工和未成年工特殊权益的；

（五）其他严重侵犯职工劳动权益的。

第二十三条　工会依照国家规定对新建、扩建企业和技术改造工程中的劳动条件和安全卫生设施与主体工程同时设计、同时施工、同时投产使用进行监督。对工会提出的意见，企业或者主管部门应当认真处理，并将处理结果书面通知工会。

第二十四条　工会发现企业违章指挥、强令工人冒险作业，或者生产过程中发现明显重大事故隐患和职业危害，有权提出解决的建议，企业应当及时研究答复；发现危及职工生命安全的情况时，工会有权向企业建议组织职工撤离危险现场，企业必须及时作出处理决定。

第二十五条　工会有权对企业、事业单位侵犯职工合法权益的问题进行调查，有关单位应当予以协助。

第二十六条　职工因工伤亡事故和其他严重危害职工健康问题的调查处理，必须有工会参加。工会应当向有关部门提出处理意见，并有权要求追究直接负责的主管人员和有关责任人员的责任。对工会提出的意见，应当及时研究，给予答复。

第二十七条　企业、事业单位发生停工、怠工事件，工会应当代表职工同企业、事业单位或者有关方面协商，反映职工的意见和要求并提出解决意见。对于职工的合理要求，企业、事业单位应当予以解决。工会协助企业、事业单位做好工作,尽快恢复生产、工作秩序。

第二十八条 工会参加企业的劳动争议调解工作。

地方劳动争议仲裁组织应当有同级工会代表参加。

第二十九条 县级以上各级总工会可以为所属工会和职工提供法律服务。

第三十条 工会协助企业、事业单位、机关办好职工集体福利事业,做好工资、劳动安全卫生和社会保险工作。

第三十一条 工会会同企业、事业单位教育职工以国家主人翁态度对待劳动,爱护国家和企业的财产,组织职工开展群众性的合理化建议、技术革新活动,进行业余文化技术学习和职工培训,组织职工开展文娱、体育活动。

第三十二条 根据政府委托,工会与有关部门共同做好劳动模范和先进生产(工作)者的评选、表彰、培养和管理工作。

第三十三条 国家机关在组织起草或者修改直接涉及职工切身利益的法律、法规、规章时,应当听取工会意见。

县级以上各级人民政府制定国民经济和社会发展计划,对涉及职工利益的重大问题,应当听取同级工会的意见。

县级以上各级人民政府及其有关部门研究制定劳动就业、工资、劳动安全卫生、社会保险等涉及职工切身利益的政策、措施时,应当吸收同级工会参加研究,听取工会意见。

第三十四条 县级以上地方各级人民政府可以召开会议或者采取适当方式,向同级工会通报政府的重要的工作部署和与工会工作有关的行政措施,研究解决工会反映的职工群众的意见和要求。

各级人民政府劳动行政部门应当会同同级工会和企业方面代表,建立劳动关系三方协商机制,共同研究解决劳动关系方面的重大问题。

第四章　基层工会组织

第三十五条　国有企业职工代表大会是企业实行民主管理的基本形式，是职工行使民主管理权力的机构，依照法律规定行使职权。

国有企业的工会委员会是职工代表大会的工作机构，负责职工代表大会的日常工作，检查、督促职工代表大会决议的执行。

第三十六条　集体企业的工会委员会，应当支持和组织职工参加民主管理和民主监督，维护职工选举和罢免管理人员、决定经营管理的重大问题的权力。

第三十七条　本法第三十五条、第三十六条规定以外的其他企业、事业单位的工会委员会，依照法律规定组织职工采取与企业、事业单位相适应的形式，参与企业、事业单位民主管理。

第三十八条　企业、事业单位研究经营管理和发展的重大问题应当听取工会的意见；召开讨论有关工资、福利、劳动安全卫生、社会保险等涉及职工切身利益的会议，必须有工会代表参加。

企业、事业单位应当支持工会依法开展工作，工会应当支持企业、事业单位依法行使经营管理权。

第三十九条　公司的董事会、监事会中职工代表的产生，依照公司法有关规定执行。

第四十条　基层工会委员会召开会议或者组织职工活动，应当在生产或者工作时间以外进行，需要占用生产或者工作时间的，应当事先征得企业、事业单位的同意。

基层工会的非专职委员占用生产或者工作时间参加会议或者从事工会工作，每月不超过三个工作日，其工资照发，其他待遇不受影响。

第四十一条　企业、事业单位、机关工会委员会的专职工作人员的工资、奖励、补贴,由所在单位支付。社会保险和其他福利待遇等,享受本单位职工同等待遇。

第五章　工会的经费和财产

第四十二条　工会经费的来源:

(一)工会会员缴纳的会费;

(二)建立工会组织的企业、事业单位、机关按每月全部职工工资总额的百分之二向工会拨缴的经费;

(三)工会所属的企业、事业单位上缴的收入;

(四)人民政府的补助;

(五)其他收入。

前款第二项规定的企业、事业单位拨缴的经费在税前列支。

工会经费主要用于为职工服务和工会活动。经费使用的具体办法由中华全国总工会制定。

第四十三条　企业、事业单位无正当理由拖延或者拒不拨缴工会经费,基层工会或者上级工会可以向当地人民法院申请支付令;拒不执行支付令的,工会可以依法申请人民法院强制执行。

第四十四条　工会应当根据经费独立原则,建立预算、决算和经费审查监督制度。

各级工会建立经费审查委员会。

各级工会经费收支情况应当由同级工会经费审查委员会审查,并且定期向会员大会或者会员代表大会报告,接受监督。工会会员大会或者会员代表大会有权对经费使用情况提出意见。

工会经费的使用应当依法接受国家的监督。

第四十五条　各级人民政府和企业、事业单位、机关应当为工会办公和开展活动,提供必要的设施和活动场所等物质条件。

第四十六条　工会的财产、经费和国家拨给工会使用的不动产,任何组织和个人不得侵占、挪用和任意调拨。

第四十七条 工会所属的为职工服务的企业、事业单位,其隶属关系不得随意改变。

第四十八条 县级以上各级工会的离休、退休人员的待遇,与国家机关工作人员同等对待。

第六章 法律责任

第四十九条 工会对违反本法规定侵犯其合法权益的,有权提请人民政府或者有关部门予以处理,或者向人民法院提起诉讼。

第五十条 违反本法第三条、第十一条规定,阻挠职工依法参加和组织工会或者阻挠上级工会帮助、指导职工筹建工会的,由劳动行政部门责令其改正;拒不改正的,由劳动行政部门提请县级以上人民政府处理;以暴力、威胁等手段阻挠造成严重后果,构成犯罪的,依法追究刑事责任。

第五十一条① 违反本法规定,对依法履行职责的工会工作人员无正当理由调动工作岗位,进行打击报复的,由劳动行政部门责令改正、恢复原工作;造成损失的,给予赔偿。

对依法履行职责的工会工作人员进行侮辱、诽谤或者进行人身伤害,构成犯罪的,依法追究刑事责任;尚未构成犯罪的,由公安机关依照治安管理处罚条例的规定处罚。

第五十二条 违反本法规定,有下列情形之一的,由劳动行政部门责令恢复其工作,并补发被解除劳动合同期间应得的报酬,或者责令给予本人年收入二倍的赔偿:

(一)职工因参加工会活动而被解除劳动合同的;

---

① 根据2009年8月27日《全国人民代表大会常务委员会关于修改部分法律的决定》,本条中的“治安管理处罚条例”修改为“治安管理处罚法”。

（二）工会工作人员因履行本法规定的职责而被解除劳动合同的。

第五十三条 违反本法规定，有下列情形之一的，由县级以上人民政府责令改正，依法处理：

（一）妨碍工会组织职工通过职工代表大会和其他形式依法行使民主权利的；

（二）非法撤销、合并工会组织的；

（三）妨碍工会参加职工因工伤亡事故以及其他侵犯职工合法权益问题的调查处理的；

（四）无正当理由拒绝进行平等协商的。

第五十四条 违反本法第四十六条规定，侵占工会经费和财产拒不返还的，工会可以向人民法院提起诉讼，要求返还，并赔偿损失。

第五十五条 工会工作人员违反本法规定，损害职工或者工会权益的，由同级工会或者上级工会责令改正，或者予以处分；情节严重的，依照《中国工会章程》予以罢免；造成损失的，应当承担赔偿责任；构成犯罪的，依法追究刑事责任。

第七章　附　　则

第五十六条 中华全国总工会会同有关国家机关制定机关工会实施本法的具体办法。

第五十七条 本法自公布之日起施行。1950 年 6 月 29 日中央人民政府颁布的《中华人民共和国工会法》同时废止。

全国人民代表大会常务委员会委员长会议关于提请审议《中华人民共和国工会法修正案(草案)》的议案

全国人民代表大会常务委员会:

为了加强工会组织的建设,维护广大职工的权益,充分发挥工人阶级主人翁作用,解决工会工作面临的新问题,促进改革与经济发展,根据全国人大常委会立法规划的要求,受委员长会议委托,全国人大常委会法制工作委员会在广泛听取各方面意见的基础上,起草了《中华人民共和国工会法修正案(草案)》。这个草案已经全国人大常委会委员长会议讨论同意,现提请第九届全国人民代表大会常务委员会审议。

全国人民代表大会常务委员会委员长会议

2001年8月22日

关于《中华人民共和国工会法修正案(草案)》的说明

——2001年8月27日第九届全国人民代表大会常务委员会第二十三次会议上

全国人大常委会法制工作委员会副主任　张春生

委员长、各位副委员长、秘书长、各位委员:

我受委员长会议的委托,作关于《中华人民共和国工会法修正案(草案)》的说明。

我国第一部工会法是1950年由中央人民政府颁布的,1992年曾经作过一次修订。这部法律确定了工会在国家政治、经济和社会生活中的地位,规范了工会的权利和义务,对于工会依法开展活动,履行各项职能发挥了积极作用。工会法修订实施以来,由于社会主义市场经济的建立和完善,经济结构的战略性调整,公有制实现形式的多样化和非公有制经济的快速发展,经济关系和劳动关系发生了深刻变革。当前,工会工作面临着一些新的、亟待解决的问题,需要根据新的形势,对工会法进行适当的修改,以加强工会组织的建设,维护广大职工的权益,建立健全和谐的劳动关系,充分发挥工人阶级主人翁作用,维护社会稳定,促进改革与经济发展。

根据全国人大常委会立法规划，法制工作委员会会同全国总工会在广泛征求意见的基础上，起草了工会法修正案草案。这次修改，主要是适应新的形势，总结实践经验，对新建企业工会的组建、企业职工和工会干部合法权益的保护、工会经费的收缴以及对侵犯工会合法权益行为的制裁作出一些补充性的规定，中心是突出和强化工会维护职工合法权益的职能。现将修正案草案的主要内容说明如下：

一、关于工会的活动准则

现行工会法第四条规定："工会必须遵守和维护宪法，以宪法为根本的活动准则，依照工会章程独立自主地开展活动。"这里规定的工会"以宪法为根本的活动准则"，指的是工会活动要遵循宪法规定的基本原则，以经济建设为中心，坚持四项基本原则，坚持改革开放，这是工会必须坚持的最重要的根本的活动准则，修正案草案进一步具体规定："工会必须遵守和维护宪法，以宪法为根本的活动准则，以经济建设为中心，坚持社会主义道路、坚持人民民主专政、坚持中国共产党的领导、坚持马克思列宁主义毛泽东思想邓小平理论，坚持改革开放，依照工会章程独立自主地开展工作。"（修正案草案第三条）

二、关于发挥工会维护职工合法权益的职能

为了突出和强调工会维护职工合法权益的职能，修正案草案规定："中华全国总工会及其各工会组织代表职工的利益，依法维护职工的合法权益。"（修正案草案第一条）"维护职工合法权益是工会的基本职责。工会在维护全国人民总体利益的同时，代表和维护职工的合法权益。"（修正案草案第四条）以保障工会组织切实发挥作用，保护、调动广大职工的积极性。

当前一些企业无视职工的劳动条件与安全，随意延长劳动时间、克扣职工工资、不提供劳动安全保护,甚至采取限制职工人身自由的方法,严重侵犯职工的合法权益,以致引发恶性安全事故和职工群体性事件,影响社会稳定。对此,工会有责任及时反映情况,并代表职工与企业方面就维护职工劳动权益的问题进行交涉,使企业予以纠正,避免矛盾进一步激化,维护改革发展稳定的大局。因此,修正案草案规定:"企业、事业单位严重侵犯职工劳动权益的,工会有权向企业、事业单位交涉,要求企业、事业单位采取措施予以改正。企业、事业单位应当予以研究处理,并向工会作出答复。企业、事业单位拒不改正的,工会可以要求县级以上人民政府依法作出处理。"(修正案草案第十六条)增加这些规定,有利于工会开展维护职工合法权益的工作,增强工会组织的凝聚力,更好地发挥作用。

三、关于新建企业组建工会

最大限度地把职工组织到工会中来,保障工会更好地代表和维护职工的合法权益,做好新建企业组建工会工作,是工会的一项基础性任务。为了保证组建工会的顺利进行,修正案草案规定:"企业、事业单位、机关有会员二十五人以上的,应当建立基层工会委员会;不足二十五人的,可以单独建立基层工会委员会,也可以由两个以上单位的会员联合建立基层工会委员会。"(修正案草案第六条)针对一些外商投资企业、私营企业和乡镇集体企业工会组建工作存在阻力、进展缓慢、覆盖率偏低的状况,修正案草案增加规定:"上级工会可以派员帮助和指导企业职工组建工会,任何单位和个人不得阻挠。"(修正案草案第七条)通过上级工会的指导和帮助,加强基层工会建设。对阻挠职工依法参加工会和阻挠上级工会帮助、指导职工筹建工会的行为,修正案草案规定应当依法追究其法律责任。

四、关于工会专职干部的设置和对工会干部的保护

现行工会法没有规定工会专职干部的编制问题。国有企业中的工会干部属于国家干部,基本是专职的。随着现代企业制度的建立和完善,精简脱产人员,特别是各种非公有制经济迅速发展,情况发生了很大的变化。要求各种不同所有制企业一律设置专职的工会干部比较困难,另一方面,企业、事业单位中又需要保持一定数量的工会骨干分子,使他们有充分的时间和精力从事工会工作。为此,修正案草案对此作了较为灵活的规定:“职工二百人以上的企业、事业单位的工会组织,可以设专职工会主席。工会基层组织专职工作人员的人数由工会与企业、事业单位协商确定。”(修正案草案第九条)这样规定,企业、事业单位中的工会干部,根据需要,可以是专职,也可以兼职,比较适应各种不同情况。

基层工会干部维护职工合法权益,往往与企业行政方面发生矛盾,有些人还受到打击报复。如以各种理由解除为职工维权的基层工会干部的劳动合同,或者将其调离原工作岗位,或者降低其工资待遇,还有的在工会干部劳动合同到期后以种种借口不续签合同。在保障工会维护职工利益的同时,也迫切需要保护工会干部的合法权益。因此,修正案草案在工会法原有规定的基础上增加规定:“罢免工会主席、副主席必须召开工会会员大会或者会员代表大会讨论,非经会员大会全体会员或者会员代表大会全体代表过半数通过,不得罢免。”(修正案草案第十条)“基层工会专职主席、副主席或者委员自任职之日起,其劳动合同自动延长,延长期限相当于其任职期限;非专职主席、副主席或者委员自任职之日起,其尚未履行的劳动合同期限短于任期的,劳动合同期限自动延长至任期期满。任职期间除个人严重过失外,不得解除其劳动合同。”(修正案草案第十一条)

五、关于工会与企业平等协商

1994 年,我国颁布实施了劳动法。劳动法实施后,工会依照劳动法的规定大力推动集体合同的工作,通过工会与企业签订集体合同,更好地维护劳动者的合法权益,并取得了显著的效果。从近年来的实践看,在企业中,尤其是在非公有制企业中,由工会代表职工与企业通过平等协商签订集体合同,有利于工会发挥维权职能,建立和维护和谐的劳动关系。进行平等协商应主要围绕维护职工劳动权益,如工资待遇、福利、工作与休息时间、劳动安全卫生等事项进行,并签订集体合同。因此,修正案草案规定:“工会通过平等协商和集体合同制度,协调劳动关系,维护企业职工劳动权益。”(修正案草案第四条第二款)“工会代表职工与企业以及实行企业化管理的事业单位进行平等协商,签订集体合同。集体合同应当提交职工代表大会或者全体职工讨论通过。”(修正案草案第十四条第二款)

六、关于工会经费

现行工会法规定,建立工会组织的全民所有制和集体所有制企业、事业单位、机关按全部职工工资总额的百分之二向本单位工会拨缴经费;建立工会组织的中外合资、合作企业以及外资企业依照国家有关规定向本企业工会拨缴经费。这笔经费是在企业所得税税前列支的。工会收缴的经费用于开展各项工会活动,其中百分之六十留在企业工会,百分之四十上缴上级工会调剂使用。现在遇到的问题是,工会经费收缴相当困难,尤其是非公有制企业,拖欠、拒缴工会会费的现象严重。主要原因有:第一,现行工会法对外商投资企业工会经费的拨缴规定的不具体,对私营企业则没有规定;第二,法律对缴纳工会经费无强制性规定,对拖欠、拒缴工会经费的行为也没有规定相应的制约措施;第三,部分国有企业亏损严重，依法拨缴工会经费有实际困难。需要说明的是，从企业工资总额中拨缴百分之二的经费给工会，并允许从成本中列支，主要体现着国家财政对工会的扶助。中外合资企业法实施细则等行政法规和一些地方性法规对国有、集体企业以外的其他企业拨缴工会经费问题，已经作出与全民所有制企业相同的规定，各地也都是按照同一标准要求执行。因此，根据实际情况，修正案草案规定各种所有制企业以及事业单位、机关按照统一规定的标准拨缴会费，并规定了执行程序："建立工会组织的企业、事业单位、机关按每月全部职工工资总额的百分之二向工会拨缴经费。"（修正案草案第三十五条第一款）"企业、事业单位拖延或者拒不拨缴工会经费，基层工会或者上级工会可以向当地人民法院申请支付令；拒不执行支付令的，工会可以依法申请人民法院强制执行。"（修正案草案第三十六条）

七、关于法律责任

现行工会法对某些企业拒不组建工会、不按规定拨缴会费、侵犯工会或者工会干部合法权益等行为应当承担什么责任，由哪些部门按照何种程序加以追究，没有具体的规定。过去在单一的公有制经济制度下，一般不发生这些问题，企业所有制结构多样化以后，这些问题逐渐增多，没有相应的制裁措施，不利于工会法贯彻实施。在修改工会法中，总结实践经验，有针对性地确立和完善相应的法律责任制度，对贯彻实施工会法，维护国家法律的尊严是必要的。因此，修正案草案增加了法律责任一章（修正案草案第三十七条）。主要内容是：

第一，对工会合法权益受侵犯的法律救济，规定："工会对违反本法规定侵犯其合法权益的，有权提请人民政府予以处理，或者向人民法院提起诉讼。""侵占工会经费和财产拒不返还的，工会可以向人民法院提起诉讼，要求返还，并赔偿损失。"

第二,对依法行使职权的工会干部打击报复的行为,增加处罚规定:“对依法履行职责的工会工作人员进行打击报复或者无正当理由调动工作岗位的,由劳动行政部门责令改正、恢复原工作;造成损失的,给予赔偿;侮辱、诽谤或者进行人身伤害,构成犯罪的,依法追究刑事责任;尚未构成犯罪的,由公安机关依照治安管理处罚条例的规定处罚。”“因履行职责而被解除劳动合同的”,“由劳动行政部门责令恢复其工作,或者责令给予本人年收入二倍的赔偿”。

第三,对职工因参加工会活动被解除劳动合同以及妨碍工会依法行使职权,增加处罚规定:“职工因参加工会活动而被解除劳动合同的”,“由劳动行政部门责令恢复其工作,或者责令给予本人年收入二倍的赔偿”;“违反本法有关规定,有下列情形之一的,由县级以上人民政府责令改正:(一)妨碍工会组织职工通过职工代表大会和其他形式依法行使民主权利的;(二)非法撤销、合并工会组织的;(三)妨碍工会参加伤亡事故以及其他侵犯职工合法权益问题的调查处理的。”

第四,对阻挠工会或者职工依法组建或者参加工会,增加处罚规定:“阻挠职工依法参加工会或者阻挠上级工会帮助、指导职工筹建工会的,由劳动行政部门责令其改正;拒不改正的,处以五万元以下罚款;以暴力、威胁等手段阻挠造成严重后果,构成犯罪的,依法追究刑事责任。”

我的说明完了,请审议。

全国人大法律委员会关于《中华人民共和国工会法修正案(草案)》审议结果的报告

全国人民代表大会常务委员会:

九届全国人大常委会第二十三次会议对全国人大常委会委员长会议提请审议的工会法修正案(草案)进行了初步审议。会后,法制工作委员会将草案印发中央有关部门、各地方及一些企业和研究机构征求意见。法律委员会、内务司法委员会和法制工作委员会联合召开中央有关部门、企业有关负责人和专家座谈会,听取意见。法制工作委员会还组织调查组赴南方进行了调查,进一步听取上海、江苏、四川等地方人大、企业及各级工会组织的意见。在认真研究常委会组成人员和各方面意见的基础上,法律委员会于10月9日召开会议,对草案进行了逐条审议。中华全国总工会的有关负责同志和全国人大内务司法委员会的有关同志列席了会议。10月16日法律委员会再次进行了审议。法律委员会认为,为了加强工会组织的建设,维护广大职工的合法权益,充分发挥工人阶级主人翁作用,解决工会工作面临的新问题,促进改革与经济发展,对工会法进行修改是十分必要的。修正案草案修改得比较完善,内容可行,已基本成熟。同时提出了以下修改意见:

一、有些常委委员、地方和部门提出,目前在一些非公有制企业中,经理、厂长等主要负责人的配偶或兄弟姐妹等近亲属担任着工会主席，为使工会更有效地代表和维护职工的合法权益，法律应当针对这些现象，对担任工会委员会成员的人选作出限制性规定。因此，法律委员会建议修正案草案增加一条规定："企业主要负责人的近亲属不得作为基层工会委员会成员的人选。"（修改决定草案第六条）

二、有的常委委员、地方提出，修正案草案第六条关于基层工会建制的规定中，只规定建立工会委员会，删去了现行工会法关于"工会会员不足二十五人的，可以选举组织员一人，开展活动"的规定。从实践情况看，在小的企业、事业单位选举组织员的作法效果很好，应当予以保留。因此，法律委员会建议将修正案草案第六条第一款修改为："企业、事业单位、机关有会员二十五人以上的，应当建立基层工会委员会；不足二十五人的，可以单独建立基层工会委员会，也可以由两个以上单位的会员联合建立基层工会委员会，也可以选举组织员一人，组织会员开展活动；女职工人数较多的，可以建立工会女职工委员会，在同级工会领导下开展工作；女职工人数较少的，可以在工会委员会中设女职工委员。"（修改决定草案第七条第一款）

三、有些常委委员、地方提出，近年来，在经济比较发达的城市街道中，新建了许多小型企业和个体工商户，在职工较多的城市街道建立基层工会组织，有利于把分散的职工组织到工会中来，更好地维护他们的合法权益，维护社会稳定。因此，法律委员会建议将修正案草案第六条第二款修改为"企业职工较多的乡镇、城市街道，可以建立工会联合会。"（修改决定草案第七条第二款）

四、有些常委会组成人员、地方提出，现实生活中，一些企业终止或者破产，企业中的工会也被撤销，法律应对这些企业的职工与工会组织的关系作出规定。因此，法律委员会建议在修正案草案第八条中增加一款，作为第三款："依前款规定被撤销的工会，其会员的会籍可以继续保留，具体管理办法由中华全国总工会制

定。”（修改决定草案第九条第三款）

五、一些常委委员、地方、部门提出，应当增加有关工会主席、副主席的任职期限以及召开会员大会、会员代表大会程序的规定。因此，法律委员会建议增加规定：“工会基层委员会每届任期三至五年。各级地方总工会委员会和产业工会委员会每届任期五年。”“经工会基层委员会或者三分之一以上的工会会员提议，可以召开工会会员大会或者会员代表大会，讨论决定工会工作的重大问题。”（修改决定草案第十一条）

六、修正案草案第十六条中规定：“企业、事业单位严重侵犯职工劳动权益的，工会有权向企业、事业单位交涉，要求企业、事业单位采取措施予以改正。”有些常委委员、地方提出，维护职工劳动权益涉及问题比较广泛，应明确规定在哪些严重侵犯职工劳动权益的情形下，工会有责任代表职工与企业方面就维护职工劳动权益的问题进行交涉。因此，法律委员会建议将这一条第一款修改为：“企业、事业单位克扣职工工资、不提供劳动安全卫生条件、随意延长劳动时间等违反劳动法律、法规规定，严重侵犯职工劳动权益的，工会应当代表职工与企业、事业单位交涉，要求企业、事业单位采取措施予以改正。企业、事业单位应当予以研究处理，并向工会作出答复。企业、事业单位拒不改正的，工会可以请求当地人民政府依法作出处理。”（修改决定草案第十八条）

七、有些常委委员、地方、部门提出，对工会工作人员不履行职责，损害职工或者工会权益的行为，也应当规定追究法律责任。因此，法律委员会建议在法律责任一章中增加一条规定：“工会工作人员违反本法规定，不履行职责或者因其他违法行为，侵害职工或者工会权益的，由同级工会或者上级工会责令改正，或者予以处分；情节严重的，依照《中国工会章程》予以罢免；造成损失的，应当承担赔偿责任；构成犯罪的，依法追究刑事责任。”（修改决定草案第三十九条第九款）

八、根据有的常委会组成人员的意见,法律委员会建议增加一条规定:“中华全国总工会会同有关国家机关制定机关工会实施本法的具体办法。”(修改决定草案第四十条)

此外,还有一个问题需要在这里说明:

在九届人大常委会第二十三次会议的初次审议中,有一些常委委员提出增加两项内容,第一,增加规定:“坚持和完善以职工代表大会为基本形式的企事业管理制度”;“非公有制企业和非企业的民营单位应当建立职工代表大会制度,组织职工依法参与本单位的民主管理。”第二,增加规定:“国有独资和国有控股公司的董事会和监事会应当有适当比例的职工代表参加,由工会组织职工通过职工代表大会民主选举产生。”由于上述两个问题都涉及到对公司法等法律的修改、补充,法律委员会经过研究,建议采取以下解决办法:

第一,关于职工代表大会问题。修改决定草案根据宪法和公司法、全民所有制工业企业法等有关法律对公有制企业职工代表大会问题作了规定。从贯彻全心全意依靠工人阶级的方针和维护职工合法权益的方面考虑,非公有制企业的职工也应当参与民主管理,为此,工会法修改决定草案规定,公有制以外的“其他企业、事业单位的工会委员会,依照法律规定组织职工采取与企业、事业单位相适应的形式,参与企业、事业单位民主管理。”至于职工在非公有制企业中如何参与民主管理,建议通过修改公司法作出规定。第二,关于职工代表参加董事会和监事会问题。公司法规定,国有独资和两个以上国有企业或者两个以上国有投资主体投资设立的有限责任公司的董事会应当有职工代表,对其他的有限责任公司和股份有限公司的职工代表参加董事会的问题没有作出规定。关于职工代表进入监事会的问题,公司法已经规定,所有的公司,不分公有制还是非公有制,都应当有适当比例的职工代表参加监事会。至于在国有控股公司中的职工代表参加董事会问题,建议通过修改公司法加以解决。为此,修改决定草案规定:“公司的董事会、监事会中职工代表的产生,依照公司法有关规定执行。”(修改决定草案第三十四条)这样处理,既同现行公司法相一致,又留下一定的空间,待日后修改公司法对上述问题统盘研究解决。

此外,还对修正案草案作了一些文字修改。

法律委员会已按照上述意见提出关于修改工会法的决定(草案),建议经本次常委会会议审议通过。

修改决定草案和以上意见是否妥当,请审议。

全国人大法律委员会

2001年10月17日

全国人大法律委员会关于修改著作权法的决定等五个法律草案修改意见的报告(节选)

(2001年10月27日)

全国人大法律委员会主任委员　王维澄

本次会议于2001年10月22日下午、23日上午、23日下午、24日上午对关于修改著作权法的决定(草案)、关于修改商标法的决定(草案)、职业病防治法(草案三次审议稿)、海域使用管理法(草案三次审议稿)、关于修改工会法的决定(草案)分组进行了审议。大家认为,上述五个法律草案吸收了常委会组成人员和地方、部门、专家的意见,已经比较成熟,建议本次常委会会议通过。同时,也提出了一些修改意见。法律委员会于10月23日下午、24日上午、24日下午、25日上午、25日下午召开会议,教育科学文化卫生委员会、环境与资源保护委员会、内务司法委员会的负责同志和财政经济委员会的有关同志分别列席了会议,逐条研究了委员们的意见,提出了进一步修改意见。

一、关于修改著作权法的决定(草案)(略)

二、关于修改商标法的决定(草案)(略)

三、关于职业病防治法(草案三次审议稿)(略)

四、关于海域使用管理法(草案三次审议稿)(略)

五、关于修改工会法的决定(草案)

(一)有的常委委员提出,应当明确乡镇、街道工会的性质是基层工会组织的联合会,而不是一级地方工会。因此,法律委员会建议将修改决定草案第七条第二款修改为:“企业职工较多的乡镇、城市街道,可以建立基层工会的联合会。”(建议表决稿第七条第二款)

(二)修改决定草案第十五条规定了企业、事业单位侵犯职工合法权益的,工会有权要求企业、事业单位或者有关部门纠正;第十八条规定企业、事业单位克扣职工工资、不提供劳动安全卫生条件、随意延长劳动时间等严重侵犯职工劳动权益的,工会应当与企业、事业单位交涉。有的常委委员提出,这两条的规定内容有些重复,建议适当调整。因此,法律委员会建议将这两条合并为一条,修改为:“企业、事业单位违反劳动法律、法规规定,有下列侵害职工劳动权益情形,工会应当代表职工与企业、事业单位交涉,要求企业、事业单位采取措施予以改正;企业、事业单位应当予以研究处理,并向工会作出答复;企业、事业单位拒不改正的,工会可以请求当地人民政府依法作出处理:(一)克扣职工工资的;(二)不提供劳动安全卫生条件的;(三)随意延长劳动时间的;(四)侵犯女职工和未成年工特殊权益的;(五)其他严重侵犯职工劳动权益的。”(建议表决稿第十九条)

(三)根据有些常委会组成人员的意见,法律委员会建议将修改决定草案第二十三条修改为:“企业、事业单位发生停工、怠工事件,工会应当代表职工同企业、事业单位或者有关方面协商,反映职工的意见和要求并提出解决意见。对于职工的合理要求,企业、事业单位应当予以解决。工会协助企业、事业单位做好工作,尽快恢复生产、工作秩序。”(建议表决稿第二十五条)

(四)有的常委会组成人员提出,工会应当维护好职工的合法权益，同时也应当履行动员、教育职工以国家主人翁的态度对待劳动，开展合理化建议和技术革新活动的职责。因此，法律委员会建议将修改决定草案第二十五条修改为："工会会同企业、事业单位教育职工以国家主人翁态度对待劳动，爱护国家和企业的财产，组织职工开展群众性的合理化建议、技术革新活动，进行业余文化技术学习和职工培训，组织职工开展文娱、体育活动。"（建议表决稿第二十八条）

（五）有的常委委员提出，目前有的单位确有困难，无法按时拨缴工会经费，在采取强制拨缴措施时应对这一情况予以考虑。因此，法律委员会建议将修改决定草案第三十八条修改为："企业、事业单位无正当理由拖延或者拒不拨缴工会经费，基层工会或者上级工会可以向当地人民法院申请支付令；拒不执行支付令的，工会可以依法申请人民法院强制执行"。（建议表决稿第四十一条）

（六）有的常委委员提出，对工会经费的使用除了有内部监督外，还应当建立外部监督机制。因此，法律委员会建议增加一条规定："工会经费的使用应当依法接受国家的监督。"（建议表决稿第四十二条）

此外，还对五个法律草案作了一些文字修改。

以上修改意见，请审议。

九届全国人大常委会第二十三次会议分组审议工会法修正案（草案）的意见

8 月 29 日上午，九届全国人大常委会第二十三次会议分组审议了工会法修正案（草案），现将常委会组成人员的审议意见简报如下：

一、总体意见

常委委员普遍认为，1992 年工会法修订实施以来，随着社会主义市场经济体制的逐步建立，国有企业改革的不断深化和多种所有制经济的迅猛发展，我国的经济关系、劳动关系和职工队伍都发生了十分重大的变化，呈现出许多新情况，工会工作从而面临着许多新的、亟待解决的问题。因此，根据当前的新形势，对工会法进行适当的修改非常必要，这对于维护广大职工的权益、促进社会安定、深化改革和发展经济具有重大而深远的意义。草案修改的总体情况是好的，大的结构、框架也基本成熟，建议修改完善后，尽快审议通过。有的常委委员还进一步提出，要通过这次修改，进一步加强工会法的可操作性。

二、关于工会法的适用范围

修正案草案第二条规定："在中国境内的企业、事业单位、机关中以工资收入为主要生活来源的体力劳动者和脑力劳动者，不分民族、种族、性别、职业、宗教信仰、教育程度,都有依法参加和组织工会的权利。任何组织和个人不得阻挠和限制。”修正案草案第三十八条对工会法所称的“企业”的范围作出了界定。有的常委委员和同志提出,草案应当明确规定本法的适用范围,明确本法适用于中华人民共和国境内的所有的企业、事业单位和机关。有的常委委员提出,草案对“企业”范围的界定,标准不统一,外延不周全,同时缺少对“事业单位”和“机关”的范围的界定。还有的同志提出,本法也应适用于社会团体。有的常委委员建议明确规定合同工、临时工、农民工也适用本法,有入会资格。有的常委委员和同志提出,草案中有些不仅适用于企业,对机关和事业单位也同样适用的条文,应该加以明确。

有的常委委员提出,在中国境内工作的外国人能否参加工会,草案没有规定。

三、关于机关工会

有的常委会组成人员和同志提出,修正案草案虽然在总则中规定了机关可以组织工会,而绝大多数条文规定的都是企业、事业单位,机关工会的职能虽与企业、事业单位有区别,但也应予以规定。有的常委委员和同志提出,草案对机关工会作出规定是必要的,因机关职工也有维权的问题,但是现在机关工会工作开展得并不好,所以应该加强机关工会的作用。

也有的常委委员提出,机关要不要设工会值得研究,从几十年的实践看,机关工会有名无实,没有起到什么作用;修正案草案虽然保留了机关工会,但绝大多数条文是针对企业、事业单位规定的,与机关无关,这也反映了机关工会有无存在的必要。

四、关于工会的活动准则

修正案草案第三条在工会的活动准则中增加了“一个中心、

两个基本点”的内容。有些常委会组成人员和同志提出,1992 年工会法总则第四条明确规定“工会必须遵守和维护宪法,以宪法为根本的活动准则”,而宪法中已经十分明确地规定了“一个中心、两个基本点”的内容,没有必要再在法律条文中特别重复提出,建议恢复 1992 年工会法的写法。也有的常委委员认为在工会的活动准则中增补“一个中心、两个基本点”的内容很有必要。还有的同志建议再补充“三个代表的重要思想和党的路线、方针政策”。

五、关于工会的权利和义务

有些常委委员和同志提出,在社会主义市场经济体制的建立和发展的过程中,劳动关系矛盾突出,侵犯职工权益的现象十分普遍,影响了社会稳定,工会法修正案草案应当进一步突出工会维护职工合法权益的职能。还有的常委委员提出,修正案草案在强调工会的维权职能同时,也应注重规定工会在提高职工素质和工会干部素质方面的职责。

有些常委委员提出,目前,各类企业中存在大量的合同工、临时工、农民工,工会法的修改也应考虑这一部分人的权利保障问题,工会应当主动关心和帮助这部分工人,保障其合法权益。

有些常委委员提出,目前,有相当多的下岗职工和离退休职工生活存在困难,社会保障没有落实,因此,草案应规定,工会应当将帮助困难职工、解决他们的困难作为自己的重要任务,应当维护下岗职工和离退休职工特别是困难职工的合法权益。也有的同志建议草案增补工会倡导、组织特别关爱困难职工群体活动的条款。

修正案草案第五条将 1992 年工会法第七、八、九三条合并为一条。有的常委委员认为这样规定简明、扼要,但同时也建议将内容表述得更完整些。也有的常委委员和同志提出,合并后的条文不能完整地明确体现原条文所包含的内容,保留原条文有利于解除外资和私营企业主的顾虑，调动其与工会合作的积极性。

六、关于工会和工会干部的保护及其职责

有些常委委员和同志提出，草案加大了对工会和工会干部权益保护力度，但对其职责和义务的规定内容太单薄，建议进一步明确工会的职责，明确工会干部的任职条件和职责，并加强对其工作的监督；建议对工会和工会干部不履行职责以及违反法律规定应承担的法律责任作出规定，以体现权利和义务相统一原则。还有的同志建议草案增加规定工会主席离任时，应当接受财务审计。有些常委委员和同志提出，草案规定应注意防止工会干部被经营者和企业主拉拢腐蚀，代表不了职工权益的问题，对于不代表工人利益而只维护经营者或者企业主的利益的工会干部，上级工会或者有关部门有权主持召开工会会员大会对其予以罢免。

七、关于工会组织的设立

有的常委委员建议草案明确规定工会干部的任期和工会向职代会报告工作的时间，还有的常委委员建议将“产业工会”修改为“行业工会”，因为机关工会、教育工会等不宜称其为产业工会。也有的同志提出，非公有制企业建工会这一块，应采取工会联合会或者区域工会的方式更可行，一是可以减少建会成本，二是有助于真正维护职工合法权益、保障工会干部履行职责、发挥工会作用。

修正案草案第六条规定了企业职工较多的乡镇，可以建立工会或者工会联合会。有些常委委员和同志提出，城市街道、社区就业已成为当前开拓就业岗位的重要渠道之一，应当把社区分散的劳动者组织到工会中来，建议草案对街道工会作出规定。

八、关于设立专职工会干部的问题

修正案草案第九条增加规定，职工 200 人以上的企业、事业单位的工会组织，可以设立专职工会主席。工会基层组织专职工作人员的人数由工会与企业、事业单位协商确定。有些常委委员和同志提出，职工200人以上的企业、事业单位应当设专职工会主席，并按职工人数对基层专职工会工作人员的人数或比例作出具体规定，不必规定与企业、事业单位协商，因为这个问题很难与企业、事业单位协商。

有的常委会组成人员提出，工会干部应当尽量不脱产，以更好地联系群众，工作需要时可半脱产或者临时脱产，并建议删去"工会基层组织专职工作人员的人数由工会与企业、事业单位协商确定"的规定。有的常委委员提出，草案的规定还需要再斟酌，因为企业的性质、规模各不相同，都要设专职工会干部可能有困难，特别是在一些外资和私营企业，从现实情况看设专职工会干部的难度可能很大。工会干部应是职工中的一员，直接参加劳动，不易脱离基层工人群众。还有的常委委员提出，工会一般不应在工作时间召开会议或者组织职工活动。

九、关于企业实行职工代表大会制度的问题

修正案草案第十二条规定了职工代表大会制度。有些常委委员和同志提出，职工代表大会制度是职工行使民主管理权力的基本形式，不能只限于公有制企业，建议草案明确规定非公有制企业、事业单位都要建立职工代表大会制度。

十、关于公司董事会、监事会中的职工代表

修正案草案第三十二条规定，公司的董事会、监事会中职工代表的产生，依照公司法有关规定执行。有的常委委员和同志提出，职工代表进公司的董事会、监事会是我国在深化国有企业改革、建立现代企业制度过程中实行的一项重要制度，是社会主义市场经济条件下职工在企业行使民主管理、民主参与和民主监督权力的一个新的重要途径，也是国际上比较普遍的做法，建议明确规定所有公司董事会、监事会都要有职工代表，并对职工代表的比例、由工会组织职工选举产生等问题作出具体的规定。

十一、关于工会经费

修正案草案第三十五条规定了工会经费的拨缴、拨缴比例及使用的问题。有的常委委员建议法律明确规定凡是建立了工会组织的单位，每月都应按全部工资总额的2%向工会拨缴工会经费。有的常委委员建议增加规定机关和事业单位的工会经费应当列入本单位的年度预算。

也有的常委委员和同志认为，2%的工会经费的比例的规定难以实现，应适当调低，否则会给企业、事业单位造成严重负担，也容易造成工会经费的浪费和滥用，该经费以能保障工会的基本活动为宜。有的同志建议私营企业工会经费收缴采用定额的办法，因为工会无法把握私营企业的职工工资总额，且数额太高时，可能导致一些中小企业负担加重而抵触建工会。

有的常委委员和同志提出，工会经费除了在工会系统内部进行审查监督外，还应接受工会系统外部的审计与监督，草案应增加对工会经费的使用与支出进行管理和监督的条款。

十二、关于法律责任

修正案草案第三十七条增加规定了法律责任一章。常委委员普遍认为，增加法律责任这一章很有必要。有些常委委员和同志认为，工会法修正案草案对违反工会法的某些侵权行为规定的法律责任的力度还不够大，必要时可以就刑事方面的责任作出规定。也有的常委委员提出，本法在法律责任的规定上要注意与其他相关法律的衔接。对于县级人民政府由于地方保护不履行“责令改正”职责的，有的常委委员提出，应规定工会向上级政府反映的权利。有的同志提出，草案关于职工因参加工会活动、工会工作人员因履行职责而被解除劳动合同的，由劳动行政部门责令恢复其工作，或者责令给予本人年收入二倍的赔偿的规定中，责任主体和赔偿额的确定不甚清楚，建议予以明确。有的常委委员建议对无正当理由拒绝与工会平等协商签订集体合同的，规定相应的法律责任。

修正案草案对阻挠职工依法参加工会或者阻挠上级工会帮助、指导职工筹建工会而拒不改正的，规定了5万元以下的罚款的处罚。有些常委委员和同志提出，罚款形式不宜滥用，并不是罚款就可以解决问题，应该考虑采用其他的制裁方式。有的常委委员建议删去罚款的规定。也有的常委委员和同志认为罚款的处罚方式过轻，应给予更加严肃的处理。还有的常委委员建议增加对直接责任人员予以处罚的内容。

十三、其他

1. 修正案草案第二条对公民有权依法参加和组建工会作出了规定，有的常委委员建议删去本条中的“任何组织和个人不得阻挠和限制”的规定，以有利于对非法组织其他工会进行打击。

2. 有的常委委员提出，修正案草案第十一条对保障基层工会干部劳动合同期限问题规定的不清楚，建议表述的更清楚一些，有的常委委员提出，这一条应规定工会干部达到法定退休年龄时除外。

3. 修正案草案第十五条规定了企业单方面解除职工劳动合同时工会的职权，有的常委委员和同志建议对事业单位解雇职工也作出相应规定。

4. 修正案草案第十六条规定了企业、事业单位严重侵犯职工劳动权益的情况下工会的交涉权。有的同志提出，在当前职工权益受侵犯较多的情况下，不必强调非要“严重”侵犯，才有交涉权，且“严重”在实际工作中也不好界定，难以执行。

5. 修正案草案第二十六条规定了有关劳动模范评选和表彰问题，有的常委委员提出，这属于政府的职能范围，建议删去“根据政府委托”，修改为工会协助或者参与有关工作。还有的同志提出，工会还应关心劳模和先进工作者的生活，及时解决他们的困难。

6. 有的常委委员和同志提出，修正案草案第三十条关于企业、事业单位研究经营管理和发展的重大问题应当听取工会意见，召开有关涉及职工切身利益事项的会议必须有工会代表参加的规定，不好操作，是否可行，需要研究。

7. 有的常委委员和同志提出，草案没有解决工会法的执法主体问题，修正案通过以后，贯彻、实施、检查等具体工作依然没有责任单位，建议对执法主体问题作出明确规定。

九届全国人大常委会第二十四次会议分组审议工会法修正草案的意见

10 月 24 日上午，第九届全国人大常委会第二十四次会议分组审议了工会法修正草案。常委委员们认为，这个修改稿经过反复征求意见，修改得较好，已经比较成熟，建议审议通过。同时，提出了一些修改意见，现简报如下：

1. 第一条规定了工会法的立法宗旨。有的委员提出，没有哪一部法律是为了保障一个组织的地位而立法的，工会法的立法宗旨不应只是为了保障工会组织的地位，而应当是保障广大职工的合法权益。

2. 第三条规定，参加工会的人员应当是“以工资收入为主要生活来源”的劳动者。有些委员提出，现在收入分配形式多样化，许多人工资以外的其他收入已占其总收入的主要部分，工资已不是主要生活来源；这样规定不利于工会的发展，建议删去，或者修改为“以工资收入和其他劳动报酬为主要生活来源”的劳动者。

3. 有的委员提出，第三条规定有权参加和组织工会，建议删去“组织”二字。

还有的委员提出，对个体劳动者和个体经营组织中的劳动者是否有权参加工会没有明确规定，建议予以明确。

4. 第四条对四项基本原则作出了规定，有的委员提出，宪法已经对这一问题作出了规定，本法不必再作规定，建议删去，有的常委会组成人员提出，中国工会与外国工会不一样，除了要维护职工权益，还应当促进生产发展，本条规定了以经济建设为中心，坚持四项基本原则是必要的。工会必须接受共产党的领导。

5. 第六条第二款规定，工会通过平等协商和集体合同，维护企业职工劳动权益。有的委员提出，这一规定也应该包括事业单位，建议删去“企业”二字。

6. 第七条由原工会法第七条、第八条、第九条合并而成。有些常委会组成人员提出，原条文明确规定了工会动员和教育职工以主人翁态度对待劳动，以及开展劳动竞赛、提出合理化建议等内容，建议恢复原规定，或者将有关内容在第三章中相应的条款中作出规定。

7. 第九条第二款规定，企业主要负责人的近亲属不得作为基层工会委员会成员的人选。有的提出，“近亲属”的提法不准确，且其他法律也没有类似的规定，建议删去，有的委员建议明确规定，近亲属不得作为“本企业”的工会委员会成员的人选。

8. 第十条第一款规定，女职工人数较多的，可以建立工会女职工委员会。一些委员和代表建议将“可以”改为“应当”，增加规定女职工委员会接受同级妇联的指导。

第二款规定，企业职工较多的乡镇、城市街道，可以建立工会联合会。有些委员建议将“可以”改为“应当”；也有的委员提出，街道建工会不好操作，建议不作规定，有的建议将此款修改为“个体劳动者和个体经济组织集中的乡镇、街道应当指导职工建立基层工会组织”。

9. 建议在第十三条明确规定，按不低于职工总数千分之三的比例配置专职工会工作人员。

10. 第十五条规定，基层工会委员任期三至五年，有的提出，任期还是固定为好，建议改为三年。

11. 第十七条对工会工作人员劳动合同期限的延长问题作出

了规定，有的委员提出，条文表述的不清楚，建议作出修改。

12. 有的常委会组成人员提出，中国的工会不仅要维护职工的合法权益，而且要促进企业的发展。建议在第三章中增加有关工会有责任组织和教育职工为企业的发展做贡献的规定。

13. 建议将修正草案第十九条第二款中有关保护女职工和未成年工特殊权益的规定与第一款相一致。

14. 第二十二条规定，企业、事业单位克扣职工工资等严重侵犯职工劳动权益的，工会应当代表职工与企业、事业单位交涉。有的建议将“严重侵犯职工劳动权益”中的“严重”删去。

15. 有的常委会组成人员提出，工会既要维护职工的合法权益，又要维护社会稳定。当企业职工出现停工、怠工事件时，工会应当做好职工的思想工作，以防出现过激行为，维护社会稳定，有的委员建议增加规定，对职工不合理的要求，工会应当进行说服教育。

16. 有的常委会组成人员建议在第三十条中增加有关工会会同企业、事业单位组织职工开展政治教育的规定。

17. 第三十二条第一款规定：“国家机关在组织起草或者修改直接涉及职工切身利益的法律、法规、规章时，应当听取工会意见。”有的委员提出，本款中的“工会”具体指哪一级工会不清楚。

18. 第三十四条规定，国有企业职工代表大会是企业实行民主管理的基本形式。有的委员建议，在“国有企业”后加“事业单位”；有的建议规定，非公有制企业也应当实行职工代表大会制度。

19. 有的常委会组成人员和同志建议将第三十六条中的“本法第三十四条、第三十五条规定以外的其他企业、事业单位”明确列举出来。

20. 有的常委会组成人员和同志建议将第三十八条修改为：“国有独资和国有控股公司的董事会、监事会中应当有适当比例的职工代表参加,由工会组织职工通过职工代表大会民主选举产生。”;也有的指出,关于职工代表进董事会、监事会的问题是公司法调整的范围,应当等公司法修改时予以解决。

21. 第四十一条第二项规定了按全部职工工资总额 2% 向工会拨缴经费。有的委员提出,这一规定国有企业执行起来也比较困难,会发生很多矛盾。有的建议将第四项的“人民政府的补助”修改为“人民政府的定额补助”,以保障工会的经费。

22. 第四十二条规定,对不拨缴经费的,基层工会可以向人民法院申请支付令,有的提出,基层工会主席一般也是企业领导人,向法院申请支付令以后,在企业就无法再继续工作下去了;有的企业亏损,发不出工资,如何缴费。对这一规定应慎重处理。有的委员提出,对机关不按规定拨缴经费的,也应当允许工会向法院申请支付令,并应收缴滞纳金。

23. 有的委员提出,既然法律规定了政府要给予补助和企业必须拨缴经费,就应当规定对工会的经费要接受外部审计监督,不能自己审计自己,建议增加有关审计监督的规定。

24. 第四十九条规定了对“阻挠职工参加工会的”要由劳动部门责令改正。有的提出,第二条规定了职工有依法参加和“组织”工会的权利,这里应与之相呼应,建议修改为,对“阻挠职工参加和组织工会的”,劳动行政部门应当责令改正。

25. 第五十一条规定,对职工因参加工会活动或者工会工作人员因履行本法规定的职责,而被解除劳动合同的,由劳动部门责令恢复工作并补发应得的报酬,或者责令给予本人年收入二倍的赔偿。有的委员建议将恢复工作或者给予二倍赔偿选择性规定,修改为“并处”的规定。

26. 有的委员建议在第五十三条中对侵占、挪用工会经费、财产的,增加追究刑事责任的规定。

27. 第五十五条规定了中华全国总工会会同有关国家机关制

定机关工会实施本法的具体办法。有的委员提出，这一规定非常必要，有了这一条规定，第十条、第二十九条、第四十条、第四十一条涉及机关的规定可删去。

28. 有的同志建议增加设立劳动关系三方协调委员会，作为执法主体。

29. 有些常委委员提出，草案中有的规定对国有企业不成问题，有的规定对非国有经济很难执行，比如民主管理问题，私营企业如何实行民主管理？建议对非国有经济成分作出更有针对性的规定，或者制定非公有制企业工会条例。

30. 有的委员建议本法再做些调研，不急于二审通过。

31. 有的委员建议，增加工会干部要避免官僚化，脱离群众的倾向，要密切联系群众、清正廉洁，严格要求的规定。

中央有关部门和地方人大对工会法修正案(草案)的修改意见

九届全国人大常委会第二十三会议初步审议了工会法修正案(草案),会后法制工作委员会将草案发中央有关部门和地方人大,征求对草案的意见,现将意见整理简报如下:

一、总体意见

多数部门和地方认为,为了适应改革开放发展新形势的需要,对工会法进行适当的修改是十分必要的,修正案草案总结了1992年以来工会工作实践的经验,对工会法进行修改、补充,符合新的形势对工会工作提出的要求,是一部比较成熟的法律草案。

有些部门和地方提出,工会法的修改应体现以下几个原则:一是在市场经济条件下和加入WTO的新形势下,草案的立足点应更高一些并具有一定的前瞻性,应广泛适用于各种所有制的企业;二是注意与其他有关法律和党关于工会工作的政策相衔接;三是应科学定位工会职责,注重体现工会与其他单位和群众团体之间的联系与合作,把维护职工合法权益、开展正常的工会工作与企业自主经营决策相结合,统筹考虑。

有的部门提出,工会法的调整范围若包括企业、事业单位、机关等不同类型的工会和各种不同所有制的企业,依据我国目前的情况,草案“宜粗不宜细”。

二、关于本法的调整范围

修正案草案第二条规定，“在中国境内的企业、事业单位、机关中以工资收入为主要生活来源的体力劳动者和脑力劳动者，不分民族、种族、性别、职业、宗教信仰、教育程度，都有依法参加和组织工会的权利。任何组织和个人不得阻挠和限制。”有的地方提出，本法也应适用于其他各类经济组织和社会团体。

有些部门和地方提出，草案虽然在总则中将机关工会纳入工会法的调整范围，但大部分的规定都仅针对企业、事业单位工会，而对机关工会的权利义务等规定的不太明确，不利于机关工会组织作用的充分发挥，从立法技术的角度来看也使得整个法缺乏完整性和对应性，建议增加对机关工会的规定。

有的部门建议删去本条中的“任何组织和个人不得阻挠和限制”的规定。

也有的部门提出，对于乡镇企业、私营企业、三资企业等新经济组织建工会的问题，应根据企业的具体情况区别对待，应尽量减少计划经济时代常用的指令性、一刀切的办法；新经济组织不同于国有企业和集体企业，其劳动主体呈现多样性和不稳定性，究竟采取哪种组织形式能被多方接受并发挥应有的作用，需要实践和研究。有的部门建议删去乡镇建工会的规定，或者在附则中规定，乡镇企业组建工会根据实际情况参照本法执行。

三、关于工会的性质

工会法规定了工会的性质，即工会是职工自愿结合的工人阶级的群众组织。修正案草案第一条在该规定的基础上增加规定，“中华全国总工会及其各工会组织代表职工的利益，依法维护职工的合法权益。”有些部门和地方提出，这一规定并不是工会的性质，似乎我国允许在中华全国总工会之外可以建立别的工会组织，且与草案第四条第一款的内容有重复,建议予以修改。

四、关于工会的活动准则

修正案草案第三条在工会的活动准则中增加了“一个中心、两个基本点”的内容。有些地方提出,1992 年工会法规定的工会活动的两个准则,“以宪法为根本的活动准则”充分体现了我国社会主义的特色,“依照工会章程独立自主地开展工作”又体现了工会的特色,工会活动只要坚持了这两条准则就不会走错方向。考虑到宪法中已经十分明确地规定了党的基本路线的内容,没有必要在此再次予以重复,建议删除,恢复 1992 年工会法的规定。

五、关于工会组织的设立

修正案草案第六条规定了企业职工较多的乡镇,可以建立工会或者工会联合会。有些地方提出,随着城市街道、社区不同类型、不同规模的企业的迅速发展,城市街道、社区就业已成为当前开拓就业岗位的重要渠道之一;另一方面,目前大量的下岗、失业人员流向街道、社区,从保障广大职工合法权益和维护社会安定出发,应当把社区分散的劳动者组织到工会中来,建议草案对街道工会作出规定。有的部门提出,对工会女职工委员会,法律应明确其在同级工会领导和同级妇联指导下开展工作。

修正案草案第七条规定,上级工会可以派员帮助和指导企业职工组建工会,任何单位和个人不得阻挠。有的部门提出,这一规定与工会是职工自愿结合的工人阶级的群众组织的法律性质的规定相矛盾,建议作适当调整。

有些部门和地方提出,从实践中看,对工会主席、副主席以及委员的任期作出明确规定是十分必要的,建议在法律中予以明确。有的提出,草案应当明确中华全国总工会与香港、澳门工会组织的关系。

六、关于设立专职工会干部的问题

修正案草案第九条规定:“职工 200 人以上的企业、事业单位的工会组织,可以设立专职工会主席。工会基层组织专职工作人员的人数由工会与企业、事业单位协商确定。”有些部门和地方提出,应当明确规定职工 200 人以上的企业、事业单位设专职工会主席。

七、关于职工代表大会制度问题

修正案草案第十二条规定了职工代表大会制度。有些地方提出,职工代表大会制度是职工行使民主管理权力的基本形式,作为具有中国特色的企业职工民主管理基本形式,在保障职工民主权利,加强企业科学管理,推进现代企业制度的建立方面发挥了重要作用。当前需要解决的是从法律上将适用范围进一步扩大到所有的用人单位,这也是作为规范工会和劳动者权利的基本法律工会法应解决的,建议明确规定企业、事业单位都要建立职工代表大会制度。

八、关于工会的法律地位

有的部门提出,根据法律规定,有相当多的基层工会组织是没有法人资格的,这些工会组织对外以什么名义进行活动、它的行为所带来的法律后果由所在单位承担还是由它的上级工会组织承担? 这一问题关系到与工会有关的诉讼结果的执行等一系列问题,建议对此作出规定。

修正案草案第十三条规定,对于企业违反集体合同的,工会可以向劳动争议仲裁机构申请仲裁,也可以直接向法院提起诉讼。有些部门和地方提出,根据我国现行的劳动法的规定,劳动争议应当首先提交劳动争议仲裁机构仲裁,对仲裁裁决不服的才可以向人民法院起诉;因此,草案的规定与劳动法的有关规定不一致,建议统一起来。也有的提出,这一规定适应了劳动争议司法审判实践的需要,完善了法院劳动争议案件的受理范围,加大了对职工的保护力度,有利于更好地保障职工的合法权益。有的地方提出,劳动争议仲裁委员会包括工会代表,且工会代表可以作为仲裁员,工会直接作为劳动争议仲裁案件的一方当事人是否妥当,应当进一步研究。

九、关于工会的职能和权利义务

修正案草案第十四条规定,工会帮助、指导职工与企业以及实行企业化管理的事业单位签订劳动合同。有的地方提出,这一规定涵盖面太窄,应包括机关、事业单位、社会团体招用合同制人员的情况。有的部门和地方建议草案明确规定工会监督劳动合同的执行的内容,规定对于违反国家有关法律、法规,侵犯职工合法权益的劳动合同,工会有权要求企业以及实行企业化管理的事业单位予以纠正。

修正案草案第十六条规定了企业、事业单位严重侵犯职工劳动权益的情况下工会的交涉权和要求人民政府依法作出处理的权利。有些部门和地方提出,“严重”在实际执行中并没有一定的标准,不好掌握,职工的劳动权益是受国家法律保护的,企业和事业单位不能随意侵犯职工的合法权益,无论其侵害的权益有多大都是违法的,工会都应当支持和帮助职工捍卫自己的权益。有的部门提出,此类事件要求人民政府进行处理有可能使政府不适时地介入企业内部劳动纠纷,也加重了政府的行政负担。在我国法制日益健全和公民法律维权意识日益提高的情况下,在依靠政府解决此类劳动纠纷的同时,似乎更应当积极鼓励通过司法途径解决这一类纠纷,建议予以修改。

修正案草案第十九条规定,发现危及职工生命安全的情况时,工会有权向企业建议组织职工撤离危险现场,企业必须及时作出处理决定。有的地方提出,从有利于保护职工生命安全,强化工会的维权职能出发,工会应该有建议权以外的其他权利,建议修改为“发现危及职工生命安全的情况时,工会有权组织职工撤离危险现场,同时向企业予以反映”。

有的地方提出,草案规定工会在维权上的权利仅仅等同于一般公民,其手段明显不力,刚性不足。现实生活中,由于经济利益的驱使,一些地方存在地方保护主义,发生劳资纠纷后,有意无意地保护违法企业,拒不处理违法行为的事例时有发生,建议草案增加加强工会监督力度方面的规定。

十、关于公司董事会、监事会中的职工代表

修正案草案第三十二条规定,公司的董事会、监事会中职工代表的产生,依照公司法有关规定执行。有些地方建议明确规定,公司的董事会、监事会中应有适当比例的职工代表,职工代表由工会组织职工民主选举产生。有些地方提出,近年来,国有或者国有控股的上市公司或者证券公司屡屡发生问题,给社会造成极大的损害;在这类企业设立职工董事、职工监事是民主建设的需要,有利于国企职工参加本企业的民主管理和民主监督,建议规定国有独资和国有控股公司的董事会、监事会中应当有适当比例的职工代表,职工代表由公司职工民主选举产生。

也有的地方提出,公司法对此内容已经作了规定,建议工会法中不作规定。

十一、关于工会经费

修正案草案第三十五条规定了工会经费的拨缴、拨缴比例及使用的问题。有的地方建议对按每月全部职工工资总额的2%向工会拨缴经费是否合适作科学论证。有的地方提出,基层反映企

业目前拨缴的各种费用很多，经营成本增加，利润减少，企业难以承受，建议按每月全部职工工资总额的1%向工会拨缴经费。

有的部门提出，目前一些地方存在强制要求一些不具备条件的企业建立工会和强制收取会费的现象，甚至存在只收费不服务的现象，引起企业和职工的不满。

修正案草案第三十六条规定，企业、事业单位拖延或者拒不拨缴工会经费，基层工会或者上级工会可以向当地人民法院申请支付令；拒不执行支付令的，工会可以依法申请人民法院强制执行。有的部门和地方提出，当前国企改革处于攻坚阶段，企业的生产经营状况很不平衡，有些企业举步维艰，甚至工人工资、养老保险也不能到位，草案有关支付令的规定是否对各类状况的企业都适用，建议予以研究。有些部门和地方提出，草案也应对机关拖延或者拒不拨缴工会经费的情形作出规定。

有的部门提出，工会系统内部建立经费审查委员会，自己审查自己不妥，还应接受工会系统外部的审计与监督。

十二、关于法律责任

修正案草案第三十七条增加规定了法律责任一章。有些部门和地方提出，草案对于所设定的法律责任，都没有明确规定具体的法律责任承担主体，这不利于法律的执行，建议作适当修改。

修正案草案规定了对侵犯职工、工会合法权益和擅自解除因参加工会活动和履行工会职责的人员劳动合同的，由劳动部门追究其责任。有些部门和地方提出，侵犯职工、工会合法权益的，责任主体可能涉及机关和事业单位，由政府组织有关部门协调解决比劳动部门予以处理更为有效；擅自解除劳动合同的行为属于劳动争议的范畴，应当通过劳动仲裁和诉讼程序加以解决。

有些部门和地方提出，对于各级工会组织和工会工作人员违反本法规定，不履行职责，或者从事损害职工和工会组织合法权益的违法行为，或者违反规定将工会经费挪作他用的，应进一步明确其应承担的法律责任，以体现权利和义务相统一、职权与责任相平衡的原则。有的部门建议草案增加对未依法履行职责的工会工作人员予以罢免的规定。

有的地方建议对无正当理由拒绝与对方平等协商签订集体合同的，规定相应的法律责任。

十三、关于劳动关系三方协调机制

有些地方提出，随着我国社会主义市场经济体制的逐步建立和完善，国家、企业、职工三方利益格局日益明晰；建议草案补充关于劳动关系三方协调机制的内容，可以考虑设立劳动关系委员会作为工会法的执法主体。这既是国际上市场经济国家的通行做法，也是为我国加入 WTO 后的现行法律与国际规则接轨作准备。

十四、其他

1. 有的部门提出，职工并不是工会的当然会员，界定“职工”和“会员”的含义关系到拨缴工会会费的数额和基层工会组织专职工作人员的人数等重要事项的确定，建议将草案中指称工会成员的“职工”统一称为“会员”。

2. 有的部门和地方提出，修正案草案第十一条对保障基层工会干部劳动合同期限问题规定的不清楚，建议表述的更清楚一些。

3. 修正案草案第十五条第三款规定，当事人对企业作出的解除劳动合同或者其他处理不服的，可以要求依照国家有关处理劳动争议的规定办理。有些部门和地方提出，这一规定涉及劳动法和其他相关法律法规，已非工会法的调整范围，建议删除。

4. 修正案草案第二十六条规定，根据政府委托，工会与有关部门共同做好劳动模范和先进生产（工作）者的评选、表彰、培养和管理工作。有的部门提出，对于劳动模范评选和表彰工作，工会应是参与和协助，建议删除“根据政府委托”的规定。

5. 修正案草案第三十条关于企业、事业单位研究经营管理和发展的重大问题应当听取工会意见的规定，有的部门提出，这一规定对公有制企业是可行的，也是必要的，但对外资企业、私营企业、合伙企业等非公有制企业，其管理决策属于投资人和经营管理者的经营自主权，不宜硬性规定必须听取工会的意见。

6. 有的地方提出，中国境内的所有企业都属于工会法调整范围，没有必要再对企业的范围作具体规定，以避免对企业范围界定不周全，建议删除修正案草案第三十八条关于本法所称企业范围的规定。

中央有关部门、企业及专家对《工会法修正案(草案)》的意见

9月10日、11日,全国人大法律委员会、全国人大内务司法委员会和全国人大常委会法制工作委员会召开座谈会,征求对工会法修正案(草案)的意见。现将中央有关部门、企业、专家提出的意见简报如下:

一、总的意见

同志们普遍认为,工会法修订实施以来,由于社会主义市场经济的建立和快速发展,经济关系和劳动关系发生了深刻变革,工会工作面临许多新的、亟待解决的问题。因此,根据当前的新形势,对工会法进行适当的修改非常必要。草案框架基本成熟,建议尽快通过。

有的同志提出,本法要充分考虑当前的国际背景。首先,随着全球经济一体化的发展,全球资方力量进一步团结和集中,资本的力量越来越强大;其次,亚洲金融危机后,有的国家为了增强国际竞争力,为了维护国家利益而牺牲劳动者的利益,要注意这个倾向性问题。因此,在劳动者处于弱势的情况下,本法应尽量保持劳资双方利益共享,在强化和维护职工权益这个问题上不能动摇。

有的同志提出,随着市场经济的不断深入,分工越来越细,所有制形式和分配制度也呈现出多元化。因此,本法在立法出发点上也不应是一元的,而应是多元的;不应只照顾到一方面,而应当

有全局观。国有企业建立工会固然重要,但也应充分考虑到非国有企业的特点,建议不要“一刀切”,多作原则性规定,给不同的法人治理结构留有余地。

二、关于调整范围

修正案草案第二条规定,在中国境内的企业、事业单位、机关中的劳动者都有依法参加和组织工会的权利。有的同志提出,本法主要对企业工会作出了规定,而机关、事业单位工会甚少提到,机关、事业单位,尤其是事业单位,情况相当复杂,有企业化管理的,也有非企业化管理的;有全额拨款的,也有差额拨款的,建议针对不同情况作出具体规定;有的同志提出,对于其他非公有制企业,特别是乡镇、村办企业组建工会作出具体规定。

三、关于建立工会联合会

修正案草案第六条规定,企业职工较多的乡镇,可以建立工会联合会。有的同志提出,有的大型企业集团设立了工会,也只负责集团内部的工会工作,参与不到集团企业的源头管理中去。如中石化集团作出的减员增效、海外上市等重大经营管理决策,都没有与工会进行协商,工会无法发挥作用。因此,建议增加规定,跨地区、跨产业、跨国经营的企业集团也可以建立工会联合会;有的同志建议增加规定,城市街道可以建立工会联合会。因为,城市街道已经成为当前开拓就业岗位的重要渠道之一,有的较大的城市街道拥有上百家企业,应当把分散的劳动者组织到工会中来;目前还有大量下岗职工流向街道,这部分人员的工会会籍虽可以予以保留,但却没有可以依托的基层工会组织。

四、关于企业实行职代会制度的问题

修正案草案第二十七条规定,国有企业职工代表大会是企业实行民主管理的基本形式。有的同志提出,公司法第十六条规定了国有独资公司和两个以上的国有企业或者其他两个以上的国有投资主体投资设立的有限责任公司,通过职代会和其他形式实行民主管理,但没有有关国有控股的股份公司实行职代会制度的规定。建议本法对国有控股的股份公司是否实行职代会制度予以明确;有的同志建议规定,非国有企业同国有企业一样,都要以职工代表大会作为民主管理的基本形式,也有的同志提出,非国有企业民主管理的形式应当多种多样,不应只局限在职工代表大会一种形式。

五、关于劳动者的奖励工作

修正案草案第二十四条规定:"根据政府委托,工会与有关部门共同做好劳动模范和先进生产(工作)者的评选、表彰、培养和管理工作。"有的同志建议删去这一规定。理由如下:第一,评选劳模是政府的行政奖励,应由政府组织开展;第二,人事部门三定方案包括了研究制定表彰制度;工会三定方案只规定了协助政府工作。而按照本条的规定就变成了必须委托工会表彰。虽然目前表彰的工作一直依靠工会,但随着情况的发展还要不断地调整,委托工会表彰的事项不宜在法律中确定下来;第三,劳模包括了工、农、商、学等各个领域的劳动者,对于农、商、学领域,工会不宜介入;有的同志建议,将工会奖励劳模的范围限定于企业、事业单位;有的同志提出,宪法第四十二条规定,国家奖励劳动模范和先进工作者。本条规定的对生产者的奖励没有宪法依据。

六、关于工会的法律地位

修正案草案第三十六条、第三十七条分别规定了工会可以向法院申请支付令和提起诉讼。有的同志提出,这样规定赋予了工会具有民事权利主体地位,工会可以成为诉讼主体,但一些基层工会是否有能力独立承担败诉责任，建议对有关诉讼的规定再作研究。

七、关于执法主体

修正案草案第三十七条增加了法律责任一章，规定了对侵犯职工、工会合法权益和擅自解除因参加工会活动和履行工会职责的人员劳动合同的，由劳动部门追究其责任。有的同志建议：1. 侵犯职工、工会合法权益的，应由政府组织有关部门协调解决，比劳动部门予以处理更为有效；2. 擅自解除劳动合同的行为属于劳动争议的范畴，应当通过劳动仲裁和诉讼程序加以解决；有的同志建议，是否可以针对不同情况确定不同的执法主体。

八、其他

1. 修正案草案第三条在工会的活动准则中增加了“一个中心，两个基本点”的内容。有的同志建议删去这一规定。理由如下：第一，原工会法第四条明确规定“工会必须遵守和维护宪法，以宪法为根本的活动准则”，而宪法中已经明确规定了“一个中心，两个基本点”的内容，没有必要再在法律条文中重复提出；第二，理论是不断发展的，“三个代表”作为理论精华以后也有可能写入宪法；第三，可以照顾到国际形象。

2. 修正案草案第九条规定，工会基层组织专职工作人员的人数由工会与企业、事业单位协商确定。有的同志建议明确规定工会基层组织专职工作人员的人数一般不低于全体职工人数的4‰，因为工会基层组织专职工作人员的工资由企业主负担，企业主会尽量压缩人数，不利于工会工作。

3. 修正案草案第十三条规定，因履行集体合同发生争议，工会可以申请仲裁也可以直接向法院提起诉讼。有的同志提出，劳动法第七十九条规定，劳动争议的救济程序是仲裁前置，即必须经仲裁程序后，才可以向法院提起诉讼。而本条的规定是可以申请仲裁也可以直接提起诉讼，与劳动法的规定不一致，建议予以修改；也有的同志认为，本条没有修改的必要。因为，法院的司法解释已作出规定，申请劳动仲裁不予受理的，当事人可以向法院提起诉讼；况且本条规范的是集体合同，而非个人劳动合同；有的同志认为，对于集体合同争议作出或裁或诉的规定是可行的。

4. 修正案草案第十六条规定，企业、事业单位严重侵犯职工劳动权益拒不改正的，工会可以要求县级以上人民政府依法作出处理。有的同志提出，不要一出现问题就找政府，会给人留下工会行政化的负面印象。

5. 修正案草案第三十条规定："企业、事业单位研究经营管理和发展的重大问题应当听取工会的意见；召开讨论有关工资、福利、安全生产以及劳动保护、社会保险等涉及职工切身利益的会议，必须有工会代表参加。"有的同志建议，将"企业"改为"国有企业"。因为这一规定只适用于国有企业，非国有企业不适用。对于非国有企业来说，职工只是"雇员"，企业发展与否，属于"雇主"权利。

6. 修正案草案第三十六条规定，企业、事业单位拖延或者拒不拨缴工会经费，工会可以向当地法院申请支付令。有的同志提出，应区分企业、事业单位拖延或者拒不拨缴工会经费的情况，如企业效益不好，发不出工资时就不存在强制其支付的问题。

编者按:2000 年初,全国人大内务司法委员会、全国人大常委会法制工作委员会以及全国总工会共同组成调研组在全国范围内对工会法实施的情况及存在的问题进行了调查研究。这次调研,对工会法的修改起到了重要的作用。为了使读者能够更全面的理解工会法及工会法修改的内容,特将有关的调研报告整理出来,供参考。

修改《工会法》广东省调研报告

1 月中旬,全国人大内务司法委员会、全国人大常委会法工委以及全国总工会组队赴广东省的广州、东莞、深圳、珠海等市对工会法贯彻实施情况进行调研,现将有关问题汇报如下:

一、贯彻实施工会法的情况

工会法自 1992 年颁布实施七年多来,在推动贯彻落实党的全心全意依靠工人阶级为根本指导方针,促进工会的组织建设,维护职工合法权益,保护调动广大职工的积极性,推进工会法制化建设等方面,发挥了积极的作用。

(一)通过贯彻实施工会法,各级党政领导和社会各界加深了对工会性质、地位、作用的认识,积极支持工会独立自主地开展工作。广东省各级党委和政府更加重视工会工作,采取各种措施贯彻落实工会法。工会法贯彻实施一周年、两周年和五周年,省有关部门召开座谈会。省委省政府就全心全意依靠工人阶级发布文件,提出加强工会工作的要求和措施。省委、省政府特拨 200 万元给工会,作为培训工会干部的专项费用。省总工会成立了法律顾问委员会,省高院、省司法厅、省劳动厅等有关部门负责人担任法律顾问,为工会提供法律咨询服务。许多地市建立工会与同级政府或行政部门的联席会议制度，定期就关系职工切身利益的重大问题通报情况，进行协商。全省 21 个地级市在党委、政府的支持下建立了劳动关系三方协调机制。

各地党政注意依法维护工会组织和工会干部的合法权益。如江门恩平市、惠州惠城区，政府拟将工会隶属的文化宫变更隶属关系，无偿调拨，后经当地总工会宣传工会法有关工会财产和经费方面的规定，改变了做法，维护了工会利益。

（二）通过贯彻实施工会法，促进了工会参与立法工作。工会法颁布实施后，各级工会按照工会法规定，积极推动和参与各种涉及职工利益的地方立法的制定和修改工作，从源头上、整体上维护职工合法权益，取得了很好的成效。省总参与起草了《广东省企业职工劳动权益保障规定》、《广东省实施〈中华人民共和国工会法〉办法》、《广东省企业集体合同条例》。工会法贯彻实施七年多来，省工会直接或间接参与起草地方法规三十多部，参与修改法律法规近二百部。深圳市总工会参与了《深圳经济特区失业保险条例》、《深圳市基层养老保险暂行规定》、《深圳经济特区欠薪保障条例》、《深圳经济特区安全管理条例》、《深圳市劳动能力鉴定工作条例》、《深圳经济特区工伤保险条例》、《深圳经济特区劳务工条例》、《深圳经济特区工伤保险实施细则》、《深圳市基本医疗保险暂行规定》等三十多部法规、条例的制定、修改，为维护职工合法权益提供了重要法制保障。

1993 年通过的《深圳经济特区实施〈工会法〉办法》，根据深圳经济特区实际，对工会的组建、社会地位、作用、经费收缴等都作了相应的规定。如对工会组建问题，规定凡在特区开办的企业都应当在章程中明确规定职工有权依法参加和组织工会，规定镇、街道办事处可以建立工会，不得任意合并、撤销工会等。如对工会经费收缴问题，深圳市规定对逾期未拨缴或少缴经费的单位，工会可以委托社会审计组织进行审计，并按欠缴金额每日千分之五加收滞纳金。

(三)通过贯彻实施工会法,促进了工会组织的建设和发展。广东省总依据工会法和全总文件精神,加强了外商投资企业和私营企业的工会组建工作,成立了广东省外商投资企业工会工作委员会,负责指导全省的外商投资企业和私营企业的工会工作。至1999年第三季度止,全省外商投资企业开业数达32036家,建工会16842家,占投产开业数的52.57%。全省私营企业投产开业24024家,建工会1124家,占投产开业数8.73%。

在工会组建中,广东省注意加快新的工会领导体制的形成,加强工业区工会的建设,加强乡镇、村工会的建设。东莞市29个镇,全部建立了工会组织。539个村,已有480个村建立了工会组织。

深圳先后推出蛇口工业区工会和宝安工会经验,被全国总工会誉为“蛇口模式”和“宝安模式”,在全国推广。这两个经验的核心是解放思想,打破传统的工会体制,在建立适应外商投资企业、私营企业、乡镇企业工作特点的新的工会领导体制上下工夫,进而推动工会的组建和工会工作的开展。蛇口工业区按照“有利于基层工会与行政关系的,由基层工会出面;影响关系的由区工会出面”的原则,1995年至1999年5年间,工业区工会出面调处劳动关系纠纷605起,涉及职工3007人,劳动争议的调处率达到100%。

(四)通过贯彻实施工会法,为工会维护职工的合法权益提供了法律保障。广东省各级工会在贯彻实施工会法的过程中,结合劳动法,将依法维护职工合法权益作为工会的基本职责。

工会法强调了工会组织在代表和维护职工合法权益中的作用。近年来,广东省在贯彻工会法中,致力于建立和谐稳定的劳动关系,努力推动平等协商、集体合同制度的建立,推动劳动争议调解委员会的建立,使劳资纠纷、工伤事故和集体上访事件呈下降趋势。

建立平等协商和集体合同制度。工会法实施后,广东省工会全力推行这项制度,要求企业把工时、工资、福利、劳动安全卫生、劳动保护具体措施、劳动作业环境的改善、接触职业危害职工的健康检查、职工安全技术培训等均纳入集体合同文本,职工的权益受到了法定保障。至 1999 年 6 月底止,广东省共有16310家企业签订了集体合同,覆盖职工217.89万人,在维护职工合法权益、稳定劳动关系方面发挥了重要作用。在积极推行企业集体合同的同时,探索区域性集体合同。深圳市在南澳镇和龙岗坂田村探索推行了区域性集体合同。在龙岗坂田村,尝试着通过"授权委托"的方式,由代表 84 家"三来一补"企业员工的坂田村工会与代表 84 家"三来一补"企业的坂田村实业股份有限公司,就 84 家企业的劳动关系相关问题经过平等协商,签订了《深圳市龙岗区布吉镇坂田村集体合同》,合同生效后,受益职工达1.2万人,其效果明显。一是劳动争议明显减少。1998 年坂田村发生劳动争议 84 家,11 月区域性集体合同生效至春节期间,这段劳动争议高发时段,84 家企业没有发生一宗劳动争议。而未受区域集体合同覆盖的坂田村另外 76 家企业,则发生了多宗劳动争议和员工投诉。二是员工合法权益得到了有效维护。员工普遍反映,签订集体合同后,工资达到了合同规定的标准,以往拖欠员工工资的现象再也没有发生,超时加班的现象也得到一定程度的控制。

建立劳动争议调解委员会。深圳市在企业建立劳动争议调解委员会 593 个,90% 的劳资纠纷都在基层得到解决。深圳市总工会设立了职工来访接待室,公布投诉电话,认真调处劳动争议,每年调处的劳动纠纷均在5000宗以上,调解结案率达98.6%,基本做到"小事不出厂,大事不出镇"。在劳动保护方面,深圳市建立健全了市、区、镇、村、村办企业工会劳动保护网络。据不完全统计,全市现有劳动保护监督检查委员会 351 个,劳动保护监督检查委员 864 人,工会小组劳动保护检查员3143人。建立了每年 12 月份为工会劳动保护检查月制度，工伤事故报告统计制度、工会劳动保护工作通报制度，健全网络的制度，为保障职工合法权益提供了快捷、全面的服务。

二、工会法实施中存在的一些问题

现行工会法实施七年的过程中，社会主义市场经济体制逐步建立和发展，经济体制、所有制结构、企业的劳动关系发生了深刻变革，工会工作中出现了一些新情况，工会法中的一些规定难以适应实际情况，一些地方工会的同志提出了一些亟待解决的问题。

（一）基层工会组建率低，非公有制企业工会组建难。

工会法规定，工会是职工自愿结合的工人阶级的群众组织。有会员25人以上的单位可以建立基层工会委员会。一些工会同志认为，随着外商、私营企业的发展，25人以下的小企业越来越多，工会法的这一规定已不适应形势的发展，限制了工会的组建工作。

原国有、集体企业工会组建情况还是比较好的，但随着国有经济的战略调整和产业结构的优化改革，不少国有企业逐步改制，经济成分由单一到多样化，国有企业的重组、兼并、出让等，使一部分国有企业的工会建设没有能同步跟上，出现了撤并工会的现象。如有的企业因为转制被合并，原有的工会组织没有了，而新企业工会又没能及时组建。

改革开放以来，广东省的非公有制经济发展很快，非公有制企业“建会难”已成为广东省工会工作中的突出问题。到1999年第三季度止，该省外商投资企业开业数为三万多家，工会组建率不到50%；私营企业实有开业数为10171家，工会组建率仅为8.73%。1998年深圳市政府授予的37名荣誉市民所创办的企业到目前只有2家建立了工会组织。一些工会干部同志认为，组建工会比较困难的原因主要有：

第一,工会法对外商投资企业、私营企业中组建工会的规定的力度不够。由于工会法规定工会是自愿结合的群众组织,一些外商投资企业、私营企业不组建工会难于处理。地方工会的同志做了大量工作,甚至投入大量的人力、物力之后,仍然一事无成。有的企业钻自愿组建工会的空子,或拖或推,工会也没有办法。一些工会同志认为,作为广东经济中的重要组成部分"三来一补"企业,没能得到工会法的调整。如经济最为发达的深圳保安区"三来一补"企业就占到了95%,加之这种企业本身稳定性差,职工流动性达到近30%,且多是外来的农民工,给工会组建和会员的会籍管理都增加了许多难度。工会的组织体系也很难稳定。

第二,一些外商投资企业、私营企业对工会的性质和作用存在疑虑和误解。他们有的认为"工会就是与老板唱对台戏",组织工人闹罢工,对组建工会存有戒心;有的怕工会经常组织活动占用生产时间,影响生产。

第三,一些外商投资企业、私营企业对缴纳2%的工会经费难于认同,致使工会组建困难。一些外商投资企业、私营企业可以拿出钱为企业职工搞福利。但不愿将经费上缴。许多非公有制企业往往因不愿缴工会经费而拒绝建立工会,而不建工会就可以不缴。

第四,部分政府部门和一些地方党政领导在认识上存在问题。他们认为组建工会会"影响投资环境",吓跑投资者,为急于引资而对组建工会工作不积极支持,不配合开展工作,有的甚至持反对意见,致使工会不敢放手开展组建工作。

第五,职工缺乏组织工会的愿望和自我保护的意识也是影响工会组建工作的一个重要原因。

(二)工会经费收缴难;非公有制企业拖欠、拒缴现象严重。

广东省的国有和集体企业工会经费缴纳情况大体尚好,但随着国有企业逐步改制,国有企业工会经费的收缴也越来越困难,国有企业上缴的工会经费在总额中所占的比重相对下降。无论国有企业职工人数，还是上缴经费，改制后比改制前下降了13%以上。而在已组建工会的40%的非公有制企业中，80%以上的企业拖欠工会经费。造成这一问题的原因主要有：

第一，工会同志认为，法律对缴纳工会经费并无强制性规定，对拖欠、拒缴工会经费的行为也没有规定相应的制裁措施，一些企业行政方面便采取在职工人数和工资总额上弄虚作假，故意少缴，或者拒缴工会经费。

第二，现行工会法对外商投资企业的工会经费的拨缴未作具体规定，对私营企业的工会经费问题根本未涉及，致使这些企业工会经费的拨缴形成无法可依的状况。

第三，部分企业认为，2%的工会经费拨缴率高了，这也是部分非公有制企业拒缴经费的原因之一。多数工会干部认为，为保证工会的正常工作开展，2%的比例必须坚持；部分工会干部认为，非公有制企业工资总额很难计算，2%也难于确定，建议对非公有制企业工会经费收缴办法进行改革。如东莞市总工会对外商投资企业和私营企业的工会经费实行定额征收，根据企业人数确定上缴经费从几百元到几千元不等。

第四，部分国有企业经营困难，亏损严重也造成了工会经费上缴困难。

（三）工会干部的权益得不到保障。

工会干部特别是基层工会干部在代表和维护职工合法权益时容易与用人单位发生冲突，因此，遭受打击报复的情况时有发生。主要表现为企业行政方面以各种理由解除为职工维权的基层工会干部的劳动合同，或者将其调离原工作岗位，或者降低其工资待遇，多数劳动合同到期后以种种借口，不续签劳动合同。在组建工会的过程中，有的企业的职工担心被老板“炒鱿鱼”，也没人敢站出来说愿意组织工会。因此，工会干部要求，在维护职工利益的同时，也迫切需要工会法来维护其自身利益。但是现行法律没有对工会干部作出保护性规定，使工会干部履行职责的积极性受到一定限制，有的工会干部为求自保，只好看老板的眼色行事，委曲求全，难以发挥工会在稳定劳动关系中的作用。由于工会未发挥作用，劳动纠纷往往导致停工、集体上访等事件。

（四）关于法律责任和执法主体。

工会法没有法律责任这一重要的章节。对违反工会法，损害工会合法权益的行为应当承担什么责任，由哪些部门按照何种程序加以追究，并没有作出规定。这严重影响了工会法贯彻实施。如长期不建工会组织的外商投资企业、私营企业照样通过工商和劳动年审；工会主席、副主席被随意调动、辞退、解除劳动合同、下岗，企业却未受到法律的约束。这些现象恶性循环，导致工会法贯彻难度越来越大。

与法律责任紧密相连的便是执法主体问题。工会法实施以来，执法主体不明确是一个突出问题，给工会工作的正常开展带来许多不便。由于执法主体缺位，工会法被喻为“政策性文件”，工会活动也不被认为具有法律意义，许多违反工会的情形由于上告无门而得不到及时纠正。

（五）其他。

一些同志还反映了工会法贯彻实施中遇到的一些其他问题，主要有：

1. 企业改制对工会造成很大的冲击。有的企业的重大改革方案、措施未经职代会讨论，职代会制度名存实亡；有的对工会干部作不适当的裁减、任免或调换工作；有的把工会与其他科室合并，甚至干脆撤销工会机构。

2. 工会法中的很多条款中还是在计划经济条件下作的规定，如“全民所有制和集体所有制企业事业单位的工会”，这种提法随着社会主义市场经济的发展，已经不适应当前的情况。现在我国的企业已是产权多样化，不仅有国有、集体企业，还有国有独资、国有控股、股份合作制、股份制等混合型经济形式的企业。就广东省而言，外商投资和私营经济已占到相当大的比重。不同的所有制决定了不同的劳动关系，也给工会工作带来了不同的特点，这些都需要工会法尽可能地予以覆盖，又要有所区别，以便使工会工作的开展与市场经济相适应。

3. 工会参与民主管理比较困难。工会法第七条只针对全民所有制和集体所有制企业事业单位提到工会组织职工依法参加本单位的民主参与、民主管理和民主监督，不符合现代企业改革的大方向。需要积极探索在不同类型和不同经营方式的企业，工会组织职工进行民主参与、民主管理和民主监督的新的途径和实现形式，并在工会法修改中予以规范。如国有、集体企业中应改变职代会多由企业行政方面召集的现状，明确工会在职代会中的法律地位和作用，进一步完善职工（代表）大会制度；外商投资和私营企业通过工会会员（代表）大会或建立协商谈判制度等多种形式实现职工民主参与和民主监督；实行公司制的企业应通过选举工会主席、副主席和一定比例的职工代表进入董事会和监事会；职工广泛持股的股份公司，应以持股会的形式保证职工参与民主管理。

4. 工会组织形式过于单一化，这不利于对职工权益的维护。有些基层工会干部代表提出，随着市场经济的发展，地方经济的行业特点越来越突出，工会法修改应着重注意发挥行业工会的作用，以解决当前市场经济中工会组建以及工会干部权益保护问题。另外，这也有利于规模小的外资、私营或高新技术产业企业的员工加入工会组织，得到工会的保护。

5. 随着改革的深入、经济的发展，广东省村镇一级的经济发展也非常令人瞩目，工会组织体系也随之发生了很大的变化，比较普遍地建立了乡镇一级的工会组织。建议工会法修改中增加有关乡镇工会的规定。

修改《工会法》江苏省调研报告

今年1月9日至1月14日,全国人大内务司法委员会、法制工作委员会、全国总工会组成调研组,在全国人大内务司法委员会副主任委员刘珩同志带领下就修改《工会法》问题赴江苏省进行了调研。调研组先后在南京、扬州、江阴、无锡、张家港、苏州、昆山等市召开了座谈会,听取了省市人大、政府有关部门、工会、人民法院以及乡镇和基层工会对《工会法》修改的意见,现将调研情况简报如下:

一、对修改《工会法》总的认识

大家一致认为,1992年工会法的颁布实施,使工会在国家政治、经济和社会生活中的地位日益提高,促进了工会组织的建设和发展。各级工会组织依照《工会法》的规定,依法维权,依法治会,推进了工会组织的法制化建设,工会的各项工作均取得了显著的成绩。但是,《工会法》是在计划经济条件下出台的,不可避免地带有计划经济的色彩,在许多方面已不能完全适应市场经济对工会工作提出的要求,因此,修改《工会法》十分必要。目前《工会法》实施中主要存在的问题是:

第一,《工会法》主要是针对全民所有制和集体所有制企业事业单位作出的规定,这种按所有制立法的模式已不能适应建立市场经济体制所带来的所有制结构的变化。特别是党的十五大提出调整和完善所有制结构,使非公有制经济得到了较快的发展,非公有制企业及其从业人员迅速增加,以江苏省为例,现在的非公有制企业及其从业人员已分别是1995年的8.8倍和7.5倍。《工会法》主要是针对全民、集体企业立法，对外商投资企业、私营企业、乡镇企业和股份制企业没有作出规定，使这些企业在组建工会和会费收缴等问题上处于无法可依的境地，严重影响了工会工作的开展。

第二，工会组织的法定权利和职能已不能适应劳动关系领域发生的深刻变化。市场经济带来了投资主体多元化，劳动关系契约化，市场化产生的矛盾也日趋复杂，非公有制企业中侵犯职工政治权利、劳动权利、人身权利以及经济利益的现象屡有发生，劳资矛盾有激化的倾向，劳动争议案件和突发事件也呈上升趋势。而《工会法》对工会履行维护职能应有的权利和手段的规定力度不够，使工会在新形势下有效地履行工会维护职工合法权益的职能受到了影响。

第三，《工会法》缺乏法律责任的规定，导致贯彻执行的难度增大。由于《工会法》没有法律责任的规定，一部分人视为可执行可不执行的"软法"，实践中，公然置《工会法》的规定于不顾，对工会、工会干部、职工和职代会的权利肆意侵犯，阻挠职工依法参加和组织工会，打击报复依法维护职工合法权益的工会主席，拖欠、拒缴工会经费，侵占工会财产的事时有发生，影响了《工会法》的法律权威，降低了人们的法制观念。

正因为存在着这些问题，座谈中同志们一致认为，根据市场经济的要求，对《工会法》进行相应修改是十分必要、迫在眉睫的。同志们还指出，修改《工会法》不能只简单的看作是为了有利于工会工作的开展，有利于工会依法突出维护职能，更重要的是通过修改《工会法》，加强工会工作，能更好地确立工人阶级的主人翁地位，贯彻党的全心全意依靠工人阶级的方针，巩固我们的阶级基础，有利于社会稳定和经济增长，有利于工人阶级的团结，有利于反腐倡廉，有利于抵制西方敌对势力对我国的分化，有利于巩固我国的社会主义制度。

二、对《工会法》修改的具体意见

在征求意见的过程中,大家一致认为,《工会法》的修改应当充分体现实事求是的精神,要具有鲜明的时代特点,应当尽量吸纳各地在建立社会主义市场经济体制过程中的探索、改革成果,按照党的十五大提出的以社会主义公有制为主体、多种所有制经济共同发展的基本经济制度,适应经济体制改革所带来的所有制结构多元化的要求,打破按所有制立法的模式,使新的《工会法》适用于我国境内的所有企业、事业单位和机关。建议重点对工会组织组建、集体合同制度、工会干部的权益保障、工会经费和工会财产的保护以及违反《工会法》的法律责任等广大职工和工会干部长期关心的问题作出进一步具体和有力度的规定。具体建议是:

(一)应当将工会组织的组织和建立作为修改重点加以完善,打破所有制界限,以法律形式保障非公有制企业建立健全基层工会组织。

江苏省有13万户私营企业,95%以上的企业员工在25人以下。《工会法》规定:"企业、事业单位、机关有会员二十五人以上的可以建立基层工会委员会。"这一规定使小型私营企业组建工会受到了限制,不利于这些企业的职工通过组建工会的形式来维护自己的合法权益。为解决这一问题,江苏省总工会和省政府有关部门自1995年开始探索和推行三种切实可行的小企业组建工会形式:一是以块为主,建立乡镇一级私营企业工会联合会、社区工会;二是依托各级工商行政部门建立私营企业工会联合会;三是按联合制、代表制在区域或行业内由两个以上企业建立联合基层工会。这三种形式均可以在25人以下企业中建立分工会、工会小组或直接从企业发展会员。现在,江苏省13个省辖市、86个区建立了私营企业工会联合会,54个省级以上开发区、1711个乡镇、

231 个城市街道、1328个村建立了工会组织，建立私营企业联合基层工会 696 个。35431家私营企业工会中，25 人以下的企业工会占 90% 以上，私营企业建会数连续多年在全国名列第一。

江苏省在非公有制企业中工会组建率高，是与上级工会的派员帮助、指导分不开的。如：外商独资企业较多的昆山市总工会在实践中逐步做到了组建工会与外商投资企业的立项、筹建、投产的全过程同步，并在建立工会的基础上完善了劳动关系协调机制（签订集体合同、进行工资协商谈判、调解劳动争议）、职工合法权益保障机制、工会劳动保护监督机制和共谋企业发展的合作机制，从而优化了投资环境，外商争相到昆山投资。截至 1998 年底，投资额在1000万美元以上的企业就有 200 多家，5000万美元以上的有 14 家，1 亿美元以上的有 9 家。昆山市委、市政府乃至外商一致认为，在外商投资企业建立工会并积极开展工作，是昆山市投资环境好的一个重要组成部分。

座谈中同志们提出，尽管江苏省工会组建工作在全国看开展的是比较好的，但也只是工作方法上的创新，一些措施缺乏法律的保障，工作中也遇到了许多困难：有的外商以不建立工会作为投资谈判的一个条件；有的老板要求拿出明确的法律规定才肯组建；有的地方拖延组建的情况比较严重，南京的旺旺集团是一个大型的合资食品企业，企业建立后一直不组建工会，省总、市总多次上门做工作，一直拖延不建，后来省总把工作做到了其台湾总部，经过近三年的努力，才使其建立了工会。因此，许多同志建议，工会组建问题要作为修改《工会法》的一个重点问题进行规定，明确有职工的地方就应当建立工会组织，同时删去对建立基层工会要“有会员二十五人以上”的限制规定，增加，“上级工会有权派员帮助和指导企业、事业单位、机关职工组建工会，也可以由两个以上的企业、事业单位组建联合基层工会”的规定。这样有利于采取多种形式，通过多种途径组建工会，使《工会法》的修改有力地推动各地非公有制企业工会的组建步伐。

(二)明确企业应建立平等协商和签订集体合同制度,有利于强化对职工合法权益的保障。

集体合同这一形式已经在全国普遍推行。江苏省到1999年底,全省签订集体合同和被区域性、行业性集体合同覆盖的企业已达53000家,覆盖职工580万人,占全省职工总数的60%。实践证明,集体合同制度在维护职工合法权益、促进企业发展和社会稳定方面发挥了重要作用。表现在:一是在涉及劳动关系问题上企业与工会的共商共决机制正在逐步形成,签订和续签集体合同的积极性很高;续签的比例占80%以上;二是职工的合法权益得到了维护,这一点在小企业尤其明显,如苏州吴县花南村工会与企业签订的区域性集体合同,规定该村范围内所有企业最低工资不低于500元,下岗职工的最低生活保障金150元,外来工与本地工同样享受福利待遇,医疗补贴、劳保用品等都有保障;三是促进了劳动关系的协调发展和社会稳定,昆山市牧田(中国)有限公司1995年因工资问题发生了罢工,后来建立了工资集体协商制度,不仅近年来未再发生罢工,且职工的月平均工资从不到600元增加到现在的940元,企业的产品产量由几十万台增加到100万台,投资规模也从3000万美元增加到1.28亿美元,在全国500强外资企业中排名239位;四是促进了工会自身改革和建设,集体协商、签订与履行集体合同成为工会工作的主要内容和实施维权、带动各项工作的重要手段,工会作为职工利益代表者和维护者的身份更加明确,工会的地位和工会干部的法律政策水平都有了较大的提高。

江苏省在推行平等协商和集体合同制度中也遇到了一些困难,部分企业对这一制度认识不足,认为签订集体合同是给自己找麻烦,常常以法律规定是"可以"为借口拖延或不想建立这项制度,职工和工会对此感到十分无奈。建议对《工会法》有关规定进行修改,将"工会可以代表职工与企业、事业单位行政方面签订集体合同”中的“可以”二字去掉。并增加规定,“工会与企业、事业单位建立平等协商制度。一方提出协商要求,另一方不得拒绝。”这样将大大强化工会的维护职能,使工会代表职工签订集体合同的规定趋于完善,有利于全面推行这项制度,与国际劳工公约和国际惯例接轨,改善我国的投资软环境。

(三)建议加大对工会干部的保护力度,解除工会干部维护职工合法权益的后顾之忧。

工会组织要按照《工会法》的规定,落实工会的任务,离不开工会干部的努力,在市场经济条件下维护职工的合法权益离不开工会干部的辛勤工作。现在,工会干部在维护职工合法权益过程中遭到打击报复的事件时有发生,有的因得罪领导被调离工作岗位,有的因打击报复而被迫调离原单位,有的任期未满而被下岗、内退,有的以劳动合同期限已满为由被解除劳动合同。其中,最为典型的是高邮布厂工会主席童永平因依法维护职工权益,被落选厂长凌振安谋杀。对这些情况,因无法可依,上级工会只能通过协调的方式来保护工会干部,难度较大。因此,建议在修改《工会法》时,增加对工会主席在任期内和任期结束后的保护条款,对于那些对工会工作人员打击报复的行为增加法律责任条款,使工会干部解除后顾之忧,放心大胆地维护职工的合法权益。

(四)建议加大对工会经费收缴和工会财产的保护力度,以更好地保障工会工作的开展。

工会组织与人大、党政机关及共青团、妇联等组织不同,其工作人员的工资、福利和开展活动的经费不是列入国家预算,由国家财政支付,而是由工会经费支付。目前许多地方工会经费收缴困难,拖欠、拒缴工会经费的现象比较严重,已经严重影响到工会活动的开展,苏北有的县连工会干部的工资都无法按时发放,收缴工会经费已经成了各级工会领导的一大难事,有的迫不得已的采取了全会带着指标下基层收经费的做法。尽管如此,工会经费的收缴率仍然不高，江苏省外商投资企业工会经费的收缴率只有30%左右，三分之一的县级工会由于经费收不上来，无法正常开展活动。主要原因：一是《工会法》对非公有制企业拨缴工会经费没有相应规定，致使这些企业以此为由，拒拨工会经费；二是《工会法》对企业不拨缴工会经费没有相应的法律责任条款，导致部分企业拖欠或不拨缴工会经费；三是有的企业确实困难，职工工资都发不出，无费可缴。对于无费可缴的，上级工会可以为其办理缓缴手续，但对有费不缴的，必须有相应的法律手段。因此，一些同志建议《工会法》增加规定对于拖延或者拒不拨缴工会经费的，可以向法院申请支付令，用法律形式保证工会经费的收缴，保障工会工作的顺利开展。

此外，对工会财产的保护也是当前各级工会反映较多的问题之一。由于对工会组织的独立民事主体地位缺乏认识，一些部门、企业随意侵占、挪用、调拨工会财产或拒不返还占用的工会房屋、土地和活动场所。其表现形式多种多样：有的企业多年来只计提不拨缴工会经费，企业改制时将工会资产作为企业资产进行统配；兼并、破产企业的工会经费无法清算，有的作为余账处理，有的则办理债权放弃手续，造成工会经费和财产的严重流失；困难企业职工工资、医疗、抚恤、丧葬费让工会垫付，却无归还日期，实际上被占用；一些工会组织兴办的“三产”效益较好，企业领导下令将其划归企业所有；职工技协开展的有偿活动所取得的收入往往被企业视为流动资金，下令用来给职工搞福利，侵占了工会的利益；有的人民法院执法水平不高，将工会的经费、财产视为企业财产，在企业欠债的情况下，冻结、查封、扣押甚至强行划拨工会账户上的经费。如：镇江第四建筑工程公司工会、常熟市某企业工会因所在单位与业务单位发生经济纠纷，而被法院强行划拨了工会经费。因此，建议修改《工会法》增加对侵占工会经费、财产的民事责任和刑事责任的规定，对违反《工会法》的行为给予法律制裁，让有关责任人承担法律责任,这将有力地保障工会开展工作的物质基础。

(五)建议增加法律责任的规定,有利于《工会法》的贯彻实施。

《工会法》贯彻实施过程中之所以存在诸多问题,原因之一是缺乏法律责任的条款。因此座谈中同志们一致建议《工会法》增加法律责任一章,使《工会法》的立法体例更加完整,解决长期困扰工会的《工会法》贯彻软弱无力的状况,使《工会法》的贯彻实施走上依法规范的轨道。

(六)其他意见。

1. 建议明确乡镇、街道等中间层次工会的地位。江苏是乡镇企业发达地区之一,乡镇工业占全省三分之二,80%以上的外商投资企业、私营企业分布在乡镇。江苏自20世纪80年代开始组建乡镇工会,目前全省近90%的乡镇建立了工会。由于《工会法》、《中国工会章程》均未明确乡镇工会的地位,使乡镇工会的发展受到制约。从江苏的实践看,乡镇工会、街道工会既管理着部分基层工会,又可以直接吸收小企业会员入会。鉴于乡镇工会和街道工会的双重身份,建议增加规定:“乡镇、街道可以建立工会,行使地方工会和基层工会的职能。”

2. 建议对工会经费的来源作部分修改。一些同志提出,实践中存在的企业、事业单位、机关给予工会补助的行为,建议将这种情况用法律形式肯定下来,并对之加以保护。具体可将《工会法》第三十六条第一款第四项修改为:“人民政府、企业、事业单位、机关的补助。”

座谈中同志们一致认为,修改《工会法》的时机已经成熟,建议在广泛征求各方面意见的基础上对《工会法》在实践中的存在的主要问题进行修改,希望新的《工会法》能够早日出台。

修改《工会法》湖北省调研报告

为了抓紧做好修改《工会法》的工作，我们在全国人大常委会委员赵地同志的带领下，于 2000 年 1 月 10 日至 16 日赴湖北省，通过座谈、实地考察等方式，对工会法贯彻实施情况及需要修改的问题进行了为期 6 天的调查研究。现将调研情况汇报如下：

一、基本情况

湖北是工业大省，是我国老工业基地之一，主要产业有冶金、机械、汽车、纺织、化工、建材等。该省连续多年持续保持经济发展速度，综合经济效益高于全国平均水平，正在由工业大省向工业强省迈进。1999 年全省国内生产总值比上年增长8.3%，财政收入完成 325 亿元的预算收入任务，增长 12%。

与湖北工业基础及经济发展相适应，湖北省贯彻实施工会法、开展工会工作也是走在全国前列的。

1. 增强工会法贯彻执行的有效性，六年内制定颁布四个地方性法规。1992 年《工会法》颁布实施后，为增强《工会法》在湖北贯彻执行的有效性，省人大与省总工会在充分调查研究的基础上，先后于 1993 年、1994 年、1997 年、1999 年颁布实施了《湖北省实施〈中华人民共和国工会法〉办法》、《湖北省外商投资企业工会条例》、《湖北省乡镇企业工会条例》、《湖北省私营企业工会条例》等，成为全国工会地方法规较为完善的地区，为规范全省工会工作提供了比较充分的法律依据，也为全省在不同类型企业贯彻实施《工会法》创造了条件。

2. 注重加强法律监督，省各级人大与工会积极开展工会法执法检查。湖北省各级人大对贯彻执行工会法非常重视，省人大曾两次组织有省工会等方面参加的工会法执行情况的检查，及时纠正贯彻落实中的问题。武汉、十堰、荆州、襄樊等地人大、政协、工会也就工会法落实情况进行过多次检查和视察。省总工会及武汉、鄂州等市总工会还联合人大及政府有关部门负责同志组成工会法律监督委员会，坚持经常性的执法监督检查，有力地保证和促进了工会法的贯彻落实。

3. 适应调整劳动关系的需要，加强各级工会干部的配备。湖北省委组织部专门下发通知，强调要加强地方工会领导班子建设和对工会干部的协管工作。要求经济发达、职工人数较多的市、县（区）总工会主席进同级党委常委班子，也可由常委或人大党员副主任兼任工会主席。对200人以上企业专职工会干部的配备，以及工会干部工作时间保障等问题也提出了明确要求。目前，湖北省已有8个市（州）和65个县（市、区）总工会按要求配备了工会主席；26306个基层工会组织有专职工会干部26889人。

4. 适应形势发展要求，依法加强工会组织建设。面对国有企业的改革改制和其他所有制企业的迅速发展，湖北省重点抓了工会组建工作，坚持企业改制到哪里、企业建到哪里，工会就组建到哪里。据湖北省对15个县（市）调查，1100家改制企业（国有483家，集体617家）已建工会的793家（国有400家，集体393家），组建率达72%。15个县（市）的159个乡镇，已建工会132个，组建率达83%。又另据统计，截止到1999年底，湖北省外商投资企业累计建会1283家，工会会员达14.41万人；私营企业累计建工会3162家，工会会员达10.59万人；乡镇企业建工会5483家，工会会员达24.13万人。

5. 各级工会依法维护职工权益、依法开展工作，成绩显著。湖北省共有职工745万人，其中已建工会组织的单位有职工480.5万人，会员452.5万人。全省各级工会为了更好地调整劳动关系，维护职工合法权益，下大力气推行平等协商、签订集体合同制度。经过几年努力，目前全省建立集体合同制度的企业超过16000家，覆盖职工375.252万人，居全国第6位。湖北省还建立企业劳动争议调解组织18566家，1995年至1998年平均每年调处劳动争议8000至15000起，1999年处理劳动争议超过2万起。全省工会建立工会法律咨询服务机构近20家，武汉、黄冈、襄樊等市一级工会法律机构为职工提供法律服务，收到很好的效果。1999年省总直接为基层工会和职工提供法律帮助达300余人次，挽回直接经济损失超过500万元。

二、贯彻《工会法》过程中出现的主要问题

调查中我们发现，规模较大、效益较好、党政领导法制意识和民主意识比较强的大中型企业，工会工作基础比较扎实，《工会法》贯彻落实的情况也相对较好。比如，新中国成立后兴建的第一个特大型钢铁联合企业—武钢，现有职工99877人，建会率达100%，入会率达98.7%，配备的专职工会干部（755人）超过职工总数的千分之七以上；按同级党政副职原则配备主席82人，配备率达91%；工会经费拨缴基本上是及时足额到位。改制单位和新经济组织工会的运作也较规范：目前已挂牌的20多家改制企业中，都有职工代表进入董事会、监事会，其中工会主席、副主席全部依法进入了董事会或监事会；8家外商投资企业中也均建立了工会组织。职代会、民主评议领导干部、厂务公开、推行集体合同制度等方面工作也居全国先进行列，连续13年保持"全国模范职工之家"荣誉称号。其他如神龙汽车有限公司、汉江水利水电集团有限公司、东风轮胎集团有限公司等，也都是《工会法》贯彻执行比较好的企业。

但在实际贯彻执行《工会法》过程中，确实有许多问题存在，无论是省一级工会，还是地、市、县、企业等各级工会，都面临着这样或那样的诸多问题，武钢、神龙等这些优秀企业，也难以避免。主要反映在：

1. 基层工会组织明显萎缩，建会工作难度较大。以武汉市为例，1995 年该市工会组织（工会委员会）5778个，到了 1998 年已减至3420个，减少了2358个（主要集中在中小企业）。在现有的3420个基层工会中，工会委员会不健全、或不能正常开展工作的占10%左右。湖北省及调查组所到的市、县（区），企业党政工同志普遍认为，造成这一现状的原因：一是改制企业存在撤并工会的现象。仅襄樊市，工会与其他部门合并或合署办公的企业单位就达 191 家，其中国有企业 91 家，占国有企业工会总数的9.9%。这些企业主要集中在停产、半停产企业和租赁承包企业中，大多数企业职工人数在 100 人以下。荆门市总工会对本市 81 家改制企业也进行了调查统计，其中 70 家建了工会，占87%，剩下的或改建工会，或原有工会名存实亡，有 7 家甚至没有工会主席。而《工会法》“有会员二十五人以上的，可以建立基层工会委员会”的规定，造成改制后企业职工仅有 6—15 人时出现建会无法可依的空白。二是兼职工会主席有增多的趋势。据黄石市对 26 家大中型国有改制企业调查，有 15 家企业工会主席是兼职的，占57.7%，这其中少数是工会主席兼任其他职务，多数是党政领导干部兼任工会主席职务。调查反映，企业领导特别是行政领导兼任工会主席带来不少实际问题，主要是企业工会在处理劳动关系过程中不能公正处理问题，职位决定了他们自觉不自觉地站在职工的对立面。三是工会会员流失严重。由于基层工会组织减少，加上大批职工下岗，以及转岗或重新就业的下岗职工又未能及时有效地组织到新的工会中来，致使会员人数连续两年负增长。湖北省 1998 年比 1996 年建会职工人数减少了 100 多万人，会员人数减少了 78 万人，其中县（市）属国有企业职工减少了23%，集体企业职工减少了40.6%。四是非公有制企业组建工会难。一方面,全省非公有制企业职工人数随着非公有制经济的迅猛发展急剧增加,如十堰市私营企业职工人数 1995—1998 年 4 年内就增长了 3 倍;乡镇企业职工人数增长了 39.2%;但另一方面,这些企业组建工会的难度仍然很大,许多职工不能有效地组织到工会队伍中来。据统计,湖北省目前登记的私营企业已有49367家,职工66.44万人,而建会的只有3162家,占投产企业总数的6.4%,入会的只有11.59万人,会员覆盖率仅有17.4%;全省投产的外商投资企业2221家,职工24.5万人,而建会企业只有1283家,占投产企业总数的43.2%,职工入会14.41万人,职工覆盖率只有58.7%。阻挠、限制组建工会的行为在改制和私营企业中都有发生。湖北省的同志在座谈时一致认为,导致这一现状,有部分地方党政领导思想认识有偏差、一些企业主不愿拨缴工会经费等原因,但更主要的还是缺乏法律依据,《工会法》只对国有、集体企业工会行为作了规定,对外企、私企组建工会的有关问题只作了原则规定或没有涉及,使这方面工作跟不上形势的发展。特别是《工会法》对限制、阻挠组建工会、撤并工会的行为没有有效的法律制裁规定,使非公有制企业组建工作更为困难。

2. 工会经费收缴困难,县(市、区)级工会工作难以开展。这是湖北省各级工会反映最为强烈的问题。据该省总工会财务部门近三年的统计,省总工会本级经费收入和向全总上缴经费增长幅度逐年下降,1996 年至 1998 年三年中,经费收入增长分别为10.19%、6.35%和1.02%;上缴经费增长分别为10.3%、5.1%和1%。地方工会减幅更为严重,1997 年收入增长 3%,1998 年已出现负增长,在 11 个省辖市工会中有 4 个没有完成当年的预算任务。在县(市)工会中,60%的单位经费收缴率在 40%以下。座谈中,一些县(区)工会主席含泪告诉我们说:我们县级企业职工困难多,需要我们维护他们合法权益的力度比省市一级更大,可我们没有精力去干维权工作,我们全年大部分精力用在了跑经费上,否则，我们工资都开不出呀！可这一来，我们的形象还好得了，成了要钱（讨饭）工会了。还有一些地市县级工会，将经费承包到部门、个人，完不成指标，扣奖金、直至扣工资。襄樊市总工会是全省全国工会先进单位，无论是实行集体合同制度，还是推行民主评议、厂务公开制度，都创造了很好的经验，多次在全国范围内推广。可就因为1999年经费收缴没有完成指标，被一票否决，撤销了其评选先进资格。经费收缴难是全国范围比较普遍存在的问题，原因有多方面，反映到湖北：一是一些企业长期亏损，影响了工会经费的计拨。二是一些国有中小企业改制，工会组织数量减少，建会企业职工人数减少，致使工会经费减少。三是机关事业单位行政拨缴经费不能很好落实。有的强调财政困难，计拨经费未纳入财政预算，有的即使纳入也仅为10%左右。据咸宁市总工会调查统计，1998年全市事业、机关单位的工资总额比1993年增长89.79%，占国有经济单位全部职工工资总额的比重由39.45%上升为53.86%。这些单位工会没有被县（市、区）财政纳入预算或象征性的列入一部分，导致一部分经费收不上来。6个县（市、区）党政群机关平均收缴率为24.37%，卫生系统平均收缴率39.8%，教育系统平均收缴率14.04%。四是非公有制企业特别是私营企业组建工会后，不能按规定计拨和上缴工会经费。据统计，全省能按规定拨缴经费的企业不足10%。1998年，咸宁市20家已建工会的私营企业工会经费分文未缴。一些私营企业组建工会以不缴或少缴工会经费为条件，使工会经费收缴很难与工会组建同步。五是工会经费被挪用的现象时有发生。据十堰市总工会反映，该市大多数企业工会经费未实行独立管理，开支使用和上缴由厂长、经理掌握，开展活动需经费要先由工会写报告经厂长、书记批准。如十堰市车桥厂，行政财务账上虽设“厂工会经费”和“市总工会经费”明细账，每月按规定计提和分成比例分缴工会经费，但不向厂工会拨缴经费和上缴市总，账上列支的部分经费就连厂工会也不知其用途和开支金额。六是缺少法律上的制约手段。湖北省参加座谈的同志一致强调,经费收缴难的一个很重要的因素,就是工会经费收缴缺乏必要的法律手段。有法不依的有,不少领导对计拨工会经费缺乏了解,法制观念淡薄,有的甚至认为我给你工会拨缴经费是对你的“恩赐”;但更主要的是《工会法》中对拖欠、拒缴、截留工会经费的行为没有法律责任条款制约,工会又没有终极手段,如“罢工”等,因此,企业行政即使不拨缴,你也没有任何办法,只能靠“磨破嘴,跑断腿”。此外,由于对工会财产和国家拨给工会使用的不动产的性质规定不清,也导致产权纠纷时常发生。

3. 工会干部自身权益受侵犯,依法保护力度明显不足,影响了工会干部维护职工合法权益的积极性。参加座谈的一位合资企业工会主席反映说,他们企业的工会干部都是兼职的,其中一名工会干部由于大胆维护企业员工合法权益而得罪了“老板”,当他的劳动合同期满时,企业便借口终止劳动关系,变相“开除”了他。湖北省参加座谈的同志普遍认为,随着社会主义市场经济体制的建立、企业劳动关系的变化,要求工会旗帜鲜明地代表和维护职工合法权益的呼声越来越强烈,而实践中,由于工会干部因维护职工合法权益遇到打击报复的情况屡有发生,致使许多干部不敢认真履行其职责,“吃人家的饭,端人家的碗,服人家的管”。对此,职工不满意,工会自己也不满意,这次修改《工会法》一定要增强对工会干部的保护力度,否则,职工真的会去寻找他们自己的“代理人”、“维护者”的。

三、湖北调研启示以及对《工会法》修改的建议和意见

这次湖北调研引起省各方面的高度重视,工会方面更是欢欣鼓舞。所到之处,无论是地方一级工会,还是企业一级工会,对《工会法》的修改都寄予很大希望。普遍赞同《工会法》(修正案)所增加和修改的内容。一致认为,这次修改《工会法》是适应社会

主义市场经济新的时期和新的任务要求，从加强工会自身建设入手，实施依法治会的重大举措，对推动各级工会组织建设，加大工会工作力度具有重要意义。与此同时，参加座谈的同志还对《工会法》修改提出了具体建议和意见。概括归纳大家的意见和我们调研的体会，感到《工会法》修改应重点考虑以下几方面内容：

1. 要加强党对工会工作的领导与支持。湖北省贯彻执行《工会法》，开展工会工作总的情况是不错的，这与省委、省人大对工会工作的重视与支持是分不开的。比如，省委直接下文支持工会配备干部进党委常委；省人大通过四个条例，分别规范不同所有制企业贯彻《工会法》的行为等等。各个企业也是如此，凡是党委重视和支持工会工作的，工会法贯彻情况都比较好。工会是党联系职工群众的桥梁和纽带，工会工作体现了党的工作方向，党加强对工会工作的领导，是工会顺利开展工作最重要的保证。因此，在《工会法》修改中能否增加进一些相关内容。如在国有或以国有投资为主体的企业，由党委书记兼工会主席；在外企，党的干部的身份不宜公开，能否也由党委书记兼工会主席；私有企业工会干部进行民主投票选举等。

2. 要突出工会维护职工权益的职责。工会的基本职责就是维护职工的合法权益，《劳动法》对此也作了明确规定："工会代表和维护劳动者的合法权益，依法独立自主地开展活动。"但目前的《工会法》对工会的这一特点表述得不够鲜明突出，至少不如《劳动法》规定的明确。参加座谈的许多同志都就此问题提出了意见和具体建议，认为作为工会工作的基本法律，对工会维护职工权益的职责必须作出明确规定。我们也认为，这次修改《工会法》应将重点放在如何加强工会的维权工作，如何发挥职代会作用，提高工会的凝聚力等方面，从而解决工会组建不力、职工不满意等现状。比如，如何在《工会法》中体现保证国有控股和以国有投资为主体的企业职工主人翁地位。有些问题，如职代会、工会经费收缴、工会干部选举等可否允许不同所有制企业有不同做法,《工会法》中对此分别予以规定,等等。

3. 要强化建会的实体权利和程序规定。当前,组建工会在全国都是比较突出的问题。湖北省总的情况是,国有企业工会基本保持几十年的传统,无论是干部管理、组织体制,还是工作方式。组建工作基本不存在问题(有问题一般表现在中小企业改制过程中合并工会)。因此,在目前工会性质、任务都不变的情况下,对于国有企业来说,主要是解决巩固阵地问题;而对于其他所有制企业来说,则是开辟战线问题。按照锦涛和健行同志的讲话精神“凡是有职工的地方必须组建工会”,那么,在《工会法》中就应将参加和组织工会的实体权利和运作程序作出明确规定,对入会的范围也应根据形势的发展变化作相应调整。比如规定:(1)上级工会有权派员帮助和指导企业事业机关单位组建工会;(2)改制企业应依法建立工会组织,不得把企业工会与党政部门合并或合署办公;此外,还应对具有法人资格的企业高级管理者入会资格作明确规定。并扩大一定比例的入会范围,如允许个体劳动者中的部分成员(出租司机)加入工会;允许在社区中组建工会。

4. 要加强工会干部权益保护,强化工会干部的配备及职责权限。这是进一步适应市场经济发展的需要。这方面的规定与加强工会的维权职能是相关联的。(1)对于工会干部的配备及待遇可否规定:“职工人数达到一定数量的单位应设立工会专职主席,基层工会专职工作人员的具体人数应按职工总数的适当比例设置”;“基层企业事业单位工会主席在任职期间应享受同级党政副职待遇,是党员的,应作为同级党委常委或委员入选,进入党委会。”(2)对于工会组织机构及职责能否对职工董事、监事的设置、产生程序、任职资格、权限等作出明确规定。(3)对于强化工会在劳动关系协调中的作用,能否明确规定“工会组织参与由各级政府、工会、业主协会组成的劳动关系三方协调机制,参与劳动立法、劳动政策的制定和监督实施，保障职工的合法权益”。(4)对于工会干部的保护以及职责和管理，能否加上一些具体条款，如规定：基层工会主席……自任职之日起，除签订无固定期限劳动合同者外，其他有期限的劳动合同期限自动延长，延长期限不得短于其任职时间。在第二章中增加“地方工会和区域性工会联合会工会专职干部的编制应纳入党政干部序列”。

5. 要进一步强化对工会经费和财产的法律保护，同时要注重开辟新的经费来源。对此，不同市县、不同层次工会的同志从不同层面上提出了一些想法。(1)绝大部分同志认为，应对工会法人资格、工会财产性质及工会经费收缴作出明确规定。如：“工会财产为工会社团所有，受法律保护。”“各级人民政府拨给工会使用的不动产，包括必要的设施和活动场所，工会对其长期享有无偿使用权和收益权，工会组织未撤销或变更，任何单位不得收回。”“一切企业、事业、机关单位均应按每月全部职工工资总额的2%向工会划拨经费，这是企业、事业、机关的法定义务。”(2)也有部分同志认为，要加强工会经费收缴，但不同所有制企业，情况不同，应允许他们有不同的做法，《工会法》中也应对此分别作出规定。比如，对国有或国有投资为主体的企业，强调按2%经费收缴；对非公有制企业，则应通过增加会员会费等方式增加经费收缴。(3)一些县(市、区)级工会干部面对年复一年越来越难收缴经费的现状提出，对于县(市、区)专职工会干部的工资收入应实行财政包干。其他收缴的经费只用于为职工服务，改变“工会干部年年要钱吃饭的不良形象”。

6. 严格规范违反《工会法》的法律责任。大家普遍提出，这次修改《工会法》，必须增加违反法律应承担的法律责任。对这次调研带去的《工会法》(修正案)征求意见稿增加法律责任一章表示由衷的赞同，许多同志还建议增加一些相关条款。如：(1)“工会对损害其合法权益的行为可直接提请政府有关部门处理或向人民法院提起诉讼。”(2)“任何组织和个人不得非法占有、挪用、调拨和划拨工会资金和财产,对非法占有、挪用工会资金和公款归个人(组织)使用或借贷给他人、或将工会资金划拨为企业资金的,必须返还并赔偿经济损失。数额较大或巨大的,对有关责任人追究其刑事责任。”(3)“企业、事业行政方面无正当理由拒绝工会提出平等协商和签订集体合同要求的,由劳动行政部门责令限期改正或者给予行政处罚。”(4)“企业、事业单位行政无止当理由解除职工一方平等协商代表劳动合同的,由劳动行政部门责令限期改正或者给予行政处罚。”(5)对违法、失职的工会工作人员,视其危害程度规定承担民事和刑事责任。

修改《工会法》四川省调研报告

根据全国人大常委会法制工作委员会和全国人大内务司法委员会的统一安排，以全国人大常委会委员、全国人大内务司法委员会委员杨兴富同志为组长的全国人大修改《工会法》调研组一行五人，于1月9日至14日在四川省开展调研活动。现将调研情况报告如下：

一、基本情况

调研组深入到成都市、宜宾市和泸州市调研，先后在三市以及成都飞机公司等4家企业，召开了共有124人参加的9个座谈会；广泛征求人大、政府、工会以及企业党政各方面人士的意见；并听取了四川省总工会和宜宾市总工会、泸州市总工会关于修改《工会法》意见的汇报。经过紧张工作，调研组了解了《工会法》贯彻实施的基本情况及存在的诸多问题，收集了地方和基层对修改《工会法》的具体意见，比较好地完成了任务。

四川省对这次调研活动非常重视。省、市人大研究制订了周密的工作计划，精心组织有关人员参加座谈，并在工作、生活各个方面为调研组提供方便。省、市工会把修改工会法当作一件大事来抓，省总工会党组召开会议，专题研究这项工作，要求各地工会重视支持调研组的工作，所汇报的情况和提供的素材，要有数据、有例证，并注意提出具体修改意见。省市总工会的汇报材料都是在调研的基础上形成的，比较集中代表了各级工会组织和广大工会干部、职工的意见。前来参加座谈会的人员事先以召开座谈会等形式,广泛征求所在单位或有关方面的意见,逐条向调研组反映,许多人还写成了书面材料。泸天化集团公司党委书记因出差在外,特意让党委副书记转达他的修改意见。省市人大、工会的重视及各方面的积极参与和支持,保证了这次调研活动的质量。

自1992年4月3日颁布实施《工会法》以来,四川省认真学习贯彻《工会法》,做了大量卓有成效的工作,推动了工会各项工作的开展。1995年8月17日,四川省人大常委会八届十六次会议通过并公布施行了《四川省〈中华人民共和国工会法〉实施办法》,各地市也根据《工会去》制定相应的文件。1998年9月至11月,四川省总工会在全省范围内开展了《工会法》及实施办法贯彻执行情况的调研检查,促进了工会法的进一步贯彻实施。八年来,通过贯彻实施《工会法》,依靠党的领导和全省工会干部的努力,四川省的工会工作取得了新的进展:全心全意依靠工人阶级方针得到进一步贯彻落实;工会的维护职能进一步突出;工会的法律地位进一步提高;集体协商和集体合同制度基本建立;工会自身改革和建设得到加强,新建企业建立工会组织工作取得可喜成绩;依法收缴工会经费和维护工会资产工作有所加强。这些情况说明,1992年颁布实施的《工会法》适应了当时的形势,符合工会工作需要,在推进工会工作,维护职工合法权益,保护调动广大职工的积极性,促进发展稳定等方面都有着积极意义。

二、工会工作面临的主要问题

现行的工会法是在党的十四大之前制定的,相对于我国现实社会的发展,带有明显的不适应性,实施中遇到不少问题。

(一)工会组织问题

1.“两增加两减少现象”还在继续加深。即:工会工作量在增加,工会工作难度在增加;基层工会数在减少,工会专职干部数在减少。近年来,特别是1996年以来,四川省工会系统出现了两个减少:一是企业数量增加,工会基层数量减少,工会基层数由1996年的30685个降到1998年的26100个,净减4585个,减幅为14%;二是职工数量增加,工会会员数量减少,工会会员数由1996年的469万降为377万,净减92万,减幅为24.4%。绵阳市1995年基层工会为2212个,1997年减少为1927个,减少12.8%。该市1995年工会专职干部为1053人,1997年下降为734人,减少30.2%。攀枝花市298名县处级以上工会主席中,由党委正副书记、正副厂长(经理)、纪委书记兼任的76名,占25.5%;工会主席兼党委副书记、正副厂长(经理)、纪委书记的7名,占2.35%,兼任其他工作的68名,占22.8%;该市比较突出的是,不少200人以上的车间、工段、队,原按规定配备的专职工会主席现大多数由党支部书记、行政主任取而代之。金堂县的专职工会干部由以前的60多人减少到23人,有的工会主席甚至身兼四职。彭山县国有企业基层工会干部全兼职。

2.新经济组织组建工会难。表现为建会率低和入会率低。四川省乡镇企业建工会比例为4.7%,私企建工会比例为2.3%,均低于全国平均比例(全国乡镇企业建工会比例7.1%,私企建会比例4%)。成都市新经济组织企业共110601家,已建会1052家,建会率0.95%。其中:外商投资企业1186家,已建会325家,建会率27.4%;乡镇企业98190家,已建会473家,建会率0.48%;私营企业11225家,已建会254家,建会率2.26%。

新经济组织企业从业人员共114.92万人,会员6.1万,入会率5.36%。其中:外商投资企业从业人员8.99万人,会员27692人,职工入会率30.79%;乡镇企业从业人员94.28万人,会员1.97万人,职工入会率2.1%;私营企业从业人员11.6507万人,会员1.4万人,入会率12.02%。造成这一现象其主要原因:一是新经济组织大多企业规模小职工人数少,企业人员流动性大。二是企业主对建会有顾虑,怕工会与企业对着干,怕工会活动影响生产,怕上缴工会经费。三是企业职工自我维护意识差,无入会意识。

3. 弱化工会组织的现象有蔓延之势。在体制改革中,有的企事业单位为了精简机构,随意将工会与其他机构合并,在很大程度上弱化了工会的组织和职能。有的单位将工会和共青团合并成立群工部,工会专职干部减少到只剩一、二人,难以开展工作。据了解,其他地市和产业的类似现象也不少。

4. 小企业改制对工会组织建设影响较大,部分县级工会工作失去依托,有变为机关工会的危险。如成都市区县小企业关、停、并、转增多,20 个区市县仅 1998 年度下岗职工就达 6 万余人,工会组织锐减,职工人数大幅萎缩,县一级的商业系统、粮食系统、供销系统的工会组织名存实亡。金堂县职工和会员人数分别比改制前减少了3.18% 和2.8% ,工会基层组织从 236 个减少到 214 个。彭山县改制前建立工会的国有和集体企业有 69 个,兼并重组后减少了 22 个,占 32% ;职工和会员分别减少了32% 和27% 。凉山州现有企业基层工会 400 余个,已减少近40% ,部分就是改制中被改掉的,有个别企业连工会牌子也以 20 元钱卖掉了。该州目前有 40% 的基层工会由于多种原因长期不能开展工作,特别是县属企业70% 处于停止、瘫痪状态,工会组织名存实亡。据乐山市不完全统计,转制前全市企业工会 816 家,到 1998 年 10 月底只存 651 家,撤并达 165 家。

(二)工会干部的保护问题

随着改革的不断深化,劳动关系更趋复杂化,使工会维权的工作量越来越大,工会干部因维权而遭受自身合法权益被侵犯的情况时有发生。如四川某厂工会主席助理,因对职工加班加点工资问题与工厂管理人员理解不一致,其在销售科工作的亲属就被立即下岗,经省总交涉才得以基本纠正。在一些企业中,工会主席形同虚设,工会主席是行政指派的,一旦看不顺眼,就立即撤换,工会主席待遇也得不到落实;这样的工会组织和工会主席无法独立自主地开展工作;无法为职工说话办事;甚至有少数县委领导和企业领导,对工会业务不了解不熟悉,对县工会主席和企业工会主席,随意调任免职,在基层工会干部中造成了不良影响,使基层工会干部不敢大胆开展工作。在市场经济条件下,工会更应当旗帜鲜明地代表和维护职工的合法权益,劳动法也规定工会要代表职工与企业进行平等协商签订集体合同。在劳动关系深刻变革的今天,如何更好地保护工会干部的合法权益,是立法中需要加以解决的问题。

(三)关于工会的经费和财产问题

1.不依法拨缴工会经费的问题更趋突出。四川省近几年共查出行政漏欠工会经费达5788万元。到1999年10月底,仅据成都、达川、自贡、省直等15个市地州和省产业工会统计,共查出行政少提、拖欠工会经费情况,仅1998年行政欠拨工会经费就高达1600余万元,欠拨率为32.3%。达川地区直属基层工会1995年以来有60个单位累计欠缴工会经费金额达160万元。该地区59个地属机关工会中,按规定拨缴工会经费的仅有几个;有20个单位分文未缴。据检查,1998年1—10月,泸州市总工会310个基层有188个未缴经费,占60.6%;内江市总工会208个基层有148个未缴,占71.1%;省建设建材工会所属23个基层有7个未缴,占30.3%。成都市20个区市县,按其教育系统职工的人数,经费如能依法足额上缴,均可达20万元以上,但实际收缴最好的也只有4万元,仅占应缴的20%;双流县过去工会经费收得较好的乡镇企业,由于换了人而拒绝缴工会经费;成华区30多个私营和乡镇企业,上缴工会经费的只有7个,且还不是全部足额上缴;该市各区县的新建会单位,除个别采取随建随收经费外,普遍存在建立了工会收不到经费的问题,如郫县有的企业建会后,县工会多次上门催收,最后企业连门也不让他们进。宜宾市1998年底实有直属基层工会220个,应上缴市总工会经费440万元,但能上缴经费的单位只有136

个,实际上缴经费270万元,占应缴数61%;全市区县机关文卫系统属财政划拨的经费总额为143万元,财政实际划拨48.7万元,占应划拨总额的33.9%。造成经费严重拖欠,甚至拒缴。造成这一问题的原因为:一是企业行政方面对依法足额拨缴工会经费认识不够,有的认为税收都在拖欠,拖欠工会经费无足轻重;二是亏损、困难企业无力拨缴工会经费;三是转制企业工会财务工作难以接轨;四是新经济组织工会经费拨缴工作难以进行;五是在工会经费收缴工作中存在着严重的畏难情绪和错误的地方主义、本位主义现象。这些问题的存在,致使工会经费收缴越来越困难。

2. 侵犯工会经费、资产权益的问题时有发生。工会法的施行,解决了一些拒缴工会经费及工会与其他社会组织的财产纠纷问题,但这方面的问题仍然不少,工会经费、资产被随意挪用、调拨和非法冻结、查封、扣押、占用的情况时有发生,还有部分工会组织所属的文化宫、俱乐部等房地产被侵权后,迟迟得不到纠正。

(四)关于执法主体和法律责任

1. 工会法缺少"法律责任"规定。工会法没有规定谁有权追究违反工会法的当事人的法律责任,以及追究其法律责任的程序、方式、手段等等,这使工会法不具有法律应有的强制权威和刚性力量。正因为如此,对工会法不以为然的情形相当普遍,一些领导人员和企事业单位藐视《工会法》,认为执行不执行无所谓,因而无视工会组织的存在,对工会、工会干部、职代会和职工在企、事业单位中的法律地位、法定权利不尊重,对有关法律规定不执行。

2. 工会法的执法主体缺位。执法主体不明确,导致工会法的执法工作因无具体的执行者和有权威的监督者而落不到实处。

三、对《工会法》修正案(草案)的具体修改意见和建议

调查中大家普遍认为,这次《工会法》修正案(草案)有以下几个特点:第一,重点突出,保障有力。紧紧围绕工会工作遇到的难

点问题,加大法律保障力度,较好地弥补了1992年《工会法》弹性大,对工会的权利保障绵软无力的缺陷。第二,较好地体现了党的全心全意依靠工人阶级基本方针和党的十五届四中全会精神,有鲜明的时代特点和较强的针对性,体现了在新的历史发展时期工人阶级的主人翁地位,有利于发挥广大职工的劳动生产积极性与创造性。第三,增设法律责任一章,强化对违反《工会法》的行为的打击力度,为工会工作开辟了一个良好的环境,有利于在市场经济条件下发挥工会的社会稳定器和调节阀的作用,使工会真正成为党联系职工群众的桥梁和纽带。

各地在肯定《工会法》修正案(草案)的同时,也明确指出了修正案(草案)的主要不足和缺陷。

1. 修正案(草案)没有较好地解决《工会法》执法主体长期缺位的问题。人大是立法和监督机关,不是执法主体。法院是司法机关,面对日趋增长的大量的劳动争议案件审理尚且困难,对侵犯工会权益的行为,司法监督的力量更是微乎其微。政府是执法机关,但缺少专门的《工会法》执法机构。

2. 修正案(草案)仍没有彻底解决新建企业工会组建难和改制企业随意撤并工会的问题。新建企业拒绝建会与不愿拨缴工会经费之间有一定的联系。改制企业撤并工会有更为复杂的政治、经济及社会原因。修正案(草案)加大了对阻挠、限制以及非法撤销、解散或合并工会且情节恶劣的行为的处罚力度,而对大量的一般性侵权行为,却仅笼统规定由县级以上人民政府责令其限期改正。对软磨硬泡的行为没有相应的惩治和纠正手段。

3. 修正案(草案)对工会干部的保护缺乏较为有效的手段。对日常的一般性侵权行为无能为力。工会专兼职干部将很难履行依法维护职工权益的职责。

4. 法律责任一章宣传作用大于实际执行效果,仍存在原则化、概念化倾向。

修改《工会法》浙江省调研报告

1月17日至25日，全国人大内司委、法工委和全国总工会的部分同志组成调查组，赴杭州、温州、宁波等地，对浙江省非公有制企业工会建设的情况进行调查。调查组通过召开座谈会和深入企业调查等形式，分别听取当地政府有关部门、总工会和企业对非公有制企业工会建设情况的介绍，共有70人参加了座谈会。座谈中大家认为，1992年修订的工会法实施以来，对工会工作的开展起了保障和促进作用。但工会法对非公有制企业工会工作规定得比较少，非公有制企业开展工会工作缺少必要的法律保障。这些年，浙江的非公有制经济发展得比较快，据统计，浙江省共有私营企业11万多家，职工140多万人，外商投资企业1万多家，职工80万多人，许多地方的非公有制经济在经济总量中的比重超过公有制经济，非公有制企业职工队伍在不断扩大，但工会建设与职工队伍增长和经济发展不相适应。非公有制企业在工会的组建、经费拨缴和工会干部的配置等方面还存在一些问题，需要立法加以解决。

一、关于工会组建

私营企业和外商投资企业的工会组建工作，一般是在各级党委、政府的领导、支持和配合下，由上级工会派人去企业做说服、动员工作，经企业方同意后，再组织职工组建工会。工作难度相当大，有的企业不让工会干部进门；有的企业，工会干部要跑五六趟，企业方面才答应建工会；有的外商投资企业明确拒绝建工会。从调查的情况看，非公有制企业工会组建率比较低，如宁波市的外商投资企业2617家，职工约 14 万人，已组建工会的 840 家，组建率为 32%，吸纳会员 5.87 万；私营企业工会24374家，职工约 37 万人，组建工会的10463家，组建率为 43%，吸纳会员 11.4 万。温州市具备建工会的私营企业2500家，组建工会1370家，组建率为 60%。工会组建困难，组建率低，原因是多方面的，有制度不够健全的原因，也有对工会认识不足的原因；有企业方面的原因，也有职工一方的原因。(1)从制度上来说，现行工会法没有明确强调私营企业要组建工会，对非公有制企业工会工作规定得比较少，工会法修订后，地方实施的过程中，针对私营企业和外商投资企业工会工作作了一些规定，但外商比较认国家法律，国家法律有规定，一般能遵照执行，对政府的文件则往往打折扣。而且对不建工会的，工会法也没有相应的制约措施，从制度上来说，还不完善，影响了非公有制企业的工会组建。(2)从企业方来说，很多私营企业主认为，建工会等于企业花钱买一个对立面，对其形成制约，不愿建工会。尤其一些外商投资企业不了解我国工会的性质和作用，对工会有戒心，认为工会与资方是对立的，不愿组建工会。有的企业认为建工会就要按工资总额 2% 缴工会会费，增加了企业的负担，因此，不愿建工会。有些私营企业迫于形势建了工会，让自己的家人或亲戚当工会主席，如温州鹿城区 50% 以上的企业工会主席是老板的亲戚和朋友。还有的勉强组成了，有的把工会当摆设，不开展工作等。(3)从职工一方来说，劳动力过剩，就业机会不多，职工就业选择的余地小，能找到个工作，挣点钱就很不容易，唯恐失去“饭碗”，对组建工会缺少内在的要求。尤其大量的农村富余劳动力进城，大家都是刚刚放下锄头，还不是完全的工人阶级，对工会组织的认识很不够，不愿或不知道参加工会，遇到困难和不平，往往求助于同乡，有的要求组织“同乡会”。

有的人认为，组建工会要调动职工的积极性，必须突出工会维护职工权益的中心，使职工感受到工会存在的必要，使组建工会成为职工内在的要求,变“要我建”为“我要建”。

二、关于工会经费

现行工会法没有明确非公有制企业拨缴工会经费的比例,浙江省是按照工会法对公有制企业拨缴工会经费的比例,对非公有制企业也按职工工资总额2%收缴。从调查的情况看,工会经费的收缴很困难,据统计,1998年浙江省“三资”企业经费收缴率为76.9%,乡镇企业为46.42%,私营企业为23.17%;宁波市非公有制企业的经费收缴率“三资”企业为33.79%,乡镇企业为27.43%,私营企业为18.36%;1999年温州市非公有制企业工会经费收缴率为10%多一点。调查中,大家普遍反映非公有制企业工会经费收缴难度大,有的地方收缴工会经费主要靠工会干部的面子。有的企业工会经费收缴主要靠企业主是否开明,企业主重视,经费就有保证,不重视,经费就没保证。造成这种状况的原因有:(1)工会法没有明确规定非公有制企业的工会经费收缴比例,非公有制企业工会经费收缴工作无法可依。对于不缴工会经费的,也没有比较硬的制裁措施,因此,工会经费收缴难度大,如嘉兴市1999年新登记私营企业23家,经费一家也未缴,上虞市新登记非公有制企业92家,拨缴工会经费的仅3家;(2)企业经济效益不好。非公有制企业中以中小企业居多,经营情况不稳定,一些企业效益不好,连职工工资都发不了,工会经费也就成了“无米之炊”;(3)企业主对拨缴工会经费缺少正确认识。有的认为,按职工工资总额的2%收缴工会经费是公有制下解决工会经费的做法,私营企业的产权属于个人,让私营企业也按2%缴工会经费,从道理上讲不通。有的对上缴工会经费持反对态度,认为企业拨缴的工会经费是企业的钱,应留下企业使用,不应上缴上级工会。因此,不愿拨缴工会经费。有的企业经多次催缴,才拨一点钱,表示“意思意思”。有的企业虽然拨缴了经费,但使用经费还需要老板批准。(4)非公有制企业规模小，职工流动性大，工资总额难以掌握，收缴工会经费就比较困难。座谈中一些部门和企业认为，非公有制企业职工流动性大，企业不确定因素较多，现在企业的分配形式多种多样，有的企业实行秘密薪金制，对工资总额不好掌握，按工资总额的2%向工会拨缴经费难以操作。建议对非公有制企业拨缴的工会经费，确定一个计算基数。

三、关于工会干部的配置

关于企业基层工会是否配备专职工会主席以及是否需要按职工人数配备专职工会干部，座谈中有不同意见。一种意见认为，兼职工会干部都有本职工作，没有时间和精力去搞工会工作，配备专职工会干部，时间和精力都有保证，从加强工会工作的角度看，设专职工会干部要好一些。另一种意见认为，现在企业面对市场竞争环境，必须以经济效益为中心，要减员增效，配备专职工会干部成本太高，对公有制企业来说，大企业大体能做到，中小企业配备不起，对非公有制企业来说，事实上做不到。调查中了解到，绝大多数非公有制企业的工会主席都是兼职，如杭州经济技术开发区83家企业，基本上都是外商独资企业，除一家工会主席是专职外，都是兼职，宁波北仑港开发区各类企业工会148家，专职工会干部只有四、五人；温州私营企业工会主席基本也都是兼职。他们认为兼职工会干部未必不好，首先，企业可以少一个职工，少发一份薪水，老板愿意；其次，非公有制企业的工会主席一般都是企业人事主管、财务主管、行政主管等，有一定地位，他们的意见容易为老板接受，更容易为职工说话，职工也愿意；再次，兼职工会干部可以有本职工作，能够掌握相应的技能或知识，不愁日后谋生之路，工会干部本人愿意。此外，从工会工作的角度看，工会主席从事生产和某种工作，便于与工人沟通，能更好地开展工会工作。因此，能否搞好工会工作不在于工会干部是否是专职，而在于工会干部的主动性、积极性。

四、关于工会法主体的表述

现行工会法是以公有制企业为主来规范企业的工会工作的，许多条款都是以所有制为标准作出规定。在座谈中，大家对这种表述方法提出不同看法。有的认为，现行的工会法是计划经济向商品经济转变初期制定的，当时企业主要是全民所有制企业和集体所有制企业，私营企业和外商投资企业还不多，工会法中大多数的条款都是针对公有制企业的特点作出规定的。随着市场经济的发展，非公有制经济的比重在增加，有的地方非公有制经济已占主导地位。如温州非公有经济占国民经济的88%，宁波市国有经济所占比例不足10%，浙江省提出国有经济在逐步从竞争性行业退出来。在市场经济条件下，工会立法要针对不同所有制企业的所有职工。而且，现代企业实行公司制，企业的产权按所有制划分也不容易说清楚，工会法不应以所有制为标准作出不同的表述。另一种意见认为，公有制企业和非公有制企业的所有权性质不同，职工在企业中地位不一样，从公有制企业的“准所有者”变成非公有制企业的“打工仔”，职工的权利和义务就不一样，工会的作用也不一样，如在国有和集体企业，职工可以参与企业的民主管理，可以进董事会、监事会，但在非公有制企业，企业产权属于企业主，老板说了算，职工的权利与公有制企业不一样。因此，还是应当区分不同所有制企业，分别作出规定。

大连市外商投资企业工会建设情况

2000年6月11日、12日，全国人大常委会法工委副主任张春生带领法工委国家法行政法室的部分同志，对大连市外商投资企业工会建设的情况进行调研，听取了大连市总工会和大连市经济技术开发区总工会关于外商投资企业工会建设情况的介绍。自1984年经国务院批准实行对外开放，截止到1999年底，大连市累计批准外商投资企业8096家，协议利用外资179.9亿美元，实际利用外资79.4亿美元，累计开业投产的3850家，实有2588家，25人以上开业投产的1482家，从业人员21万人。大连市总工会非常重视外商投资企业工会工作，于1985年4月成立了外商投资企业工会工作专门部门，此后，又成立了外商投资企业工会联合会，区、市、县总工会也建立了区域性外商投资企业工会联合会，为推动外商投资企业工会工作起到了组织保障。1986年5月辽宁省人大常委会通过了《大连市中外合资经营企业工会条例》，为外商投资企业工会工作提供了法规依据，在此基础上，市总工会和市委、市政府有关部门先后下发了《关于进一步加强外商投资企业工会建设的通知》、《大连市外商投资企业工会工作实施细则》等文件，为外商投资企业工会工作创造有利条件。通过多方面的努力，大连市外商投资企业的工会工作取得了一定成绩。

1. 关于工会组建

截止到1999年底，在1482家应建工会的外商投资企业中，已建工会组织的1342家，占应建工会企业的93.8%，占实有开业企业53.7%。大连经济技术开发区现有外资企业316家，工会组建率为81%，外资企业员工的入会率为95%。总体来看，工会组建的情况是好的。大连市外商投资企业工会组建有一个由难到易的过程，开始，由于外国投资者对工会的认识不足，不愿建工会，市、区总工会通过各种形式，宣传中国工会的性质、职能、作用，使外方管理者消除对工会的戒心和疑虑，转变了对工会的态度。大连市经济技术开发区总工会还通过帮助解决劳资纠纷，让外国投资者认识中国工会的作用，支持职工组建工会。如因亚洲金融危机的影响，佳能公司需要裁员300人，通过工会做工作，职工没有闹事，佳能公司顺利完成裁员任务，同时工会也为被裁员工争取到最大限度的利益。这件事不仅使佳能公司认识了中国工会的作用，也让开发区其他外商投资企业了解了中国工会。但也有一些外商投资企业不愿建工会，如有一家韩国独资企业，市、区两级工会多次到该企业做工作，督促成立工会，市人大常委会法工委也曾到该企业做工作，但该企业至今也未成立工会。目前，在大连设立的10家外资银行也迟迟不成立工会。外资企业不建工会，有的是因为一些经营者不了解工会的性质和作用，不知法，不懂法，也有工会法的规定比较原则，对符合建会条件而不建会的企业没有制约措施的原因。因此，有的建议修改工会法，规定“中国境内的企业、事业、机关必须依法建立工会，企业、事业单位、机关中的职工可以自愿加入工会”。将企业组建工会和职工自愿加入工会分开，企业没有选择余地，符合条件的必须依法建立工会；而作为职工，有权加入工会，也有权不加入，体现“自愿”原则。并且对在一定时期内不建工会的企业，规定相应的法律责任。

2. 关于工会经费

外商投资企业工会经费拨缴情况比较好，如在大连市经济技术开发区312家应当缴纳工会经费的外商投资企业中，有290家能够缴纳工会经费，上缴率为93%。工会经费按工资总额的2%缴纳，其中包括外国籍员工的工资。不能按时缴纳工会经费的主要原因是企业效益不好，有的企业职工工资也难以保证，更不用说工会经费。

市总工会的同志建议，修改工会法，应当不分企业性质，规定建立工会的企业都应当按全部职工工资总额的2%，按月足额向工会拨缴经费。并在法律责任中规定，未按时足额拨缴工会经费的，机关工会或上一级地方总工会可以依据本法和民事诉讼法，向人民法院申请下达支付令，强制执行；或者规定向人民法院起诉，通过民事诉讼程序解决。

3. 关于工会干部的组成

外商投资企业的工会干部多数是兼职，一般是企业的人事部长、总务部长、车间主任等。如大连市经济技术开发区外商投资企业专职工会干部不到10人，约占工会干部的2%。配备专职工会干部的企业一般规模比较大，企业配备专职工会干部，开展工作有力度，外方经营者也比较看重专职工会干部。工会的同志认为，大多数企业工会干部都是兼职，兼职工会干部由于身份具有双重性，当企业方和职工利益发生冲突时，不能站在职工一方，不利于维护职工的权益。开发区总工会正在积极探索工会干部制度改革，初步设想是一部分企业工会干部由区总工会选派，工资由区总工会发，专职从事工会工作；一部分工会干部的工资由总工会和企业共同分担；一部分工会干部的工资由企业负担。通过多种形式，减少工会干部对企业的依赖，加大工会干部维权的力度。

编者按:2000年8月,全国人大常委会法制工作委员会将工会法修正案(征求意见稿)发中央有关部门及各地人大征求意见,法制工作委员会根据各方面意见,对征求意见稿又作了修改,现将有关意见整理,供参考。

中央有关部门对工会法修正案(征求意见稿修改稿)的意见

2001年2月16日,国务院法制办召开座谈会,征求中央有关部门对工会法修正案(征求意见稿修改稿)的意见。国家经贸委、劳动和社会保障部、中央企业工委、中央金融工委、中编办、人事部、建设部、国务院发展研究中心、国务院研究室以及中国企业联合会等部门有关负责同志出席了会议并发表了意见。全国人大法工委国家法室的有关同志到会听取了意见。现将座谈会上提出的主要意见简报如下:

一、总的意见

随着我国社会主义市场经济的发展,我国劳动关系发生了深刻变化,为适应新时期工会工作的发展需要,适时地对工会法进行修改是十分必要的。有的部门提出,征求意见稿将工会工作多年来行之有效的经验方法以法律形式固定下来,强化了工会的维权职能,加大了保护工会干部的力度,增加了对违反工会法的法律责任的规定,使工会法更具权威性,更有利于实施,修改的比较好。但一些部门提出,目前,我国已逐步建立了以公有制为主体、多种经济成分共同发展的社会主义市场经济体制,形成了多元化的市场经济主体。在这一体制转轨时期,工会应如何开展工作是需要进一步研究的问题。国有企业和非国有制企业的工会在性质、地位、工作重点等方面有所不同，机关、事业单位的工会同企业工会在职责、作用等方面也有差异。修改工会法不能简单地将对全民所有制企业工会的规定扩大到各类企业，更不能直接适用于机关和事业单位。因此建议，工会法的修改要注意结合社会主义市场经济改革和发展，体现改革精神，并考虑加入 WTO 后的工会工作，有重点、有针对性地解决当前工会工作亟待解决的问题，力争修改出一部时代感强、具有前瞻性、适用于各类市场主体的工会法。

有的部门提出，工会法的修改应进一步突出维权职能。工会是劳动关系矛盾的产物，是在雇主和雇员发生利益冲突时维护雇员利益的组织。因此，工会法应充分体现工会的这一性质，将修改的重点放在维护职工合法权益上。要避免将工会法写成工会干部保障法，避免和减少工会的行政化倾向。

二、对不同所有制企业工会规定的具体意见

有的部门提出，十一届三中全会以后，各种所有制经济都在不断发展，非国有制企业雇员也在不断增加，目前已达到一个亿。通过工会工作保障他们的合法权益是十分必要的。征求意见稿力图打破所有制界限，对现行工会法部分条款中只适用于全民所有制和集体所有制企业的规定作出了修改，使之适用于不同的所有制企业，这种考虑是符合当前我国改革需要的。但是在具体条文的规定上，没有区别不同情况，简单地照搬对全民所有制企业工会的规定，在实践中很难执行。如要求所有企业职工在 200 人以上的就要设专职工会主席；工会与所有用人单位进行平等协商，一方提出协商要求，另一方不得拒绝；所有建立工会的企业、事业单位、机关都要按每月全部职工工资总额的 2% 向工会拨缴经费等，这些规定有的只适用于国有企业，对于非国有制企业不适合；有的只适

用于企业而不适合事业单位、机关;有的规定搞不好会影响投资环境,因此,建议作出相应的修改。

三、对机关、事业单位工会工作的规定

有的部门提出,根据国家统计局1999年的统计,国家机关有职工1000余万,事业单位有职工2500余万,如何通过工会工作保障这部分职工的合法权益是值得认真研究的一个问题。过去我们对机关、事业单位工会如何发挥作用研究的很不够,征求意见稿也没能较好地解决这一问题。建议工会法根据机关、事业单位工会和企业工会的不同特点分别作出规定,以便更有针对性,更有利于执行。

四、关于党对工会的领导问题

有的部门提出,工会法应当体现党对工会的领导。实践中各级工会是受同级党委和上级工会组织的双重领导,以同级党委领导为主,建议将这一做法明确在工会法中加以规定。但一些部门提出,工会是职工自愿结合的群众组织,在工会法中不宜直接规定党的领导,党对工会的领导可以在工会章程中加以规定,体现在工会的实际工作中,这样有利于我们在国际斗争中争取主动,有利于我国工会开展对外交流活动。

五、关于工会权利的规定

征求意见稿规定,企业处分职工,工会有权提出意见;企业单方面解除职工劳动合同时,应当事先将理由书面通知工会,工会可以要求重新研究处理。有的部门提出,在规定工会权利的时候也要考虑企业单位的用人自主权。工会应当更多地关注对职工利益影响较大的问题,如协调处理集体合同纠纷,对人数较多的经济性集体裁员提出意见等等,对个别职工的纪律处分问题,不宜事先介入,可以事后监督。

有的部门提出,为更好地保护职工权益,工会法应当明确规定工会有组织职工罢工的权利,以体现雇主和雇员权利义务一致的原则。特别是非国有制企业,雇主既然有权解除劳动合同,工会就有组织雇员罢工的权利。双方权利义务相互制约,工会保障职工的权利才能落到实处。

征求意见稿规定,工会依照国家规定参加新建、改建、扩建企业和技术改造工程中的劳动条件和安全卫生设施与主体工程同时设计、同时施工、同时投产使用的审查验收。有的部门提出,目前,国家对工程项目审查验收实行监理制度,参与验收的部门都要具有一定的专业知识,同时对验收项目承担法律责任,各级工会大都不具备这样的能力,因此,规定工会参与“三同时”验收,操作起来有一定困难。

有的部门提出,工会法应当体现工会和职代会的源头参与。建议增加规定工会组织推选职工代表进入公司董事会、监事会,参与企业民主管理和民主决策。

六、关于劳动模范的评选、表彰、培养、管理问题

征求意见稿规定,根据政府委托,工会承担劳动模范和先进生产者的评选、表彰、培养和管理工作。一些部门提出,表彰奖励劳动模范是政府行为,1998 年国务院三定方案明确这项工作主要由人事部门负责,劳动部门也要参与工作。工会是群众性组织,不具有行政职能,应是协助政府做好这项工作。因此,建议删去这一规定;或者修改为工会与有关部门共同组织承担劳动模范和先进生产者的评选、表彰、管理工作。

七、其他意见

征求意见稿规定,以工资收入为主要生活来源的人员有依法

参加和组织工会的权利。有的部门提出，这样规定范围过窄，建议增加规定，以股权、期权或者佣金收入为主要生活来源的劳动者也有依法参加和组织工会的权利。

征求意见稿规定，任何组织和个人不得随意撤销、合并工会组织及其工作机构。有的部门提出，规定工会组织不能随意撤销、合并是可以的，办事机构也不允许合并、撤销不现实，建议删去关于工作机构的规定。

征求意见稿规定，集体合同争议适用或裁或审的原则，有的部门建议修改为仲裁前置原则，同劳动法的规定相一致。

部分地方和中央有关部门对工会法修正案（征求意见稿）的意见

最近，全国人大常委会法制工作委员会将全国总工会起草的工会法修正案（征求意见稿）印发北京、上海、天津、重庆、辽宁、黑龙江、福建、广东、深圳、珠海等地方以及中组部、国家计委、国家经贸委、财政部、劳动和社会保障部、外经贸部、国务院法制办等中央有关部门征求意见。现将具体意见简报如下：

一、总的看法

一些地方和部门认为，根据新时期工会工作的发展要求和社会主义市场经济发展的需要，对工会法进行修改、补充和完善，是必要的。一些地方提出，征求意见稿突出体现了工会维护职工权益这一基本职能，有针对性地解决了工会工作目前面临的一些实际问题，并且明确了法律责任，加大了执法力度，符合广大职工、工会干部多年来的愿望。也有的地方认为，目前我国正处于社会主义初级阶段，发展经济是当务之急，我们不仅要保护劳动者的权益，同时也要考虑用人单位的利益，建立一种良性互动关系，这样有助于经济的持续、稳定发展。工会不同于政府机关，对工会的职权不宜赋予过高。

二、关于专职工会干部的设置

征求意见稿规定：“职工二百人以上的企业、事业单位、机关的工会组织，应当设专职工会主席。工会基层组织工作人员的编制不低于职工总数的千分之三。”有的地方和部门提出，现在一些企业，特别是私营企业和外资企业基本上都是一人多职，要求设立专职的工会主席难度很大，难以落实。企业工会的组织机构应根据企业的实际情况确定，不宜由法律硬性规定，否则会增加组建工会的难度。

三、关于工会干部的保护

征求意见稿规定：“基层工会主席、副主席和工会委员会委员自任职之日起，其劳动合同期限自动延长，延长期限相当于其任职时间；任职期间未经本级工会委员会并报上一级工会组织同意，不得解除其劳动合同。”有的地方提出，这一规定侵犯了用人单位的用人自主权，与劳动法的规定不一致，建议修改为“任职期间，除劳动法第二十五条、第二十六条规定的情形外（指过失与非过失解除劳动合同的情况），用人单位不得解除其劳动合同”；或者修改为：基层工会主席、副主席和工会委员会委员自任职之日起，其尚未履行的劳动合同期限短于任期的，劳动合同期限自动延长至任期期满。任职期间除个人严重过失外，企业不得解除其劳动合同。

四、关于工会的权利

征求意见稿将工会法第十七条增加一款规定：“企业、事业单位违反法律、法规或者集体合同规定，侵犯职工劳动权益的，工会应当要求企业、事业单位行政方面予以纠正；如果行政方面不予接受而形成争议，工会有权不经职工委托直接向劳动仲裁机构提请仲裁，或者向人民法院提起诉讼。”有些地方和部门提出，这一规定不符合我国诉讼法的规定，因为侵权行为指向的是职工而非工会，工会不具备诉讼主体的资格；另外职工有权自由处分自己的民事权利和诉讼权利，如果工会未经职工授权就代职工处分权利，会造成对职工权利的侵犯，建议对这一规定慎重研究。

征求意见稿第十九条规定了工会对解除劳动合同或者处分职工进行事前监督的权利。有的部门提出，解除劳动合同的程序在劳动法中已有规定，工会可以就劳动合同的解除进行事后监督，没有必要另外设立事前监督制度，避免影响企业用人自主权。

征求意见稿将工会法第二十一条修改为，企业、事业单位侵犯职工劳动权益的，工会依法提出意见调解处理。有的部门提出，工会是企业劳动争议调解委员会的一方，须在接到职工的劳动争议调解申请后才能依法进行调解，并以调解委员会的名义作出处理。

征求意见稿将工会法第二十三条修改为，工会依照国家规定参加对新建、改建、扩建企业和技术改造工程中的劳动条件和安全卫生设施与主体工程同时设计、同时施工、同时投产使用的审查验收。有的部门提出，审查验收工作需要一定的专业知识和技能，工会是否具备这一能力，能否对其验收的项目承担相应的责任？建议慎重研究。

征求意见稿将工会法第二十八条修改为："国家和地方立法机关在组织起草涉及职工切身利益的重大法律、法规时，应当有工会代表参加。"有的部门建议将"有工会代表参加"修改为"听取工会的意见"。

征求意见稿规定："工会承担政府委托的劳动模范和先进生产（工作）者的评选、表彰、培养和管理工作。"有的部门建议修改为："根据政府委托，工会可以具体承办劳动模范和先进生产（工作）者的评选、表彰工作。"

五、关于工会的经费和财产

征求意见稿规定，对拒不执行法院有关拨缴工会经费的支付令的，由人民法院强制划拨并加收每日千分之五的滞纳金。有的部门提出，从法院审判实践来看，对不执行法院生效判决的金钱给付债务，通常只是加收同期银行的存款利息，而非加收滞纳金。建议修改为“对在规定期间既不履行又不提出异议的，基层工会和上级工会可以向人民法院申请执行并按国家有关规定加收利息”。

征求意见稿规定，工会组织依法撤销或者解散，其资产由上一级工会处置。有的地方提出，这一规定是否妥当，值得研究。

六、关于设立劳动委员会

征求意见稿规定，各级人民政府应当会同同级工会和企业方面代表建立劳动关系三方协商制度，设立劳动委员会，共同研究解决劳动关系和工会权益方面的重大问题。劳动委员会的工作机构设在劳动行政部门。有的地方提出，设立劳动委员会是适应当前我国处理劳动关系和解决劳动争议的实际需要的，也符合国际惯例，是我国工会立法中的一大突破，建议单列一章，对劳动委员会的性质、职能、运作机制等作出具体规定。有的地方提出，劳动委员会是由三方组成的，规定劳动委员会的决定由劳动部门执行，工作机构设在劳动部门容易失去监督，不合适，建议改为“劳动委员会的工作机构设在同级人民政府”。也有的地方提出，设立劳动委员会不能解决工会法的执法力度问题，并易引发新的矛盾，建议删去设立劳动委员会的规定，由劳动行政部门行使其相应的职权。有的地方和部门提出，设立劳动委员会是对现行工会和国家机关关系的重大调整，征求意见稿关于劳动委员会的性质、职能的规定不明确，建议对劳动委员会的性质、地位、职权及其与政府、劳动行政部门的关系以及工会法要不要有一个行政执法主体，作进一步研究论证。有的地方提出，设立劳动委员会的问题应由劳动法规定，工会法不宜规定这一内容。

七、关于职工代表参加董事会和监事会

征求意见稿规定:“国有独资和国有控股公司的董事会和监事会都要有职工代表参加。董事会中职工代表不得少于董事会成员的四分之一;监事会中的职工代表不得少于监事会成员的三分之一。其他公司制企业的董事会和监事会中也应当有职工代表参加。”不少地方和部门提出,这一规定与公司法的规定不一致。公司法规定国有投资主体的有限责任公司董事会、监事会应有职工代表,监事会职工代表的比例由公司章程规定。而公司法没有规定私营企业、外商独资企业等非国有独资公司、股份有限公司以及国有控股公司的董事会必须有职工代表参加。从我国国有独资和国有控股公司的实际情况看,职工代表参加董事会和监事会是有必要的,但各个公司的情况不同,特别是国有控股公司,如果职工代表所占比例太大,会影响其他出资人的决策管理权,不利于公司的发展和现代企业制度的建立。建议与公司法的规定相衔接,不具体规定职工代表的比例,同时删去“其他公司制企业的董事会也应当有职工代表参加”的规定。

八、法律责任

不少地方和部门提出,新增加的法律责任一章的内容尚需作较大调整:第一,劳动委员会是协调劳动关系的协商机构,不能作为执法主体。规定劳动委员会作处理决定,再由劳动部门按劳动委员会的决定进行处罚,与行政处罚法、行政复议法、行政诉讼法的规定相矛盾,也不符合行政执法的基本原理。行政执法部门的权力与责任应当是统一的,如果劳动部门依据劳动委员会的决定作出行政处罚,一旦引起行政复议和诉讼,谁来做被申请人和被告?责任将很难划清。建议删去由劳动委员会作处理决定的规定,由劳动部门或其他具有行政处罚权的政府部门直接进行处罚。

第二，设定罚款过多，且罚款数额较高，有的条文还设定了停业整顿、吊销营业执照等比较严厉的处罚，不符合"过罚相当"的原则。

九、其他

1. 有的建议在第四条中增加规定"各级工会组织接受同级中国共产党组织的政治领导"。

2. 建议将第六条第二款中的平等协商、集体合同制度限定于企业，与劳动法相一致。

3. 征求意见稿将工会法第六条增加规定，职工代表大会是企业、事业单位职工民主管理的基本制度。有的地方提出，这一规定可理解为我国所有的企业、事业单位都应当实行职工代表大会制度，这与有关法律规定不一致。

4. 征求意见稿将工会法第十二条修改为，企业、事业单位、机关有会员十人以上的，应当建立基层工会委员会。不足十人的，两个以上单位的会员可以联合建立基层工会委员会。有的地方提出，两个以上单位的会员如何联合组建工会？这一规定在实际中难以操作。建议恢复工会法"有会员二十五人以上的，可以建立基层工会委员会"的规定。